Kulturlesebuch für Anfänger

Kulturlesebuch für Anfänger

SECOND EDITION

Edited by

HARRY STEINHAUER

University of California

Santa Barbara

The Macmillan Company, New York

First Printing

Earlier edition © 1961 by Harry Steinhauer.

Library of Congress catalog card number: 67–18643

THE MACMILLAN COMPANY, NEW YORK

COLLIER-MACMILLAN CANADA, LTD., TORONTO, ONTARIO

Printed in the United States of America

ACKNOWLEDGMENTS

Acknowledgment is gratefully made to the following authors, agents, and publishers for permission to use copyrighted material.

JOAN DAVES: For "Die ungezählte Geliebte" from *An der Brücke* by Heinrich Böll. Copyright 1950 by Middelhauve Verlag; used by permission of Joan Daves.

INSEL-VERLAG: For the poem by Christian Morgenstern, "Dulde, trage . . . ," from *Zeit und Ewigkeit.* Used by permission.

For the following poems by Rilke: "Ich lebe mein Leben in wachsenden Ringen," from *Das Stundenbuch;* "Herbst" ("Die Blätter fallen . . ."), from *Das Buch der Bilder;* "Der Panther," from *Neue Gedichte.* Used by permission.

For the selection by Waggerl, "Legende von den drei Pfändern der Liebe," from *Kalendergeschichten.* Used by permission.

ROWOHLT VERLAG: For "Die drei dunklen Könige" by Wolfgang Borchert. Used by permission of Sanford J. Greenburger.

ERICH SCHMIDT VERLAG: For two diagrams: "Staatsorgane der Bundesrepublik Deutschland" and "Schulaufbau im Bundesgebiet." Used by permission.

SCHOCKEN BOOKS INC.: For "Eine alltägliche Verwirrung" by Franz Kafka. Reprinted by permission of Schocken Books Inc., from *Beschreibung eines Kampfes* by Franz Kafka, Copyright © 1946 by Schocken Books.

SUHRKAMP VERLAG: For the poem by Günter Eich, "Ende eines Sommers," from *Botschaften des Regens.* Used by permission.

For the poem by H. M. Enzensberger, "ins lesebuch für die oberstufe." Used by permission.

For the following poems by Hermann Hesse: "Liebeslied" and "Im Nebel," from *Die Gedichte von Hermann Hesse.* Used by permission.

For "Eine größere Anschaffung," from *Lieblose Legenden,* by Wolfgang Hildesheimer. Used by permission. All rights to the above selections reserved by Suhrkamp Verlag.

VERA TÜGEL: For "Der Arbeitsmann" by Richard Dehmel. Used by permission.

Preface

After five years of life, during which the *Kulturlesebuch für Anfänger* went through seven printings, the publisher has felt the time is ripe for a new edition. It is an encouraging sign that teachers are not content to teach the mechanics of language but want their students to learn German by speaking, reading, writing, even singing German that has intellectual or artistic content worthy of college students or high school pupils. They seek materials on a level with those encountered in their English, history, and political science classes. To provide a text that meets these requirements is a tremendous challenge; I do not flatter myself that I have met it fully, but even a partial success is a source of gratification to author and teacher.

Accordingly, the second edition persists in the principles that guided the first: to present readings of mature content, in fairly simple German, that deal with various aspects of German life and art. The new edition was needed because some of the articles in the old had not withstood the test of time and critical scrutiny. These have been removed and new articles substituted. Content questions, so helpful in training the beginner to memorize patterns of speech, have been supplied for those texts that lend themselves to this type of exercise (most of the poems have not been subjected to this kind of drill).

The arrangement of the material is still based on the pedagogical principle that the learner must proceed from the easy to the more difficult. But since the book has been used even in third-year German classes and in civilization courses as well, a second grouping of the readings by topic is offered on page 289. The visible vocabulary and the appendix, listing common difficulties met by beginners, have been retained.

Kulturlesebuch für Anfänger may be used with traditional grammars in reading courses and as a supplement to audiolingual textbooks.

My thanks are due to the following colleagues who have helped and encouraged me in the editorial and writing tasks: Mrs. Roselinde Konrad of Western Reserve University and Mrs. Doris Merrifield of Fullerton College, California. Mr. Felix Schwemmer, a graduate student at the University of California, Santa Barbara, helped prepare the manuscript for publication.

H. S.

Contents

Note: The following grammatical information is omitted from the visible vocabulary: the plural of weak feminines and of masculines and neuters in *-el, -en, -er;* the gender of nouns whose ending shows that they are feminine (*-heit, -keit, -ung, -schaft*) or neuter (*-chen, -lein*). At first the principal parts of all strong verbs are given. Later on they are omitted in the case of compounds formed with the most common verbs (*bestehen, entsprechen, um-gehen*).

Abbreviations

dat.	dative
dem.	demonstrative
gen.	genitive
imp.	imperfect
pl.	plural
pres.	present
rel.	relative
subj.	subjunctive

[1] Das Vaterunser

Luther's version in the modernized form found in German Bibles.

Unser Vater in dem Himmel. Dein Name werde geheiligt. Dein Reich komme. Dein Wille geschehe auf Erden wie im Himmel. Unser täglich Brot gib uns heute. Und vergib uns unsere Schulden, wie wir unsern Schuldigern vergeben. Und führe uns nicht in Versuchung, sondern erlöse uns von dem Übel. Denn 5
dein ist das Reich und die Kraft und die Herrlichkeit in Ewigkeit.

[2] Das Leben

Johann Gottfried Herder (1744–1803)

Herder was a theologian, cultural historian, critic and poet. He was a seminal thinker in many intellectual areas. The following poem is the opening stanza of Amor und Psyche. *The theme is the evanescence of life.*

Ein Traum, ein Traum ist unser Leben
Auf Erden hier.
Wie Schatten auf den Wogen schweben
Und schwinden wir.
Und messen unsre trägen Tritte 5
Nach Raum und Zeit.
Und sind (und wissen's nicht) in Mitte
Der Ewigkeit.

TITLE translation of the Latin *pater noster*
1 *ff.* **werde, komme, geschehe** (*pres. subj.*) expressing a wish
3 **täglich** modern grammar requires **tägliches**

1 **der Traum ⸚e** dream
3 **der Schatten** shadow; **die Woge** billow, wave; **schweben** float, hover
4 **schwinden a u** vanish
5 **messen a e** measure; **träge** slothful; **der Tritt –e** step
7 **wissen's = wissen es**

[3] Du bist mein

This is a modern German version of a twelfth century poem which was appended to a letter in Latin by an unidentified girl.

Du bist mein, ich bin dein,
Des sollst du gewiß sein.
Du bist verschlossen
In meinem Herzen,
Verloren ist das Schlüsselein, 5
Du mußt immer drinnen sein.

[4] Die Schildbürger

Many countries have some town that is noted in legend for its fools. In ancient Greece it was Bœotia; in Thrace, Abdera; in Judæa, Nazareth. In medieval England the "wise men of Gotham" in Nottingham became notorious for their folly; in Holland the people of Kempen achieved this unenviable reputation. In German folk lore folly became localized in the town of Schilda. By the sixteenth century so many of these tales existed that they were published in a folk or chapbook.

Schilda ist eine kleine Stadt in der Nähe von Leipzig in Sachsen. Die Einwohner dieser Stadt, die Schildbürger, waren in früheren Zeiten wegen ihrer Weisheit weit und breit berühmt. Viele Fürsten und Herren suchten ihren Rat, und zuletzt mußte an jedem Hof ein Schildbürger als Ratgeber sein. So wurde die 5

2 **des = dessen** (*dem.*) of that
3 **verschließen o o** lock
6 **drinnen** inside

1 **die Nähe** vicinity
2 **[das] Sachsen** Saxony (now East Germany); **der Einwohner** inhabitant
3 **weit und breit** far and wide
4 **der Fürst –en** prince
5 **der Hof ⸚e** Court

Stadt ganz entvölkert, die Frauen blieben allein zurück und vermißten schmerzlich ihre Männer beim Haushalt und bei der Erziehung der Kinder. Die Männer sahen endlich ein, daß es nicht so weiter gehen könnte und daß sie zu Hause bleiben müßten. Da dieses Unglück von ihrer Klugheit stammte, so beschlossen sie, große Narren zu werden, so daß kein Fürst oder Herr sie mehr als Ratgeber verwenden würde. So wurde Schilda als die dümmste Stadt in Deutschland bekannt. Wenn man einen Schildbürger fragte: „Wo sind Sie zu Hause?", antwortete er: „Na, so bin ich nicht klug!"

[5] Die Schildbürger wollen ein Rathaus bauen

Die Schildbürger wollten ein neues Rathaus bauen. Sie beschlossen, das Rathaus auf einem Berg zu bauen, der nicht weit von der Stadt lag. Auf dem Berg war aber ein Wald; den mußten sie zuerst abholzen. Sie fällten also die Bäume und trugen die Stämme den Berg hinunter. Es war ein heißer Tag und die Arbeit war schwer; denn sie hoben jeden Stamm auf die Schulter und trugen ihn dann den Berg hinunter. Sie schwitzten und ächzten und stöhnten.

Als sie den letzten Stamm auf die Schulter heben wollten, entglitt er ihren Händen und rollte von selbst den Berg hinunter. Da standen sie mit offenen Mäulern. „Wie dumm waren wir!"

6 **entvölkern** depopulate
8 **Erziehung** education, upbringing; **ein-sehen a e** realize
10 **stammen** stem
11 **beschließen o o** decide; **der Narr –en** fool
12 **verwenden** use
15 **na** well

TITLE **das Rathaus ¨er** town hall
3 **aber** however; **den** (*dem.*) this
4 **ab-holzen** clear [of wood]; **fällen** fell
5 **der Stamm ¨e** trunk
8 **schwitzten . . .** sweated, groaned, moaned
10 **entgleiten itt itt** slip from; **von selbst** by itself
11 **das Maul ¨er** mouth [of an animal]

sagten sie zu dem Bürgermeister, der am Fuße des Berges stand. „Warum haben wir das nicht mit allen Stämmen gemacht?"

Der Bürgermeister war der klügste Mann unter den Schildbürgern. „Nun", sagte er, „es ist noch nicht zu spät dazu. Wir sind nicht so dumm wie wir aussehen. Ich schlage vor, daß wir die Stämme wieder auf den Berg hinauftragen und sie dann herunterrollen lassen." 15

Die guten Schildbürger waren mit diesem Rat ihres klugen Bürgermeisters sehr zufrieden. Sie schleppten die Stämme den Berg hinauf und waren hocherfreut zu sehen, wie die Stämme von selbst herunterrollten. 20

[6] Die Schildbürger bauen das Rathaus

Als sie genug Holz hatten, bauten die Schildbürger das neue Rathaus. Sie fingen an allen Ecken zugleich an, und nach manchen Schwierigkeiten hatten sie sogar das Dach fertig. Sie gingen stolz in das neue Gebäude; aber sie bekamen einen großen Schreck, denn es war darin vollkommen dunkel, selbst bei hellem Tageslicht. Denn sie hatten vergessen, Fenster zu machen. 5

Wie gewöhnlich gingen sie zu ihrem Bürgermeister um Rat. Dieser sagte zu ihnen: „Wenn man Wasser in einem Eimer tragen kann, warum nicht auch Licht in einem Gefäß? Am nächsten Sonntag, wenn die Sonne scheint, sollen alle Bürger vor dem 10

12 **der Bürgermeister** mayor
15 **dazu′** for this
16 **aus-sehen a e** appear, look; **vor-schlagen u a** propose
20 **schleppen** drag
21 **hocherfreut** delighted

2 **zugleich′** at the same time
3 **Schwierigkeit** difficulty
5 **der Schreck –e** fright; **vollkommen** completely

Rathaus erscheinen und allerlei Gefäße mitbringen. So werden wir das Sonnenlicht in das Rathaus bringen."

Am nächsten Sonntag schien die Sonne, und die guten Schildbürger erschienen mit Frau und Kindern, mit Töpfen und Fässern. Eine Weile ließen sie die Sonne in ein Gefäß scheinen, dann liefen sie damit schnell ins Rathaus. Einige hatten auch Säcke mitgebracht und ein besonders schlauer Schildbürger hatte eine Mausefalle, in der er die Sonnenstrahlen fing. 15

Zu ihrer großen Enttäuschung wurde es nach all dieser Mühe im Rathaus nicht heller. 20

[7] Du, du liegst mir im Herzen

Both words and air are anonymous, dating from about 1820.

5

12 **allerlei** all kinds of; **das Gefäß –e** vessel
16 **das Faß ¨–er** barrel
18 **schlau** sly
19 **die Mausefalle** mouse trap; **der Strahl –s –en** ray
20 **Enttäuschung** disappointment

1 **mir** See Appendix §2
3 **trauen** trust
5 **der Sinn** sense, mind
6 **zärtlich** tender
7 **leicht** light, fickle
8 **wünscht'** (*imp. subj.*) would wish

[8] Liebeslied

Hermann Hesse (1877–1962)

Hermann Hesse, Nobel Prize winner in literature (1946), was a major influence on German intellectuals, as their moral conscience, for more than a generation. In his novels, stories, verse and essays he championed individualism in an organizational age and the ethics of fearless experience against puritanical repression and bourgeois complacency.

9 **gut sein** love
10 **der Trieb –e** drive, instinct
11 **bauen** build, rely; **ja** See Appendix §5
12 **vereinen** unite

Wo mag meine Heimat sein?
Meine Heimat ist klein,
Geht von Ort zu Ort,
Nimmt mein Herz mit sich fort.
Gibt mir Weh, gibt mir Ruh; 5
Meine Heimat bist du.

[9] Im Nebel

Hermann Hesse

Seltsam, im Nebel zu wandern!
Einsam ist jeder Busch und Stein,
Kein Baum sieht den andern,
Jeder ist allein.

Voll von Freunden war mir die Welt, 5
Als noch mein Leben licht war;
Nun, da der Nebel fällt,
Ist keiner mehr sichtbar.

Wahrlich, keiner ist weise,
Der nicht das Dunkel kennt, 10
Das unentrinnbar und leise
Von allen ihn trennt.

1 **die Heimat** native city or country, home
3 **geht . . . 4 nimmt . . . 5 gibt** supply the subject **sie**
5 **das Weh** woe, pain

TITLE **der Nebel** mist, fog
1 **seltsam** strange
2 **einsam** lonely
6 **licht** bright
8 **sichtbar** visible
9 **wahrlich** truly
11 **unentrinnbar** inescapably; **leise** gently
12 **trennen** separate

Seltsam, im Nebel zu wandern!
Leben ist Einsamsein.
Kein Mensch kennt den andern, 15
Jeder ist allein.

[10] Till Eulenspiegel

Till Eulenspiegel, a legendary character who supposedly lived in the first half of the fourteenth century, is the hero of many pranks and escapades which generally illustrate the triumph of native peasant wit over the upper classes–noblemen, priests and tradesmen. The tales were collected at the end of the fifteenth century and appeared in a printed folkbook in 1515. The book was soon translated into many languages.

Till Eulenspiegel wanderte einmal in einer Landschaft, die gebirgig war. Jedesmal, wenn er einen Berg hinunter ging, sah er sehr traurig aus. Aber wenn er bergauf ging, war er munter und froh. „Warum", fragte ihn jemand, „gehst du bergauf so froh, bergab so traurig?" „Ich bin einmal so", antwortete Till. 5 „Wenn ich bergab gehe, so denke ich schon an die Höhe, die bald kommen wird; da bin ich traurig. Aber wenn ich bergauf gehe, so denke ich an das Tal, das kommt; da bin ich froh."

[11] Eulenspiegel und der Bäcker

Eulenspiegel wanderte eines Tages die Landstraße entlang. Er kam zu einer Stadt, vor deren Tor er einem Mann mit einem Eselskarren begegnete. Die beiden Männer wünschten einander

2 **gebirgig** mountainous; **aus-sehen a e** look
3 **munter . . .** cheerful and happy
5 **einmal** simply, just

1 **eines Tages** one day; **die Landstraße** highway
3 **der Eselskarren** donkey cart

einen guten Tag. Dann fragte der Fremde: „Wohin des Wegs, mein Freund?“ Eulenspiegel antwortete: „Wo ich Arbeit finden kann.“ „Nun“, sagte der andere, „da kann ich dir helfen. Ich bin ein Bäcker und brauche Hilfe in meiner Bäckerei. Ich bin auf dem Weg, Mehl zu kaufen, werde aber heute abend zurück sein.“ „Gemacht“, sprach Till, „wo wohnst du denn?“ Der Bäcker sagte: „Wenn du durch das Tor kommst, so geh geradeaus, dann die zweite Straße links, dann wieder die erste Straße rechts! Dort siehst du einen Brunnen auf einem kleinen Platz. An der linken Ecke ist ein großes Schaufenster. Da geh nur hinein.“

Eulenspiegel dankte dem Mann und setzte seinen Weg fort. Nach einer Weile erreichte er die Stadt und tat wortgetreu, was der Bäcker ihm gesagt hatte. Er sah das Schaufenster und schritt geradewegs hindurch in die Bäckerei, fand ein altes Sofa, legte sich darauf und schlief ein.

Als der Bäcker am Abend nach Hause kam, sah er mit Entsetzen das zerbrochene Schaufenster. Er ging in den Laden, fand den neuen Gesellen auf dem Sofa, rüttelte ihn aus dem Schlaf und wollte wissen, wer das Schaufenster zerbrochen hatte. Till erklärte: „Ich war es, Herr Meister. Du hast mir doch gesagt, ich solle durch das Schaufenster in den Laden gehen.“ Der Bäcker war natürlich wütend und wollte den Gesellen der Polizei übergeben. „Aber wer wird mir dann mein schönes Schaufenster bezahlen?“ sagte er zu sich. „Du bleibst hier, du Taugenichts“, sagte er zu Till, „und arbeitest solange, bis du für die neue Scheibe bezahlt hast. Dann werde ich dich hinauswerfen.“

So mußte Eulenspiegel arbeiten; er bekam zwar sein Essen aber keinen Pfennig Lohn. Schließlich war seine Zeit um. Er hatte genug verdient, um das neue Schaufenster zu bezahlen. „Nun, du Taugenichts“, rief der Bäcker, „jetzt ist es genug. Geh, wo du hergekommen bist!“

Eulenspiegel führte auch diesmal den Befehl wörtlich aus;

4 **wohin′ . . .** where are you going?
9 **gemacht** agreed
13 **das Schaufenster** shop window
15 **wortgetreu** literally
23 **doch** but (See Appendix §7)

er ging hinaus, wo er hergekommen war, nämlich durch die Schaufensterscheibe. Und er ging schneller als er gekommen war.

[12] Wanderers Nachtlied

Johann Wolfgang von Goethe (1749–1832)

A biography of Goethe appears in § 28. *This is one of Goethe's most famous lyrics. He wrote it on the wall of a hunting lodge near Weimar on the evening of September 6, 1780. He was in the habit of escaping to this lodge from the exacting life at the Weimar Court. In his early writings Goethe referred to himself as "the wanderer." The poem is an adaptation of a Greek lyric by Alcman.*

Über allen Gipfeln
Ist Ruh,
In allen Wipfeln
Spürest du
Kaum einen Hauch; 5
Die Vögelein schweigen im Walde.
Warte nur, balde
Ruhest du auch.

[13] Mailied

Johann Wolfgang von Goethe

Written in May 1771, while Goethe was a student at the University of Straßburg. He attended a May festival at the nearby village of Sesenheim, the home of Friederike Brion, with whom he was in love at this time.

1 **der Gipfel** mountain peak
3 **der Wipfel** treetop
4 **spüren** feel
5 **der Hauch –e** breath
6 **schweigen ie ie** be silent
7 **bald(e)** soon

Wie herrlich leuchtet
Mir die Natur!
Wie glänzt die Sonne!
Wie lacht die Flur!

Es dringen Blüten 5
Aus jedem Zweig
Und tausend Stimmen
Aus dem Gesträuch.

Und Freud' und Wonne
Aus jeder Brust. 10
O Erd', o Sonne!
O Glück, o Lust!

O Lieb', o Liebe!
So golden schön,
Wie Morgenwolken 15
Auf jenen Höh'n!

Du segnest herrlich
Das frische Feld,
Im Blütendampfe
Die volle Welt. 20

O Mädchen, Mädchen,
Wie lieb' ich dich!
Wie blinkt dein Auge!
Wie liebst du mich!

1 **leuchten = glänzen** shine
4 **die Flur** field
5 **es** See Appendix §3; **dringen a u** press; **die Blüte** blossom
8 **das Gesträuch –e** shrubbery
9 **die Wonne** bliss
17 **segnen** bless
19 **der Blütendampf** haze of blossoms
23 **blinken** gleam

So liebt die Lerche 25
Gesang und Luft,
Und Morgenblumen
Den Himmelsduft,

Wie ich dich liebe
Mit warmem Blut, 30
Die du mir Jugend
Und Freud' und Mut

Zu neuen Liedern
Und Tänzen gibst.
Sei ewig glücklich, 35
Wie du mich liebst!

[14] Heidenröslein

Johann Wolfgang von Goethe

This ballad was written in 1771 and published by Herder in 1773 as an anonymous folksong. It depicts the tragic history of Goethe's love for Friederike Brion. It is unsurpassed in dramatic terseness, in unsentimental tragic feeling and in atmosphere. There are many musical settings; Heinrich Werner's (1827) is the most popular.

25 **die Lerche** lark
26 **der Gesang ⸚e** singing, song
28 **der Duft ⸚e** fragrance, perfume
31 **die du** (you) who
32 **der Mut** spirit, courage

TITLE **Heidenröslein** little rose on the heath; **etwas bewegt** with some emotion
1 **sah** The inversion is rustic speech.
3 **'s = das**

[15] Die Lebenszeit

Jakob (1785–1863) und Wilhelm (1786–1859) Grimm

The Brothers Grimm, known to children for their fairy tales, were great scholars and pioneers in the modern field of folklore and philology. The following legend is one of the hundreds they collected in their two volumes of Deutsche Sagen *(1816).*

4 **Heiden** Formerly feminine nouns were declined in the singular. Cf. **auf Erden; war = es war**
6 **sich wehren** defend oneself
8 **stechen a o** sting, prick; **daß** so that
9 **doch** however; **Weh und Ach** [cries of] woe and alas
11 **leiden litt gelitten** suffer

TITLE **die Lebenszeit** life span

Als Gott die Welt geschaffen hatte und allen Kreaturen ihre Lebenszeit bestimmen wollte, kam der Esel und fragte: „Herr, wie lange soll ich leben?" „Dreißig Jahre", antwortete Gott, „ist dir das recht?" „Ach, Herr", antwortete der Esel, „das ist eine lange Zeit. Bedenke mein mühseliges Dasein; von Morgen bis in die Nacht muß ich schwere Lasten tragen. Ich muß Kornsäcke in die Mühle schleppen, damit andere das Brot essen. Nichts als Schläge und Tritte gibt man mir zur Ermunterung. Erlaß mir einen Teil der langen Zeit." Da erbarmte sich Gott und schenkte ihm achtzehn Jahre.

Der Esel ging getröstet weg und der Hund erschien. „Wie lange willst du leben?" sprach Gott zu ihm; „dem Esel sind dreißig Jahre zuviel; du aber wirst damit zufrieden sein." „Herr", antwortete der Hund, „ist das dein Wille? Bedenke was ich laufen muß, das halten meine Füße so lange nicht aus; und wenn ich die Stimme zum Bellen und die Zähne zum Beißen verloren habe, was bleibt mir übrig, als aus einer Ecke in die andere zu laufen und zu knurren?" Gott sah, daß er recht hatte und schenkte ihm zwölf Jahre.

Darauf kam der Affe. „Du willst wohl gerne dreißig Jahre leben?" sprach der Herr zu ihm; „ du brauchst nicht zu arbeiten wie der Esel und der Hund, und bist immer fröhlich." „Ach, Herr", antwortete der Affe, „das sieht so aus, ist aber anders. Wenn's Hirsenbrei regnet, habe ich keinen Löffel. Ich soll

1 **schaffen u a** create
2 **bestimmen** determine, allot
5 **bedenken bedachte bedacht** consider; **mühselig** painful, hard; **das Dasein** existence
6 **die Last** burden; **der Kornsack ¨‒e** sack of grain
7 **die Mühle** mill
8 **Ermunterung** encouragement; **erlassen ie a** spare
9 **sich erbarmen** have mercy; **schenken** grant
11 **trösten** comfort; **erscheinen ie ie** appear
13 **zufrie'den** satisfied
14 **was** all that
15 **aus-halten ie a** endure
16 **bellen** bark
18 **knurren** growl
20 **darauf' = dann; der Affe –n** monkey
22 **fröhlich** cheerful
23 **aus-sehen** look, appear
24 **der Hirsenbrei** gruel, porridge

immer lustige Streiche machen, Gesichter schneiden, damit die Leute lachen, und wenn sie mir einen Apfel reichen und ich beiße hinein, so ist er sauer. Wie oft steckt die Traurigkeit hinter dem Spaß! Dreißig Jahre halte ich das nicht aus." Gott war gnädig und schenkte ihm zehn Jahre. 25

Endlich erschien der Mensch, war freudig, gesund und frisch und bat Gott, ihm seine Zeit zu bestimmen. „Dreißig Jahre sollst du leben", sprach der Herr, „ist dir das genug?" „Welch eine kurze Zeit!" rief der Mensch. „Wenn ich mein Haus gebaut habe und das Feuer auf meinem eigenen Herde brennt, wenn ich Bäume gepflanzt habe, die blühen und Früchte tragen, so soll ich sterben! O Herr, verlängere meine Zeit." „Ich will dir die achtzehn Jahre des Esels zulegen", sagte Gott. „Das ist nicht genug", antwortete der Mensch. „Du sollst auch die zwölf Jahre des Hundes haben." „Immer noch zu wenig." „Wohlan", sagte Gott, „ich will dir noch die zehn Jahre des Affen geben, aber mehr erhältst du nicht." Der Mensch ging fort, war aber nicht zufrieden. 30 35 40

Also lebt der Mensch siebzig Jahre. Die ersten dreißig sind seine menschlichen Jahre, die gehen schnell dahin; da ist er gesund, heiter, arbeitet mit Lust und freut sich seines Daseins. Hierauf folgen die achtzehn Jahre des Esels, da wird ihm eine Last nach der andern aufgelegt: er muß das Korn tragen, das andere nährt, und Schläge und Tritte sind der Lohn seiner treuen Dienste. Dann kommen die zwölf Jahre des Hundes; da 45

25 **lustig** merry; **der Streich –e** prank; **Gesichter schneiden** make faces
27 **hinein′** into [it]; **stecken** lurk
28 **der Spaß ⸚e** jest, joke, fun
29 **gnädig** gracious
30 **freudig** joyful; **frisch** fresh, brisk
34 **der Herd –e** hearth, stove
35 **pflanzen** plant; **blühen** bloom
36 **verlängern** lengthen
37 **zu-legen** add
39 **immer noch** still; **wohlan** well then
41 **erhalten** receive
44 **die** (*dem.*) these; **dahin** away
45 **heiter** serene, gay; **sich freuen** rejoice
47 **auf-legen** put on, impose
48 **nähren** nourish; **der Lohn ⸚e** reward
49 **der Dienst –e** service

liegt er in den Ecken, knurrt und hat keine Zähne mehr zum Beißen. Und wenn diese Zeit vorüber ist, so machen die zehn Jahre des Affen den Schluß. Da ist der Mensch schwachköpfig und närrisch, treibt alberne Dinge und wird ein Spott der Kinder. 50

[16] Die ungezählte Geliebte

Heinrich Böll (1917–)

Heinrich Böll is one of the most prominent of the German writers who have become known since World War II. He has now published half a dozen novels and many novellas and short stories. His work is characterized by a strong sense of commitment to democratic ideals. But this commitment expresses itself obliquely, through satire of the establishment, through symbolic acts of throwing sand into the machinery of the establishment when that machinery is set to crush human individuality. That is the sense of the following sketch.

Die haben mir meine Beine geflickt und haben mir einen Posten gegeben, wo ich sitzen kann: ich zähle die Leute, die über die neue Brücke gehen. Es macht ihnen ja Spaß, sich ihre Tüchtigkeit mit Zahlen zu belegen, sie berauschen sich an diesem sinnlosen Nichts aus ein paar Ziffern, und den ganzen Tag, den 5 ganzen Tag, geht mein stummer Mund wie ein Uhrwerk, indem ich Nummer auf Nummer häufe, um ihnen abends den Triumph einer Zahl zu schenken, Ihre Gesichter strahlen, wenn ich ihnen das Ergebnis meiner Schicht mitteile, je höher die Zahl, um so mehr strahlen sie, und sie haben Grund, sich befriedigt ins Bett 10 zu legen, denn viele Tausende gehen täglich über ihre neue Brücke . . .

Aber ihre Statistik stimmt nicht. Es tut mir leid, aber sie

52 **der Schluß ⸚e** close, conclusion; **schwach** weak
53 **närrisch** foolish; **albern** silly; **der Spott** mockery

1 **flicken** patch up
3 **es macht . . . Spaß** it's fun
4 **Tüchtigkeit** efficiency; **belegen** prove; **berauschen** intoxicate
7 **häufen** pile
9 **das Ergebnis –se** result, yield; **die Schicht** [work] shift

stimmt nicht. Ich bin ein unzuverlässiger Mensch, obwohl ich
es verstehe, den Eindruck von Biederkeit zu erwecken. 15

Insgeheim macht es mir Freude, manchmal einen zu unterschlagen und dann wieder, wenn ich Mitleid empfinde, ihnen
ein paar zu schenken. Ihr Glück liegt in meiner Hand. Wenn
ich wütend bin, wenn ich nichts zu rauchen habe, gebe ich nur
den Durchschnitt an, manchmal unter dem Durchschnitt, und 20
wenn mein Herz aufschlägt, wenn ich froh bin, lasse ich meine
Großzügigkeit in einer fünfstelligen Zahl verströmen. Sie sind ja
so glücklich! Sie reißen mir jedesmal das Ergebnis förmlich aus
der Hand, und ihre Augen leuchten auf, und sie klopfen mir auf
die Schulter. Sie ahnen ja nichts! Und dann fangen sie an zu 25
multiplizieren, zu dividieren, zu prozentualisieren, ich weiß nicht
was. Sie rechnen aus, wieviel heute jede Minute über die Brücke
gehen und wieviel in zehn Jahren über die Brücke gegangen sein
werden. Sie lieben das zweite Futur, das zweite Futur ist ihre
Spezialität—und doch, es tut mir leid, daß alles nicht stimmt... 30

Wenn meine kleine Geliebte über die Brücke kommt—und sie
kommt zweimal am Tage—, dann bleibt mein Herz einfach
stehen. Das unermüdliche Ticken meines Herzens setzt einfach
aus, bis sie in die Allee eingebogen und verschwunden ist. Und
alle, die in dieser Zeit passieren, verschweige ich ihnen. Diese 35
zwei Minuten gehören mir, mir ganz allein, und ich lasse sie mir
nicht nehmen. Und auch wenn sie abends wieder zurückkommt
aus ihrer Eisdiele—ich weiß inzwischen, daß sie in einer Eisdiele

14 **unzuverlässig** untrustworthy
15 **Biederkeit** honesty
16 **insgeheim′** secretly; **unterschlagen u a** omit, suppress
19 **wütend** furious
20 **der Durchschnitt** average; **an-geben** report
21 **auf-schlagen u a** beat high
22 **Großzügigkeit** generosity; **verströmen** stream out
23 **förmlich** fairly
24 **auf-leuchten** light up
25 **ahnen** suspect
26 **prozentualisie′ren** take percentages
28 **gegangen . . .** will have gone
29 **zweites Futur′** future perfect
33 **unermüdlich** tireless; **aus-setzen** stop
34 **die Allee′** avenue; **ein-biegen o o** turn
35 **verschweigen ie ie** keep silent about, suppress
38 **die Eisdiele** soda fountain

arbeitet—, wenn sie auf der anderen Seite des Gehsteiges meinen stummen Mund passiert, der zählen, zählen muß, dann setzt mein 40 Herz wieder aus, und ich fange erst wieder an zu zählen, wenn sie nicht mehr zu sehen ist. Und alle, die das Glück haben, in diesen Minuten vor meinen blinden Augen zu defilieren, gehen nicht in die Ewigkeit der Statisik ein: Schattenmänner und Schattenfrauen, nichtige Wesen, die im zweiten Futur der 45 Statistik nicht mitmarschieren werden . . .

Es ist klar, daß ich sie liebe. Aber sie weiß nichts davon, und ich möchte auch nicht, daß sie es erfährt. Sie soll nicht ahnen, auf welche ungeheure Weise sie alle Berechnungen über den Haufen wirft, und ahnungslos und unschuldig soll sie mit ihren 50 langen braunen Haaren und den zarten Füßen in ihre Eisdiele marschieren, und sie soll viel Trinkgeld bekommen. Ich liebe sie. Es ist ganz klar, daß ich sie liebe.

Neulich haben sie mich kontrolliert. Der Kumpel, der auf der anderen Seite sitzt und die Autos zählen muß, hat mich früh 55 genug gewarnt, und ich habe höllisch aufgepaßt. Ich habe gezählt wie verrückt, ein Kilometerzähler kann nicht besser zählen. Der Oberstatistiker selbst hat sich drüben auf die andere Seite gestellt und hat später sein Ergebnis einer Stunde mit meinem Stundenergebnis verglichen. Ich hatte nur einen weniger als er. Meine 60 kleine Geliebte war vorbeigekommen, und niemals im Leben werde ich dieses hübsche Kind ins zweite Futur transponieren lassen, diese meine kleine Geliebte soll nicht multipliziert und dividiert und in ein prozentuales Nichts verwandelt werden. Mein Herz hat mir geblutet, daß ich zählen mußte, ohne ihr nachsehen 65 zu können, und dem Kumpel drüben, der die Autos zählen muß, bin ich sehr dankbar gewesen. Es ging ja glatt um meine Existenz.

39 **der Gehsteig –e** sidewalk
43 **defilie′ren** file past
45 **nichtige Wesen** insignificant creatures
49 **ungeheuer** monstrous; **über . . .** throws to the winds
54 **kontrollie′ren** check; **der Kumpel** fellow worker, buddy
56 **höllisch aufgepaßt** was as careful as hell
57 **der Kilome′terzähler** speedometer
58 **der Oberstatistiker** head statistician
62 **transponie′ren** transpose
67 **glatt** absolutely

Der Oberstatistiker hat mir auf die Schulter geklopft und hat gesagt, daß ich gut bin, zuverlässig und treu. „Eins in der Stunde verzählt", hat er gesagt, „macht nicht viel. Wir zählen sowieso 70 einen gewissen prozentualen Verschleiß hinzu. Ich werde beantragen, daß Sie zu den Pferdewagen versetzt werden."

Pferdewagen ist natürlich die Masche. Pferdewagen ist ein Lenz wie nie zuvor. Pferdewagen gibt es höchstens fünfundzwanzig am Tage, und alle halbe Stunde einmal in seinem Gehirn die 75 nächste Nummer fallen zu lassen, das ist ein Lenz!

Pferdewagen wäre herrlich. Zwischen vier und acht dürfen überhaupt keine Pferdewagen über die Brücke, und ich könnte spazierengehen oder in die Eisdiele, könnte sie mir lange anschauen oder sie vielleicht ein Stück nach Hause bringen, 80 meine kleine ungezählte Geliebte . . .

[17] Frühlingslied

Ludwig Hölty (1748–1776)

Hölty was a minor poet; he is remembered for his lovely nature lyrics.

Die Luft ist blau, das Tal ist grün,
Die kleinen Maienglocken blühn
Und Schlüsselblumen drunter;
  Der Wiesengrund
  Ist schon so bunt 5
Und malt sich täglich bunter.

70 **verzählen** miscount; **sowieso′** in any case
71 **prozentua′len . . .** percentage of lag; **beantragen** propose
72 **der Pferdewagen** horse and wagon; **versetzen** transfer
73 **die Masche** (slang) fun, the kicks
74 **der Lenz –e** spring; i.e. a ball

2 **die Mai[en]glocke** lily of the valley
3 **die Schlüsselblume** cowslip; **drunter** among them
4 **der Wiesengrund ¨–e** meadow

Drum komme, wem der Mai gefällt,
Und freue sich der schönen Welt
Und Gottes Vatergüte,
  Die diese Pracht 10
  Hervorgebracht,
Den Baum und seine Blüte.

[18] **Er ist's**

Eduard Mörike (1804–1875)

Mörike is one of the great lyric poets of Germany, noted for his delicate sensibility and his melodious verse. He was a south German, a clergyman by profession, and later a teacher in a girls' school in Stuttgart.

Frühling läßt sein blaues Band
Wieder flattern durch die Lüfte;
Süße, wohlbekannte Düfte
Streifen ahnungsvoll das Land.
Veilchen träumen schon, 5
Wollen balde kommen.
—Horch, von fern ein leiser Harfenton!
  Frühling, ja du bist's!
Dich hab' ich vernommen!

7 **drum** therefore; **komme** (*subj.*) let come
9 **die Vatergüte** paternal kindness
10 **die Pracht** splendor
11 **hervor'-bringen brachte gebracht** produce; supply **hat**

TITLE It is he
2 **flattern** flutter
3 **der Duft ¨-e** fragrance, perfume
4 **streifen** touch; **ahnungsvoll** full of promise
5 **das Veilchen** violet
6 **wollen = sie wollen**
7 **horchen** hearken, listen; **die Harfe** harp
9 **vernehmen a o** perceive, hear

[19] **Herbstlied**

Johann Gaudenz von Salis-Seewis (1762–1834)

A soldier by profession, Salis-Seewis wrote tender lyric poetry celebrating nature and extolling his native Switzerland.

Bunt sind schon die Wälder,
Gelb die Stoppelfelder,
Und der Herbst beginnt.
Rote Blätter fallen,
Graue Nebel wallen, 5
Kühler weht der Wind.

Wie die volle Traube
Aus dem Rebenlaube
Purpurfarbig strahlt!
Am Geländer reifen 10
Pfirsiche mit Streifen
Rot und weiß bemalt.

Sieh! wie hier die Dirne
Emsig Pflaum' und Birne
In ihr Körbchen legt! 15
Dort, mit leichten Schritten,
Jene goldnen Quitten
In den Landhof trägt!—

2 **das Stoppelfeld –er** stubble field
5 **wallen** flow, float
6 **wehen** blow
7 **die Traube** grape
8 **das Rebenlaub** vine leaves
9 **purpurfarbig** dark red colored
10 **das Geländer** trellis
11 **der Pfirsich –e** peach; **der Streifen** line, stripe
13 **die Dirne = das Mädchen**
14 **emsig = fleißig,** busily; **die Pflaume** plum; **die Birne** pear
15 **der Korb ¨–e** basket
17 **die Quitte** quince
18 **der Landhof ¨–e** farmyard

Geige tönt und Flöte
Bei der Abendröte 20
Und im Mondenglanz;
Junge Winzerinnen
Winken und beginnen
Deutschen Ringeltanz.

[20] Die drei dunklen Könige

Wolfgang Borchert (1922–1947)

Borchert died at the age of twenty-five; the volume of writings he has left reveals him as one of the most promising of Germany's younger writers. His work is almost wholly dominated by the experience of the Nazi regime, World War II, and the ruins in which these two events left Germany.

The following tender vignette is the story of the adoration of the magi transposed into the Germany of 1945. In it Borchert shows that the values which are at the basis of the Biblical story are valid at all times and under all conditions. A touch of love can transform misery and brutishness into beauty and happiness.

Er tappte durch die dunkle Vorstadt. Die Häuser standen abgebrochen gegen den Himmel. Der Mond fehlte und das Pflaster war erschrocken über den späten Schritt. Dann fand er eine alte Planke. Da trat er mit dem Fuß gegen, bis eine Latte morsch aufseufzte und losbrach. Das Holz roch mürbe und süß. 5

19 **die Geige** fiddle; **die Flöte** flute
20 **die Abendröte** evening red
21 **der Glanz** shine, glow
22 **die Winzerin** vintager
23 **winken** beckon
24 **deutsch** i.e. native; **der Ringeltanz ¨e** round dance

1 **Vorstadt** In the older European cities the suburbs are inhabited by the poor people.
2 **abgebrochen** in a broken line
4 **gegen = dagegen; die Latte** lath
5 **morsch** rotten; **auf-seufzen** give a deep sigh; **mürbe** rotten

Durch die dunkle Vorstadt tappte er zurück. Sterne waren nicht da.

Als er die Tür aufmachte (sie weinte dabei, die Tür), sahen ihm die blaßblauen Augen seiner Frau entgegen. Sie kamen aus einem müden Gesicht. Ihr Atem hing weiß im Zimmer, so kalt 10 war es. Er beugte sein knochiges Knie und brach das Holz. Das Holz seufzte. Dann roch es mürbe und süß ringsum. Er hielt sich ein Stück davon unter die Nase. „Riecht beinahe wie Kuchen", lachte er leise. „Nicht", sagten die Augen der Frau, „nicht lachen. Er schläft." 15

Der Mann legte das süße mürbe Holz in den kleinen Blechofen. Da glomm es auf und warf eine Handvoll warmes Licht durch das Zimmer. Die fiel hell auf ein winziges rundes Gesicht und blieb einen Augenblick. Das Gesicht war erst eine Stunde alt, aber es hatte schon alles, was dazugehört: Ohren, Nase, Mund 20 und Augen. Die Augen mußten groß sein, das konnte man sehen, obgleich sie zu waren. Aber der Mund war offen und es pustete leise daraus. Nase und Ohren waren rot. Er lebt, dachte die Mutter. Und das kleine Gesicht schlief.

„Da sind noch Haferflocken", sagte der Mann. „Ja", antwortete 25 die Frau, „das ist gut. Es ist kalt." Der Mann nahm noch von dem süßen weichen Holz. Nun hat sie ihr Kind gekriegt und muß frieren, dachte er. Aber er hatte keinen, dem er dafür die Fäuste ins Gesicht schlagen konnte. Als er die Ofentür aufmachte, fiel wieder eine Handvoll Licht über das schlafende Gesicht. Die 30 Frau sagte leise: „Kuck, wie ein Heiligenschein, siehst du?" Heiligenschein! dachte er und er hatte keinen, dem er die Fäuste ins Gesicht schlagen konnte.

Dann waren welche an der Tür. „Wir sahen das Licht", sagten sie, „vom Fenster. Wir wollen uns zehn Minuten hinsetzen." 35 „Aber wir haben ein Kind", sagte der Mann zu ihnen. Da sagten

17 **auf-glimmen o o** flame up
18 **winzig** tiny
22 **zu** shut
23 **pusten** puff
25 **Haferflocken** rolled oats
31 **kuck** look; **der Heiligenschein –e** halo
34 **welche** some people

sie nichts weiter, aber sie kamen doch ins Zimmer, stießen Nebel aus den Nasen und hoben die Füße hoch. „Wir sind ganz leise", flüsterten sie und hoben die Füße hoch. Dann fiel das Licht auf sie. 40

Drei waren es. In drei alten Uniformen. Einer hatte einen Pappkarton, einer einen Sack. Und der dritte hatte keine Hände. „Erfroren", sagte er, und hielt die Stümpfe hoch. Dann drehte er dem Mann die Manteltasche hin. Tabak war darin und dünnes Papier. Sie drehten Zigaretten. Aber die Frau sagte: „Nicht, das 45 Kind."

Da gingen die vier vor die Tür und ihre Zigaretten waren vier Punkte in der Nacht. Der eine hatte dicke umwickelte Füße. Er nahm ein Stück Holz aus seinem Sack. „Ein Esel", sagte er, „ich habe sieben Monate daran geschnitzt. Für das Kind." Das sagte 50 er und gab es dem Mann. „Was ist mit den Füßen?" fragte der Mann. „Wasser", sagte der Eselschnitzer, „vom Hunger." „Und der andere, der dritte?" fragte der Mann und befühlte im Dunkeln den Esel. Der dritte zitterte in seiner Uniform. „Oh, nichts", wisperte er, „das sind nur die Nerven. Man hat eben zuviel 55 Angst gehabt." Dann traten sie die Zigaretten aus und gingen wieder hinein.

Sie hoben die Füße hoch und sahen auf das kleine schlafende Gesicht. Der Zitternde nahm aus seinem Pappkarton zwei gelbe Bonbons und sagte dazu: „Für die Frau sind die." 60

Die Frau machte die blassen blauen Augen weit auf, als sie die drei Dunklen über das Kind gebeugt sah. Sie fürchtete sich. Aber da stemmte das Kind seine Beine gegen ihre Brust und schrie so kräftig, daß die drei Dunklen die Füße aufhoben und zur Tür schlichen. Hier nickten sie nochmal, dann stiegen sie in die 65 Nacht hinein.

42 **der Pappkarton′ –s** cardboard box
43 **der Stumpf ⸚e** stump
48 **umwickelt** wrapped [in cloths]
52 **Wasser** i.e. a swelling caused by an accumulation of fluid in some part of the body
55 **man** the impersonal pronoun to indicate anyone, translate: a fellow
56 **traten aus** put out under their feet
63 **stemmen** press

Der Mann sah ihnen nach. „Sonderbare Heilige", sagte er zu seiner Frau. Dann machte er die Tür zu. „Schöne Heilige sind das", brummte er und sah nach den Haferflocken. Aber er hatte kein Gesicht für seine Fäuste. 70

„Aber das Kind hat geschrien", flüsterte die Frau, „ganz stark hat es geschrien. Da sind sie gegangen. Kuck mal, wie lebendig es ist", sagte sie stolz. Das Gesicht machte den Mund auf und schrie.

„Weint er?" fragte der Mann. 75

„Nein, ich glaube, er lacht", antwortete die Frau.

„Beinahe wie Kuchen", sagte der Mann und roch an dem Holz, „wie Kuchen. Ganz süß."

„Heute ist ja auch Weihnachten", sagte die Frau.

„Ja, Weihnachten", brummte er und vom Ofen her fiel eine Handvoll Licht hell auf das kleine schlafende Gesicht. 80

[21] Wiegenlied

***Clemens Brentano** (1778–1842)*

Brentano was one of the poets of the romantic movement. He wrote legends and stories, highly imaginative fairy tales, a novel and works of Christian devotion. Together with Achim von Arnim he edited a famous collection of folk songs, Des Knaben Wunderhorn *(1806–1808), and he himself wrote some of the most melodious verse in German literature. "He is the poet with the most music in him," Nietzsche wrote of him.*

Singet leise, leise, leise,
Singt ein flüsternd Wiegenlied.
Von dem Monde lernt die Weise,
Der so still am Himmel zieht.

68 **schöne** fine, some

TITLE **die Wiege** cradle
2 **flüsternd** whispering
3 **die Weise** air, tune

Singt ein Lied so süß gelinde, 5
Wie die Quellen auf den Kieseln,
Wie die Bienen um die Linde
Summen, murmeln, flüstern, rieseln.

[22] Wenig und Viel

Clemens Brentano

Ein Sohn nahm von seinen Eltern Abschied und bat seinen Vater, er sollte ihm viel auf die Reise mitgeben; die Stiefmutter aber war sehr geizig und bat den Vater, er möge ihm wenig mitgeben. Der Vater liebte seinen Sohn und seine Frau und wollte gern beiden ihre Bitte gewähren. Er sprach daher zu 5 seinem Sohn: „Lieber Sohn, weil du nun in die Fremde ziehst und ich nicht weiß, ob ich dich jemals wiedersehen werde, so will ich dir wenig und viel mitgeben. Glaube wenig, höre viel; rede wenig, sieh viel; lehre wenig, lerne viel; schreib wenig, lies viel; vertrau auf wenig, versuche viel; streite wenig, erdulde 10 viel; fürchte wenig, vermeide viel; laß dich wenig reizen, erfahre viel; hoffe wenig, erringe viel; hasse wenig, bedecke viel mit christlicher Liebe; schließe wenig, bedenke viel; belache wenig,

5 **gelinde** gentle
6 **der Kiesel** pebble
7 **die Biene** bee; **die Linde** linden tree
8 **summen . . .** hum, murmur, whisper, trickle

1 **der Abschied –e** departure
2 **die Stiefmutter** stepmother
3 **geizig** greedy
5 **die Bitte** request; **gewähren** grant
6 **die Fremde** foreign parts
10 **vertrauen (auf)** trust; **versuchen** try, experiment; **streiten itt itt** quarrel; **erdulden** endure
11 **vermeiden ie ie** avoid; **laß . . .** allow yourself to be irritated (See Appendix §4); **erfahren u a** experience
12 **erringen a u** acquire, conquer; **hassen** hate
13 **schließen o o** conclude; **bedenken bedachte bedacht** consider; **belachen** laugh at

verschweige viel; laß dich wenig betrüben, tröste viel; befehle wenig, arbeite viel; sündige wenig, am besten gar nicht; bete viel, am besten immer!" 15

Diesen Lehren kam der Jüngling treulich nach, und wenn er gleich wenig gute Tage hatte, so kam er doch mit viel Nutzen nach Haus, so daß die Seinigen wenig Verdruß und viel Freude an ihm erlebten. 20

[23] Tischgebete

Vor dem Essen

Segne, Vater, was wir essen.
Laß uns deiner nicht vergessen.

*

Komm, Herr Jesu, sei unser Gast.
Segne, was du bescheret hast.

*

Aller Augen warten auf dich, Herr, und du gibst ihnen ihre 5
Speise zu seiner Zeit; du tust deine milde Hand auf und sättigest alles, was da lebt, mit Wohlgefallen. Amen.

14 **verschweigen ie ie** be silent about; **betrüben** sadden; **trösten** console
15 **sündigen** sin; **beten** pray
17 **nach-kommen** follow; **wenn . . . gleich** although
18 **der Nutzen** usefulness
19 **die Seinigen** his family; **der Verdruß** vexation
20 **erleben** experience

TITLE **das Tischgebet –e** grace
1 **segnen** bless
2 **deiner** *gen.* with **vergessen** (older usage)
3 **Komm . . .** Luther's grace
4 **bescheren** grant, present
5 **aller** *gen. pl.*
6 **auf-tun** open; **mild** generous; **sättigen** satisfy
7 **da** omit; **das Wohlgefallen** satisfaction, goodwill

Nach dem Essen

Du lieber Gott, für Speis' und Trank
Sag' ich dir herzlich Lob und Dank.

*

Danket dem Herrn, denn er ist freundlich und seine Güte währet ewiglich. Amen. 10

[24] Siegfried

Among the Germanic peoples there were many sagas dealing with the mythical race of the Nibelungen, the heroic exploits of Siegfried, or Sigurd, and the downfall of the Burgundians. A South German poet welded these heroic ballads into a court epic, the Nibelungenlied, *around the year 1200. The following account of Siegfried's life is based on one of many traditions. It stops with the murder of the hero and says nothing about Kriemhilde's elaborate plans for revenge on her brothers and Hagen. These form the theme of the second part of the* Nibelungenlied.

Siegfried war der Sohn von König Siegmund und dessen Schwester Siegelinde aus den Niederlanden. Der Vater fiel im Kampfe vor der Geburt des Sohnes. Die Mutter gebar ihn im Walde auf der Flucht vor den Feinden und starb bei seiner Geburt. Eine Hindin nährte das Kind, und der Knabe wuchs im 5 Walde wie ein Tier auf.

Der Schmied Mime, berühmt wegen seiner Kunst, fand das schöne Kind im Walde und nahm es zu sich. Siegfried lernte bei

10 **Danket:** the opening verse of Psalms 106, 107, 118, 136; **die Güte** goodness
11 **währen** last

1 **dessen** (*dem.*) his
2 **die Niederlande** Netherlands
3 **gebären a o** give birth to
5 **die Hindin** hind

Mime die Schmiedekunst. Weil er aber mit den Gesellen nicht auskommen konnte, wollte Mime ihn loswerden. Er schickte ihn 10 daher an einen Ort im Walde, wo der Drache Fafner lebte. Mime hoffte, daß der Drache, der sein Bruder war, den jungen Helden töten würde. Siegfried erschlug aber den Drachen; er badete in seinem Blut und bekam davon eine Hornhaut, die ihn unverwundbar machte. Nur eine Stelle an seinem Körper, und zwar 15 auf dem Rücken zwischen den Schultern, wurde von dem Blut nicht berührt. Diese Stelle war seine „Achillesferse".

Bei Mime und seinen Gesellen konnte Siegfried nicht länger bleiben. Er ging in die Welt hinaus. Er wanderte lange umher, bis er an die Burg Isenstein kam, wo die Königin Brünhild 20 wohnte. Diese empfing ihn gastfreundlich, denn sie hatte von ihm gehört; sie schenkte ihm das edle Roß Grane, das nur er zähmen konnte.

Er wanderte weiter durch die Länder und vollbrachte manche Heldentat. Endlich kam er in das Land der Nibelungen hoch 25 oben im Norden. Die Nibelungen waren ein Volk von Zwergen; sie besaßen einen unermeßlich großen Schatz an Gold und Edelsteinen. Nach dem Tode des Königs Nibelung war der Schatz an seine zwei Söhne gekommen, die in bitterer Feindschaft lebten. Sie baten Siegfried, den Hort gerecht zu teilen; 30 zum Lohn schenkten sie ihm im voraus das verzauberte, unbesiegbare Schwert Balmung. Siegfried teilte den Schatz in zwei

10 **aus-kommen** get along; **los-werden** get rid of
11 **der Drache –n** dragon (Fafner is the name of the dragon)
12 **der Held –en** hero; **erschlagen u a** slay
14 **unverwundbar** invulnerable
17 **berühren** touch; **Achillesferse** Achilles' heel (where the Greek hero was vulnerable)
20 **die Burg** castle
21 **gastfreundlich** hospitably
22 **das Roß –e** steed (Grane is the name of the horse)
24 **vollbrin'gen** perform
26 **der Zwerg –e** dwarf
27 **unermeßlich** boundless; **der Schatz ¨–e** treasure
28 **der Edelstein –e** jewel
30 **der Hort –e** hoard, treasure
31 **im voraus'** in advance; **verzaubert** magic (Balmung is the name of the sword)

gleiche Teile; das war aber beiden Brüdern nicht recht. Sie schickten zwölf Riesen gegen ihn; er aber erschlug sie alle in einem einzigen Kampf. Auch die zwei Königssöhne kamen ums 35 Leben. Er bezwang den Zwerg Alberich, den Hüter des Hortes, der durch eine Tarnkappe die Stärke von zwölf Männern hatte. Der besiegte Alberich schwor Siegfried Treue und mußte ihm die Tarnkappe geben. Nachdem Siegfried auch den Riesen Kuperan erschlagen hatte, ließ er den Hort in eine Höhle bringen, wo ihn 40 der Zwerg bewachen mußte.

Siegfried und Kriemhild

Siegfried ging dann nach Worms am Rhein, der Hauptstadt des Burgunderreichs. Hier herrschten die drei Königssöhne Gunther, Gernot und Giselher; hier lebten auch ihre schöne Schwester, Kriemhild, und ihre Mutter, Frau Ute. Am burgundischen Hofe 45 waren viele Ritter, darunter Hagen von Tronje, der Waffenmeister der Könige und ein Verwandter des Königshauses. Siegfried war an den Hof der Burgunder gekommen, um die Fürstin Kriemhild zu freien.

Ein ganzes Jahr verbrachte Siegfried am Hofe der Burgunder. 50 Er kämpfte gegen die Feinde des Landes und besiegte sie. Er besiegte auch zwei Jungfrauen, Brünhild und Kriemhild; und dieser doppelte Sieg wurde ihm zum Verhängnis.

Die isländische Königin Brünhild hatte Siegfried nicht vergessen. Sie liebte ihn und wartete auf ihn. Aus vielen Ländern 55 kamen Freier zu ihr; aber keiner von diesen konnte die Kampf-

34 **der Riese –n** giant
35 **ums Leben kommen** lose one's life
36 **bezwingen a u** subdue
37 **die Tarnkappe** magic hood (making one invisible)
40 **ließ bringen** See Appendix §4
42 **die Hauptstadt ⸚e** capital
43 The Burgundians were an East German tribe, settled around the middle Rhine near Worms and Mainz. They were destroyed by the Huns in 436.
46 **der Ritter** knight; **der Waffenmeister** armorer
49 **freien** (**um** + *acc.*) court
51 **besiegen** conquer, subdue
53 **das Verhängnis –se** fate
56 **der Freier** suitor; **das Kampfspiel –e** tournament

spiele bestehen, die die Königin ihm aufgab und die sie selbst glänzend ausführte. Auch Gunther wollte die Königin zur Frau gewinnen und bat Siegfried, ihm dabei zu helfen. Siegfried war einverstanden, unter der Bedingung, daß ihm Gunther die schöne Schwester zur Frau gebe. Gunther versprach es, und sie ritten zusammen mit einem großen Gefolge nach Isenstein. Hier bewarb sich Gunther als Freier um Brünhildes Hand, indem er versuchte, sie in den Kampfspielen, im Springen, Stein- und Speerwerfen, zu überbieten. Das gelang ihm auch, weil Siegfried in seiner Tarnkappe hinter ihm stand und die Bewegungen für ihn ausführte. Die Königin glaubte sich von Gunther besiegt und mußte seine Frau werden. Auch in der Brautnacht mußte Siegfried die Braut für Gunther besiegen. Er gewann dafür Kriemhild zur Frau und zog mit ihr in seine Heimat, nach Xanten am Rhein.

Siegfrieds Tod

Jahre darauf wurden Siegfried und Kriemhild nach Worms zu einer Festlichkeit geladen. Bei dieser Gelegenheit gerieten die beiden Frauen in einen Streit um ihren Rang, und Kriemhild enthüllte das Geheimnis, daß Siegfried, nicht Gunther, Brünhild besiegt hatte. Diese Kränkung konnte Brünhild natürlich nicht unbestraft lassen, und sie sann auf Rache.

Hagen von Tronje, Gunthers Waffenmeister, wurde zum Werkzeug ihrer Rache. Er nahm den Auftrag aus Treue zu seiner

57 **auf-geben** commission, assign
60 **einverstanden** agreed; **Bedingung** condition
62 **das Gefolge** retinue; **sich bewerben a o** solicit, ask, compete
64 **der Speer –e** spear
65 **überbie′ten o o** outdo, top
68 **die Braut ¨–e** bride
71 **darauf′** afterward
72 **Festlichkeit** festivity; **geraten ie a** get, fall
73 **der Streit –e** quarrel; **der Rang ¨–e** rank
73 **enthüllen** reveal, discover
74 **das Geheimnis –se** secret
75 **Kränkung** offence, insult
76 **sinnen a o (auf)** plan; **die Rache** revenge
77 **das Werkzeug –e** tool
78 **der Auftrag ¨–e** commission, task

Herrin an. Von Kriemhild hatte er erfahren, an welcher Stelle Siegfried verwundbar sei; denn er hatte ihr versprochen, dem Helden im Kampfe an der Seite zu stehen und ihn gegen seine Feinde zu beschützen. Kriemhild hatte zu diesem Zweck in Siegfrieds Gewand ein kleines Kreuz genäht, an der verwundbaren Stelle zwischen den Schultern. Diese Entdeckung brachte dem Helden den Tod.

Die Burgunder gingen auf die Jagd. Siegfried war natürlich auch dabei und überbot sie alle an Heldentaten und mutwilligen Streichen. Als er sich über eine Wasserquelle beugte, um zu trinken, ergriff Hagen seinen Speer und warf ihn nach der Stelle, wo Kriemhild das Kreuz aufgenäht hatte. Tödlich verwundet, kämpfte Siegfried trotzdem mit Hagen. Aber nur kurze Zeit; seine Kräfte schwanden, er verfluchte Hagen und Gunther, klagte um seine Frau und starb.

Die Leiche wurde in der Nacht nach Worms gebracht und vor Kriemhilds Schlafzimmer gelegt. Am folgenden Morgen entdeckte die Königin ihren toten Gemahl. Die Leiche wurde im Münster aufgebahrt und alle Ritter gingen an ihr vorbei. Als Hagen an die Bahre trat, öffneten sich die Wunden des Toten und fingen an zu bluten. Kriemhild wußte jetzt, wer die grausame Tat verübt hatte und schwor ihm und ihren Brüdern Rache.

81 **Helden** See Appendix §2
82 **beschützen** protect
83 **das Gewand ⸚er** cloak; **das Kreuz –e** cross
86 **die Jagd** hunt, chase
87 **dabei′** present, in it; **mutwillig** high-spirited
88 **der Streich –e** prank, escapade; **sich beugen** bend down
92 **verfluchen** curse; **klagen** mourn, lament
96 **der Gemahl –e** husband; **die Leiche** corpse; **das Münster** minster, cathedral
97 **auf-bahren** lay out in state
98 **die Bahre** bier
99 **grausam** gruesome; **verüben** practice, carry out
100 **ihm** against him

[25] Im wunderschönen Monat Mai

Heinrich Heine (1797–1856)

Heine is one of Germany's great lyric poets. His wide range of interest in nature and man, his power to suggest a mood in words, his uncanny ability to sum up an archetypal situation in a few bold, striking statements, his melodious and haunting verse—these features stamp him as a master of the lyric.

The following poems are from the Buch der Lieder (1827), the collection which has made Heine famous throughout the world.

The first lyric is adapted from a poem by Friedrich von Hagedorn (1708–1754), who used a French source by Jacques Rauchin: Le premier jour du mois de mai. *There are over sixty musical settings, including one by Schumann.*

Im wunderschönen Monat Mai,
Als alle Knospen sprangen,
Da ist in meinem Herzen
Die Liebe aufgegangen.

Im wunderschönen Monat Mai, 5
Als alle Vögel sangen,
Da hab' ich ihr gestanden
Mein Sehnen und Verlangen.

[26] Ein Fichtenbaum steht einsam

Heinrich Heine

Source: the Hebrew Midrash, *which relates that a palm tree at Emmaus remained sterile from longing for another palm at Jericho. When the two trees were brought together, the palm at Emmaus bore rich fruit. There are many musical settings.*

2 **die Knospe** bud; **springen a u** burst
4 **auf-gehen** rise (of the sun)
7 **gestehen** confess
8 **das Sehnen** yearning; **das Verlangen** desire

TITLE **der Fichtenbaum ⸚e** pine or fir tree

Ein Fichtenbaum steht einsam
Im Norden auf kahler Höh'.
Ihn schläfert; mit weißer Decke
Umhüllen ihn Eis und Schnee.

Er träumt von einer Palme, 5
Die fern im Morgenland
Einsam und schweigend trauert
Auf brennender Felsenwand.

[27] Die Lotosblume

Heinrich Heine

Die Lotosblume ängstigt
Sich vor der Sonne Pracht,
Und mit gesenktem Haupte
Erwartet sie träumend die Nacht.

Der Mond, der ist ihr Buhle, 5
Er weckt sie mit seinem Licht,
Und ihm entschleiert sie freundlich
Ihr frommes Blumengesicht.

1 **einsam** lonely
2 **kahl** bald, bleak
3 **ihn schläfert** he feels drowsy
4 **umhüllen** surround, envelop
6 **das Morgenland** Orient
7 **trauern** mourn
8 **die Felsenwand ⸗e** cliff

1 **sich ängstigen** be afraid
2 **die Pracht** splendor
3 **gesenkt** drooping
5 **der Buhle –n** lover (obsolete)
7 **entschleiern** unveil
8 **fromm** gentle

Sie blüht und glüht und leuchtet
Und starret stumm in die Höh'; 10
Sie duftet und weinet und zittert
Vor Liebe und Liebesweh.

[28] Goethe

Im Jahre 1775 verließ Goethe seine Heimatstadt Frankfurt am Main und zog nach Weimar. Er folgte einer Einladung des jungen Herzogs Karl August von Weimar, dem er als Gesellschafter dienen sollte. Seine Aufgabe war, den jungen Herzog von der Langweile des höfischen Lebens zu befreien. Die zwei 5 jungen Männer wurden bald sehr eng befreundet und Goethe blieb in Weimar bis zu seinem Tode im Jahre 1832.

Wer war dieser junge Mann und was hatte er bisher geleistet? Er war das älteste Kind wohlhabender Eltern aus bürgerlichem Stande. Er wurde im Elternhaus unter der Aufsicht des 10 strengen Vaters erzogen, im Geiste der Aufklärung, die zu dieser Zeit in Europa herrschte. Schon im Alter von acht Jahren fing er an zu dichten. Er schrieb deutsche, französische und englische Gedichte, übersetzte aus dem Lateinischen, Griechischen, Hebräischen. Er machte chemische (d.h. alchi- 15

9 **glühen** glow; **leuchten** shine
10 **starren** stare
11 **duften** give off perfume

2 **Weimar** capital of Thuringia in Central Germany
3 **der Herzog ¨-e** duke. Karl August (1757–1828) was the liberal sovereign of the small Duchy, a patron of the arts. In 1816 he granted his subjects the first constitution in German lands; **der Gesellschafter** companion
5 **die Langweile** boredom; **höfisch** of the Court
8 **leisten** achieve
9 **wohlhabend** well-to-do
10 **der Stand ¨-e** [social] class; **die Aufsicht** supervision
11 **Aufklärung** Enlightenment (the rationalist current of thought dominant in Europe during the seventeenth and eighteenth centuries)

mistische) Versuche, vertiefte sich in die Bibel und zeigte ein reges Interesse an allem, was um ihn her geschah.

Mit sechzehn Jahren ging er nach Leipzig, wo er auf der berühmten Universität die Rechte studierte. Aber nur angeblich; denn er verwendete seine Zeit auf Kunst und Literatur. Von Leipzig ging er nach Straßburg, wo er sich unter Herders Einfluß zu geistiger Selbständigkeit entwickelte. Er lernte gotische Baukunst, das deutsche Volkslied und Shakespeares Kunst schätzen und verwarf den französischen Klassizismus, aus dessen Geist er bisher geschaffen hatte.

Nach Abschluß der juristischen Studien lebte er in Darmstadt, Wetzlar und Frankfurt, angeblich als Advokat, aber eigentlich beschäftigte er sich fast ausschließlich mit Dichten. Viele seiner schönsten lyrischen Gedichte wurden zu dieser Zeit geschaffen, wie auch sein Drama „Götz von Berlichingen", sein Roman „Die Leiden des jungen Werthers", der ihn in ganz Deutschland bekannt machte, und die erste (unveröffentlichte) Fassung des „Faust". Und er wurde in Liebesbeziehungen verwickelt, die ihn tief erschütterten und sich in seinen Dichtungen abspiegeln.

Das war also der Gesellschafter des jungen Herzogs. Die ersten Monate wurden von den zwei jungen Freunden auf eine Art verbracht, die bei den Hofleuten und Beamten nur Kopfschütteln hervorrief. Aber nach und nach fing der junge Dichter

16 **sich vertiefen** absorb oneself
17 **rege** lively; **um ihn her** round about him
18 **Leipzig** capital of Saxony, seat of a famous university
19 **die Rechte** law; **angeblich** ostensibly
20 **verwenden** spend, employ
21 **Straßburg** capital of Alsace, at that time part of Germany; **Herder** See §2
22 **geistig** intellectual; **sich entwickeln** develop
23 **die Baukunst** architecture
24 **verwerfen a o** reject; French classicism was the dominant style in German literature during the Aufklärung.
26 **der Abschluß ⸗e** conclusion; Darmstadt and Wetzlar are in Hessen. The latter was formerly the seat of the Supreme Court of the Holy Roman Empire.
32 **veröffentlichen** publish; **Fassung** version
33 **Liebesbeziehung** love affair; **verwickeln** entwine
34 **erschüttern** shake; **sich ab-spiegeln** be reflected
37 **die Hofleute** courtiers; **das Kopfschütteln** head-shaking
38 **hervor-rufen ie u** provoke; **nach und nach** bit by bit

an, das Leben ernst zu nehmen. Er nahm an der Regierung des Herzogtums teil. Er erhielt einen Sitz im geheimen Rat; er wurde Kriegs- und Finanzminister; er leitete die wichtigsten Zweige der Verwaltung. Jahrelang war er der Leiter des Hoftheaters, inszenierte persönlich viele der Schauspiele, die auf dieser Bühne gegeben wurden. 40

Außerdem fand Goethe noch Zeit, sich mit allerlei wissenschaftlichen Forschungen zu beschäftigen. Er forschte auf dem Gebiete der Physik, der Geologie, der Botanik, der vergleichenden Anatomie, der Meteorologie, der Entomologie, und verfaßte Abhandlungen über das Ergebnis dieser Forschungen. Seine Entdeckungen haben ihm einen bescheidenen Platz in der Geschichte der Biologie verschafft und die Geologen haben ein Mineral nach ihm benannt. Er sammelte viele Arten von Kunstgegenständen und malte und zeichnete selbst. Während seiner ersten italienischen Reise (1786–88) malte er über tausend Landschaften. Zusammen mit Schiller wirkte er als Herausgeber mehrerer literarischer Zeitschriften. Und nebenbei führte er eine enorme Korrespondenz mit Staatsmännern, Gelehrten und Künstlern aus verschiedenen Ländern. Er war auf den verschiedensten geistigen Gebieten ungemein belesen und hatte an allem Geschehen ein reges Interesse. 45 50 55 60

Ja, und er war auch ein Dichter. Er schrieb lyrische Gedichte, Dramen, Epen, Romane, Reiseschilderungen, eine berühmte Autobiographie, Hunderte von Abhandlungen über Themen der Kunst und Wissenschaft. Die Weimarer Ausgabe seiner Schriften und Briefe zählt 143 Bände. 65

40 **geheim** secret, privy
42 **Verwaltung** administration
43 **inszenieren** stage, produce; **das Schauspiel –e** play
44 **die Bühne** stage
46 **Forschung** research
48 **verfassen** compose
49 **Abhandlung** treatise; **das Ergebnis** result
51 **verschaffen** procure
56 **die Zeitschrift** periodical; **nebenbei′** incidentally
59 **belesen** well read
62 **Reiseschilderung** travel description
64 **die Ausgabe** edition; **die Schrift** writing

Der Freiherr von Biedermann hat eine kleine „Chronik von Goethes Leben“ zusammengestellt, die als „Inselbuch“ erschienen ist. Diese trockene, sachliche Aufzählung der äußeren Begebenheiten von Goethes Leben, zusammen mit einem Verzeichnis seiner Schriften, unfaßt 82 Seiten des Bändchens! 70

In Jahre 1949 feierte die ganze Welt Goethes zweihundertsten Geburtstag. Jeder, der sich für einen Goethekenner oder -liebhaber hielt, schrieb etwas über ihn oder hielt einen Vortrag zu seiner Ehre. Die UNESCO veröffentlichte eine Sammlung von Aufsätzen über den Dichter. In Aspen, Colorado, wurde 75 eine prachtvolle Feier veranstaltet, an der viele berühmte Männer teilnahmen. Der große Deutsche Albert Schweitzer kam nach Aspen aus Afrika, um einen Vortrag über Goethe zu halten. Dieses einzigartige Jubiläum bewies, wie sehr lebendig Goethe noch heute ist. 80

Als Einführung in Goethes Dichtung könnte man folgende Werke empfehlen: eine Auswahl aus der Lyrik; die Romane „Die Leiden des jungen Werthers“, „Wilhelm Meister“, „Die Wahlverwandtschaften“; die Dramen „Götz von Berlichingen“, „Egmont“, „Iphigenie“, „Tasso“, „Faust“; das Epos „Hermann und 85 Dorothea“; die „Italienische Reise“ und die Selbstbiographie „Dichtung und Wahrheit“.

66 **der Freiherr** baron
67 **Inselbuch** one of a series of pocketbooks published by the Insel Verlag
68 **sachlich** factual; **Begebenheit** event
69 **das Verzeichnis –se** catalogue
70 **umfassen** encompass
71 **feiern** celebrate
72 **der Kenner** connoisseur
73 **der Liebhaber** amateur; **sich halten (für)** consider oneself; **der Vortrag ¨–e** lecture, address
76 **prachtvoll** splendid; **veranstalten** arrange
79 **einzigartig** unique; **das Jubiläum –ien** jubilee
82 **empfehlen a o** recommend; **die Auswahl** selection
83 **Wahlverwandtschaft** elective affinity

[29] Aus Goethes Spruchweisheit

1. Die Weisheit ist nur in der Wahrheit.

2. Gegen große Vorzüge eines andern gibt es kein Rettungsmittel als die Liebe.

3. Herrschen lernt sich leicht, regieren schwer.

4. Einer neuen Wahrheit ist nichts schädlicher als ein alter Irrtum. 5

5. Es ist nicht genug zu wissen, man muß auch anwenden; es ist nicht genug zu wollen, man muß auch tun.

6. Um zu begreifen, daß der Himmel überall blau ist, braucht man nicht um die Welt zu reisen. 10

7. Alles, was unsern Geist befreit, ohne uns die Herrschaft über uns selbst zu geben, ist verderblich.

8. Es ist nichts fürchterlicher als Einbildungskraft ohne Geschmack.

9. Wahrheitsliebe zeigt sich darin, daß man überall das Gute zu finden und zu schätzen weiß. 15

10. Sage mir, mit wem du umgehst, so sage ich dir, wer du bist; weiß ich, womit du dich beschäftigst, so weiß ich, was aus dir werden kann.

11. Alles Lebendige bildet eine Atmosphäre um sich her. 20

12. Es ist nichts schrecklicher als eine tätige Unwissenheit.

13. Eigentlich weiß man nur, wenn man wenig weiß; mit dem Wissen wächst der Zweifel.

14. Der Undank ist immer eine Art Schwäche. Ich habe nie gesehen, daß tüchtige Menschen undankbar gewesen wären. 25

TITLE **Spruchweisheit** aphoristic wisdom
2 **der Vorzug ⸚e** advantage; **das Rettungsmittel** help, remedy
4 **herrschen . . . regieren** govern . . . rule; **lernt sich** can be learned
5 **Wahrheit** The subject is **nichts; schädlich** harmful
7 **an-wenden wandte gewandt** apply
12 **verderblich** injurious, corrupting
13 **es** See Appendix §3; **fürchterlich** fearful; **Einbildung** imagination
14 **der Geschmack** taste
17 **um-gehen** associate
18 **weiß ich = wenn ich weiß** (See Appendix §6)
20 **um sich her** about it
24 **der Undank** ingratitude; **die Schwäche** weakness
25 **tüchtig** efficient, capable; **gewesen wären** subj. of remote possibility

15. Dem tätigen Menschen kommt es darauf an, daß er das Rechte tue; ob das Rechte geschehe, soll ihn nicht kümmern.

16. Wer fremde Sprachen nicht kennt, weiß nichts von seiner eigenen.

17. Toren und gescheite Leute sind gleich unschädlich. Nur die Halbnarren und Halbweisen, das sind die gefährlichsten. 30

18. Es gibt keinen größeren Trost für die Mittelmäßigkeit, als daß das Genie nicht unsterblich sei.

19. Der Müller denkt, es wachse kein Weizen als damit seine Mühle gehe. 35

20. Dummheit, seinen Feind vor dem Tode, und Niederträchtigkeit, nach dem Siege zu verkleinern.

[30] Lied des Harfenmädchens

Theodor Storm (1817–1888)

Storm was a major lyric poet and the author of many Novellen. The following lyric is from the novella Immensee *(1849). It is sung by a young gypsy girl and restates, with beautiful simplicity, the familiar poetic theme of the evanescence of life.*

Heute, nur heute
Bin ich so schön.
Morgen, ach morgen
Muß alles vergehn!

26 **darauf' an-kommen** be concerned with, matter
27 **kümmern** concern, worry
30 **der Tor –en** fool; **gescheit** clever, smart
31 **der Narr –en** fool
32 **der Trost** consolation; **mittelmäßig** mediocre
33 **unsterblich** immortal
34 **der Weizen** wheat; **damit'** in order that
36 **Dummheit = es ist eine Dummheit; niederträchtig** base, vile
37 **der Sieg –e** victory; **verkleinern** belittle

TITLE **die Harfe** harp
4 **vergehen** pass away, die

Nur diese Stunde 5
Bist du noch mein;
Sterben, ach sterben
Soll ich allein.

[31] Klärchens Lied

Johann Wolfgang von Goethe

From the drama Egmont *(1787). The poem describes the vicissitudes of love and concludes: it's worth it. Set to music by Schubert, Liszt and Rubinstein; the best known setting is Beethoven's (Op. 84, 4).*

Freudvoll
Und leidvoll,
Gedankenvoll sein;
Langen
Und bangen 5
In schwebender Pein;
Himmelhoch jauchzend,
Zum Tode betrübt;
Glücklich allein
Ist die Seele, die liebt! 10

7 **sterben** = **ich allein soll** (am to, must) **sterben**

2 **das Leid[en]** sorrow, suffering
4 **langen** long for
5 **bangen** fear
6 **schwebend** hovering, uncertain; **die Pein** anguish
7 **jauchzen** exult
8 **betrübt** gloomy, saddened

[32] Wilhelm Tell

Die Sage vom Schützen, der gezwungen wird, einen Apfel vom Haupte seines Kindes zu schießen, kommt sehr früh in der europäischen Literatur vor: in der Wielandsage (Eigils Schuß), in den Erzählungen von dem geächteten Engländer William of Cloudesley und bei dem dänischen Erzähler Saxo Grammaticus (ca. 1150–ca. 1220). 5

Diese Sage verschmolz mit dem historischen Freiheitskampf der schweizerischen Kantone gegen die Herrschaft der Habsburger. Sie knüpfte sich an die sagenhafte Gestalt des Meisterschützen Wilhelm Tell aus Bürglen. Tell erscheint als Opfer der 10 Gewalttaten, die die österreichischen Vögte in den schweizerischen Kantonen ausübten. Er besteht die unmenschliche Prüfung, die ihm Vogt Geßler stellt (Apfelschuß). Er nimmt an dem Tyrannen Rache. Dann schürt er den Aufstand der Kantone gegen Habsburg auf und verhilft den Urkantonen der Schweiz 15 zur Unabhängigkeit von Österreich (Rütlischwur). Die Verbindung der beiden Motive erhält sich in der Literatur, die sich aus der Sage und dem geschichtlichen Aufstand gegen Österreich entwickelt.

Die zwei wichtigsten Quellen des Tellstoffes sind das „Weiße 20 Buch von Sarnen" (1470) und das „Chronicon Helveticum" von Ägidius Tschudi. Durch Friedrich Schillers Drama „Wilhelm Tell" (1804) hat die Tellsage Weltruhm erlangt. Für Schiller ist

3 **Wielandsage** the saga of the master smith Wieland (Norse, Völundr; English, Wayland); theme of a Norwegian epic ca. 900
4 **geächtet** outlawed
7 **verschmelzen o o** fuse
8 **der Kanton –e** canton (one of the political units of the Swiss Confederation); **Habsburger** the dynasty which ruled the Holy Roman Empire from the 13th century until its dissolution in 1806
14 **auf-schüren** stir up
15 **Urkantone** the nucleus of three cantons (Schwyz, Uri, Unterwalden) which formed the perpetual federation in 1291 to oppose Habsburg rule. They sealed their agreement with an oath taken on the Rütli meadow about the Urner See.
22 ***Ägidius Tschudi*** (1505–1572) Swiss chronicler, author of the *Chronicon Helveticum* (Swiss Chronicle), which was not published until 1734–1736

Tell das Symbol der Schweizer Freiheit und der demokratischen Bewegung in den Schweizer Kantonen. Obwohl er abseits der Verschwörung steht, ist seine Ermordung des österreichischen Tyrannen Geßler der Anlaß zur Erstürmung der Burgen. Der Tellstoff ist seit Schiller bis in die jüngste Zeit wiederholt dichterisch behandelt worden. Auch an Rossinis berühmte Oper (1829) sei erinnert.

Die folgende Fassung der Tellsage ist nach der Darstellung der Brüder Grimm in den „Deutschen Sagen" bearbeitet.

Unter dem Kaiser Albrecht I. von Österreich bedrückte der Landvogt Geßler die Einwohner von Uri und Schwyz. Er beschloß, die Festung „Zwing Uri" bei Küßnacht zu bauen; hier wollte er wohnen und das Land in Furcht und Gehorsam halten.

Zu Altdorf, am Platz bei der Linde, wo viele Menschen vorübergingen, ließ Geßler eine Stange aufrichten und setzte einen Hut darauf. Er befahl, daß jeder, der an dem Ort vorüberging, sich vor dem Hute verneigen sollte, als ob dieser Hut der König selbst wäre. Ein Wächter mußte die Stange bewachen; er sollte jeden anzeigen, der dem Gebote des Landvogts nicht gehorchte. Dieser große Übermut ärgerte das Volk noch mehr als der Bau der Festung; doch wagte man nicht, Widerstand zu leisten, aus Furcht vor der Macht des Kaisers.

Da ging an einem Sonntag ein ehrlicher, frommer Landmann, Wilhelm Tell, an dem Hute vorüber, ohne sich vor demselben zu verneigen. Das wurde dem Landvogt angezeigt. Am folgenden Morgen ruft er Tell zu sich und fragt ihn, warum er seinem Gebot nicht gehorcht hätte. Tell antwortete: „Herr, es ist ohne Absicht und nicht aus Verachtung geschehen; ich dachte nicht, daß es Euer Gnaden so ernst ansehen würden."

28 **dichterisch** i.e. by creative writers
30 **sei** let it be
33 ***Albrecht I.*** (1248–1308) Duke of Austria, later German Emperor (1298–1308), assassinated by his nephew
34 **der Landvogt ⸚e** governor
35 **Festung** fortress; **Zwing** fortress; **Küßnacht** county seat of the canton Schwyz
46 **der Landmann** peasant
52 **Euer Gnaden** your Grace

Nun war Tell der beste Schütze im Lande und hatte hübsche Kinder, die er liebte. Der Landvogt ließ diese holen und sprach: „Tell, welches unter den Kindern ist dir das liebste?" Tell antwortete: „Herr, sie sind mir alle gleich lieb." Da sprach der Landvogt: „Tell, du bist ein guter Schütze, und man findet nicht deinesgleichen im Lande. Das wirst du mir jetzt beweisen; denn du sollst einem von deinen Kindern einen Apfel vom Haupte schießen. Wenn du das tust, so will ich dich für einen guten Schützen halten." Tell erschrak und bat, daß man ihm dies erließe, denn es wäre unnatürlich; alles was man ihm sonst befehle, würde er gern tun. Der Vogt aber zwang ihn und legte dem Kinde selbst den Apfel aufs Haupt. Nun sah Tell, daß er nicht ausweichen konnte, nahm seinen Pfeil und steckte ihn hinten in seinen Köcher. Den anderen Pfeil nahm er in die Hand, spannte die Armbrust und bat Gott, daß er sein Kind behüten wolle, zielte und schoß glücklich ohne Schaden den Apfel vom Haupte des Kindes.

Da sprach der Landvogt: „Das war ein Meisterstück, Tell; aber eins wirst du mir sagen: was bedeutet es, daß du den ersten Pfeil hinten in den Köcher stecktest?" Tell sprach: „Das ist so die Gewohnheit der Schützen." Der Landvogt aber wußte wohl, daß Tell etwas anderes im Sinne hatte und sprach: „Sage mir die Wahrheit, Tell, und fürchte nichts; du sollst deines Lebens sicher sein." Da sprach Tell: „Herr, da Ihr mich meines Lebens versichert habt, so will ich Euch die Wahrheit sagen. Hätte ich den Apfel verfehlt, so würde ich Euch mit dem anderen Pfeil nicht verfehlt haben." Da sprach der Landvogt: „Zwar habe ich dich deines Lebens versichert; weil ich aber deinen bösen Willen gegen mich erkannt habe, so will ich dich an einen Ort führen lassen, wo du weder Sonne noch Mond sehen sollst, damit ich vor dir sicher bin."

Hierauf ließ Geßler ihn binden und auf ein Schiff führen, auf dem er selbst zurück nach Küßnacht fahren wollte. Als sie auf

54 **holen lassen** send for (See Appendix §4)
58 **deinesgleichen** your like
60 **halten für** consider
61 **erließe** *imp. subj.* of **erlassen** remit, spare
67 **die Armbrust** crossbow
76 **Ihr** older form of polite address used toward social superiors

dem See waren, brach ein wilder Sturm los, daß das Schiff schwankte und sie elend zu verderben meinten. Da sprach ein Diener zum Landvogt: „Herr, Ihr seht Eure und unsere Lebensgefahr; nun ist der Tell ein starker Mann und versteht mit einem Schiff umzugehen. Man sollte ihn jetzt in der Not gebrauchen.“ 90 Der Landvogt wandte sich zu Tell und sprach: „Wenn du uns aus dieser Not helfen kannst, so will ich dich befreien.“ Tell erklärte sich bereit, den Versuch zu machen. Er wurde losgebunden, trat an das Steuerruder und lenkte das Schiff durch die hohen Wellen. 95

Als er einer Felsenplatte nahekam, die seitdem den Namen *Tellsplatte* behalten hat, ermunterte er die Knechte, fest anzuziehen, bis sie vor jene Platte kämen. Als sie bei der Platte waren, drückte Tell das Schiffsende mit Macht an den Felsen, ergriff seine Armbrust und sprang hinaus auf die Platte. Das 100 Schiff aber stieß er mit Gewalt hinter sich in den See zurück.

Nun kletterte er den Berg hinauf und floh durch das Land Schwyz bis auf die Höhe an der Landstraße nach Küßnacht. Dort versteckte er sich im Gebüsch und wartete auf den Landvogt. Als dieser endlich dem Orte nahekam, nahm Tell seine Armbrust und 105 durchschoß den Vogt mit einem einzigen Pfeile. Hierauf entfloh Tell über das Gebirge nach Uri. Das Volk aber freute sich überall, wo die Tat bekannt wurde, daß es seinen schlimmsten Gewaltherrn los war. Die Schweizer Landleute griffen zu den Waffen, verjagten alle Reichsvögte und zerstörten ihre Festungen. Diese 110 Tat führte später zu der Bildung des schweizerischen Bundes.

[33] **Muß i denn**

Sung to a Swabian folktune dating back to 1827. The first stanza is anonymous; the other two were written by Heinrich Wagner in 1824. A prose version in High German follows:

89 **um-gehen mit** handle
108 **der Gewaltherr** tyrant
109 **greifen zu** have recourse to, take up

Muß ich denn zum Städtlein hinaus[gehen], und du, mein Schatz, bleibst hier? Wenn ich komme, wenn ich wieder komme, kehre ich, mein Schatz, bei dir ein. Obgleich ich nicht die ganze Zeit bei dir sein kann, so habe ich doch meine Freude an dir . . .

Wie du weinst, daß ich wandern muß, wie wenn die Liebe jetzt vorbei wäre. Wenn auch draußen viele Mädchen sind, lieber Schatz, ich bleibe dir treu. Denke nicht, wenn ich eine andere sehe, so ist meine Liebe vorbei . . .

Über ein Jahr, wenn man Trauben schneidet, stelle ich mich hier wieder ein. Wenn ich dann noch dein Schätzlein bin, so soll die Hochzeit sein. Über ein Jahr, da ist meine Zeit vorbei, da gehöre ich mir und dir; wenn ich dann noch dein Schätzlein bin, so soll die Hochzeit sein.

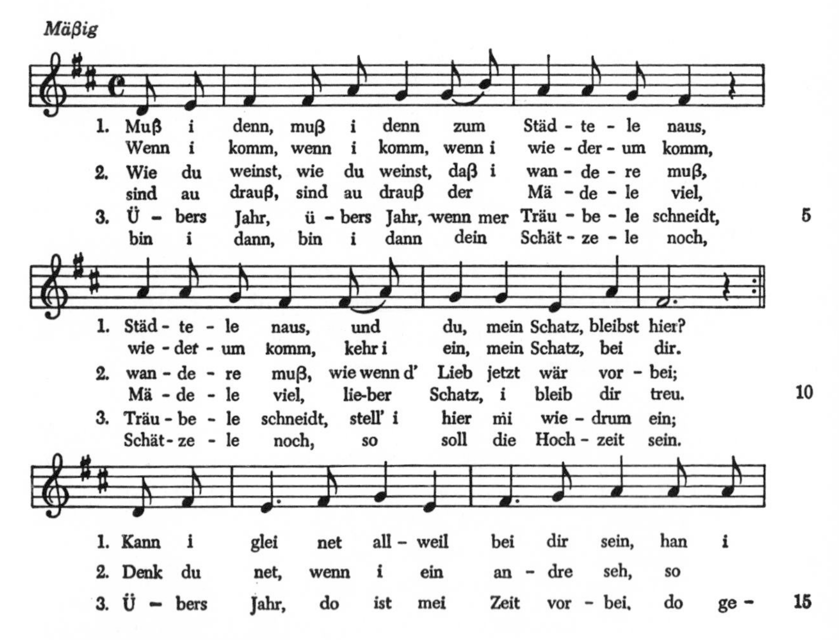

3 **ein-kehren** put up, appear
5 **wie wenn** as if
6 **wenn auch** even though
9 **über . . .** a year from now; **die Traube** grape; **sich ein-stellen** appear

1. wie- der- um komm, wie-der-um komm, kehr i ein, mein Schatz, bei dir.
2. Mä - de - le viel, Mä - de - le viel, lie-ber Schatz i bleib dir treu.
3. Schät-ze - le noch, Schät-ze - le noch, so soll die Hoch-zeit sein.

[34] Lesen ist ein großes Wunder

Marie von Ebner-Eschenbach (1830–1916)

This Bohemian aristocrat is remembered chiefly for her stories of humble life, written in a spirit of compassionate realism, and for her wonderful aphorisms, some of which are reprinted in this book.

Was hast du vor dir, wenn du ein Buch aufschlägst? Kleine, schwarze Zeichen auf hellem Grunde. Du siehst sie an, und sie werden klingende Worte; sie erzählen, sie stellen dar, sie belehren. In die Tiefen der Wissenschaft führen sie dich ein; sie enthüllen dir die Geheimnisse der Menschenseele, erwecken dein Mitgefühl, deinen Zorn, deinen Haß, deine Begeisterung. Sie vermögen dich in Märchenländer zu verzaubern, sie lassen Landschaften von wunderbarer Schönheit vor dir entstehen, sie

TITLE **das Wunder** miracle
1 **auf-schlagen** open
2 **das Zeichen** sign; **der Grund ¨-e** background; **an-sehen** look at
3 **dar-stellen** depict
4 **belehren** instruct
5 **enthüllen** reveal; **das Geheimnis –se** secret
6 **Mitgefühl . . .** sympathy, anger, hatred, enthusiasm
7 **vermögen = können; verzaubern** enchant
8 **entstehen** arise

versetzen dich in die heiße Luft der Wüste, oder in den starren Frost der Eisregionen. Sie lehren dich das Werden und Vergehen 10 der Welten; sie können dir Glauben und Mut und Hoffnung wegnehmen, verstehen deine gemeinen Leidenschaften aufzuregen. Sie entfalten aber auch die hohen und edlen Gedanken und Gefühle in dir, begeistern dich zu großen Taten, versetzen deine Seele in kraftvolles Schwingen. 15

Was können sie nicht, die kleinen, schwarzen Zeichen? Und doch ist ihre Zahl so gering, daß jedes Zeichen alle Augenblicke wieder erscheinen muß, um ein Ganzes zu bilden. Ihre Stellung zu ihren Kameraden wird immer anders, doch bleiben sie selbst immer dieselben Zeichen. Und ein Kind vermag es, uns den 20 Weg zu den Geheimnissen dieser Zeichen zu eröffnen. Ist das nicht ein Wunder?

[35] Aphorismen I

While we tend to associate the aphorism with the esprit *of the Latin countries, German literature has a number of distinguished practitioners of the genre: Logau, Lichtenberg, Lessing, Goethe, Schiller, Grillparzer, Hebbel, Nietzsche, Marie von Ebner-Eschenbach.*

1. Ein Aphorismus ist der letzte Ring einer langen Gedankenkette. (Marie von Ebner-Eschenbach)

2. Denken und tun, das ist die Summe aller Weisheit. (Goethe)

9 **versetzen** transport; **die Wüste** desert; **starr** rigid
10 **Werden . . .** birth and death
12 **verstehen . . .** are able to excite your vulgar passions
14 **begeistern** inspire
15 **das Schwingen** vibration
17 **alle** every

1 **der Ring –e** link; **die Gedankenkette** chain of thought

3. Das Leben ist nie etwas, es ist nur die Gelegenheit zu einem Etwas. (Hebbel) 5

4. Der Wille und nicht die Gabe macht den Geber. (Lessing)

5. Wir müssen immer lernen, zuletzt noch sterben lernen. (Marie von Ebner-Eschenbach)

6. Man spricht selten von der Tugend, die man hat, aber desto öfter von der, die einem fehlt. (Lessing) 10

7. Die glücklichen Sklaven sind die erbittertesten Feinde der Freiheit. (Marie von Ebner-Eschenbach)

8. Man versteht eine Kunst, sobald sie leicht wird; das Schreiben versteht man erst, wenn es schwer wird. (Hebbel) 15

9. Der Weise ist selten klug. (Marie von Ebner-Eschenbach)

10. Der größte Feind des Rechtes ist das Vorrecht. (Marie von Ebner-Eschenbach)

11. Lieber nichts wissen, als vieles halb wissen. (Nietzsche)

12. Viele Leute glauben, wenn sie einen Fehler eingestanden haben, brauchen sie ihn nicht mehr abzulegen. (Marie von Ebner-Eschenbach) 20

13. Es gibt keine Lage, die man nicht veredeln könnte durch Leisten oder Dulden. (Goethe)

14. Liebe ist das einzige, was wächst, indem wir es verschwenden. (Ricarda Huch) 25

15. Ist es nicht sonderbar, daß die Menschen so gern für die

5 **Gelegenheit** opportunity
7 **die Gabe** gift; **der Geber** giver
8 **noch** even
10 **die Tugend** virtue
11 **desto** all the; **der** (*dem.*) that; **einem** to one
12 **der Sklave –n** slave; **erbittert** embittered
15 **erst** only
16 **klug** clever, prudent
17 **das Vorrecht –e** privilege
19 **lieber** = **ich möchte lieber** (rather)
20 **der Fehler** error, fault; **ein-gestehen** admit
21 **ab-legen** give up
23 **veredeln** ennoble
24 **leisten** achieve; **dulden** endure
25 **verschwenden** squander
27 **sonderbar** strange

Religion fechten, und so ungern nach ihren Vorschriften leben? (Lichtenberg)

16. Das Steigen hat seine Grenze, aber nicht das Fallen. (Hebbel)

[36] Die Gedanken sind frei

A South German folksong, dating from about 1800. The air is Hessian.

28 **fechten o o** fight; **die Vorschrift** prescription

4 **sperrt man** See Appendix §6; **ein-sperren** lock up
5 **entsagen** renounce
6 **erraten ie a** guess
7 **in der Still(e)** quietly
8 **tut gefallen** does please
9 **der Kerker** prison; **vergeblich** vain
10 **die Grille** whim

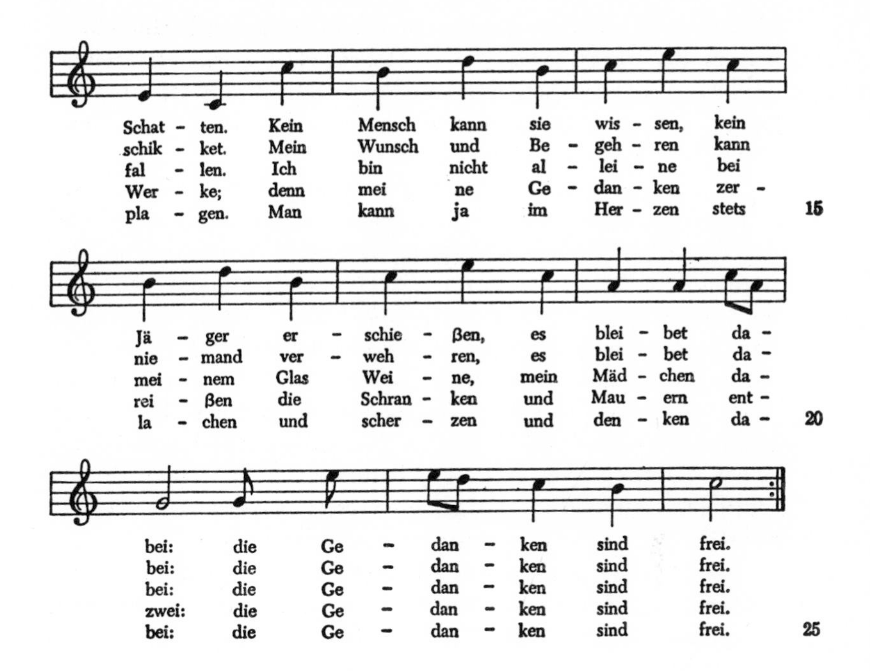

[37] **Faust**

1

Eine Legende, die zum Mythos geworden ist, zum letzten modernen Mythos, zum Mythos vom modernen Menschen; vom

12 **sich schicken** be proper; **das Begehren** desire
15 **plagen** torment; **ja** for (See Appendix §5)
16 **der Jäger** hunter; **es bleibt dabei** the fact remains
17 **verwehren** prevent
18 **dabei′** [is] present
19 **die Schranke** barrier; **entzwei′** asunder
20 **scherzen** jest

Menschen mit den zwei Seelen und dem Drang nach Unendlichkeit in der Brust; vom guten Menschen, der sich in seinem dunklen Drange des rechten Weges wohl bewußt ist, aber ein ganzes Leben braucht, um diesen dunklen Drang in klares Bewußtsein zu verwandeln. Das ist der Mythos von Faust. 5

Wir wissen nicht, ob er Georg oder Johann hieß. Wir wissen nicht genau, wann er gelebt hat, noch wie er gestorben ist. Statt der Tatsachen finden wir schon zu seinen Lebzeiten, in den Berichten seiner Zeitgenossen, Sagen und Legenden, Übertreibungen, fantastische Mutmaßungen. Seine Zeitgenossen sagten ihm nach, daß er Geister beschwöre, die Zukunft voraussage, einen Flugversuch unternommen hätte. Man beschrieb ihn als Arzt, Astrologen, Magier, Wahrsager, Schwindler. Kurz nach seinem Verschwinden (ca. 1540) entstand die Legende von seinem Pakt mit dem Teufel: er hätte dem Teufel die Seele verschrieben gegen 24 Jahre des Genusses; nach Ablauf dieser Frist habe ihn der Teufel geholt und in die Hölle geführt. 10 15

Es war eine abergläubische Zeit: Luther glaubte an die Existenz des Teufels und warf in seinem Arbeitszimmer das Tintenfaß nach ihm. Der Glaube an Hexen und an ihre schwarzen Künste war weit verbreitet. Es war aber auch das Zeitalter der Renaissance; der europäische Mensch erwachte zur Bewußtheit der äußeren Welt und verfiel den Reizen einer weltlichen Kultur und Wissenschaft. 20 25

3 **zwei Seelen** This and the following phrases are taken from Goethe's *Faust:* "Zwei Seelen wohnen, ach, in meiner Brust" (l. 1112). "Ein guter Mensch in seinem dunklen Drange/Ist sich des rechten Weges wohl bewußt." (ll. 328–329); **der Drang** urge; **Unendlichkeit** infinity
7 **verwandeln** change, transform
11 **Übertreibungen . . .** exaggerations . . . surmises
12 **nach-sagen** repeat about [someone]
13 **beschwören o o** conjure up
15 **der Magier** magician; **der Wahrsager** soothsayer
17 **verschreiben** assign, make over
18 **der Genuß** enjoyment; **der Ablauf** termination; **die Frist** period
20 **abergläubisch** superstitious
22 **die Hexe** witch
24 **Bewußtheit** consciousness
25 **verfallen ie a** fall as prey; **weltlich** secular (as opposed to medieval culture, which was mainly theocratic)

The Wehlburg in the Artland region of Lower Saxony
German National Tourist Office, New York

Near Oberstdorf, Allgäu (Bodensee)
German National Tourist Office, New York

Kongresshalle, Berlin
German National Tourist Office, New York

View of the Deutsches Museum, München
German National Tourist Office, New York

2

Schon 1587 erschien eine Sammlung von Anekdoten über Faust, das sogenannte „Volksbuch". Das Werk ist vom streng lutherischen Standpunkt aus verfaßt; es schildert das schreckliche Ende einer verdammten Seele. Sein Kern ist die Darstellung eines verstockten Sünders, der nicht bereuen kann oder will, und seine Sünde ist der unersättliche Wissensdrang. Das Buch genoß einen „Welterfolg"; es wurde sofort in viele Sprachen übersetzt und erlebte in kurzer Zeit mehrere Bearbeitungen und Erweiterungen. 30

Schon ein Jahr nach dem Erscheinen des Volksbuchs ging Marlowes Tragödie über die Bühne: „The Tragical History of Doctor Faustus". Die Grundzüge des Faust-Mythos sind schon bei Marlowe erkennbar: das überschwengliche Verlangen nach Wissen, Macht, Genuß; die Sehnsucht, die dem Menschen gesetzten Grenzen zu überschreiten und sich ins Unbekannte hinauszuwagen; die Bereitschaft des Menschen, seine hohen Ideale dem Genuß des Augenblicks zu opfern, auch auf die Gefahr hin, ewiges Leiden auf sich zu laden. Marlowes Stück wurde von den sogenannten „englischen Komödianten" oft in Deutschland aufgeführt, auch als Puppenspiel. Lessing hatte die Absicht, ein Faustdrama zu verfassen und schrieb auch einige Szenen dazu. Aber erst die Dichter des Sturm und Drang griffen 35 40 45

28 Title: **Historia von D. Johann Fausten, dem weitbeschreyten Zauberer und Schwarzkünstler**
31 **verstockt** hardened
32 **unersättlich** insatiable
34 **Bearbeitung** adaptation; **Erweiterung** extension
36 ***Christopher Marlowe*** (1564–1593) Shakespeare's older contemporary
37 **der Grundzug ¨–e** basic feature
38 **überschwenglich** excessive
39 **die . . .** see Appendix §1
42 **auf . . . hin** at the risk
44 **englische Komödianten** companies of English actors which performed English plays at various German courts from 1592 until about 1650
45 **das Puppenspiel –e** puppet play
47 **Sturm und Drang** a literary movement (ca. 1760–ca. 1785) characterized by an espousal of feeling and dynamism in opposition to the rationalism of the Aufklärung; **auf-greifen** take up

das Thema wirklich auf: Klinger, Maler Müller und der junge Goethe.

3

Goethes „Faust" hat eine lange Entstehungsgeschichte, die sich über 60 Jahre des Dichterlebens erstreckt. Schon als Student in Straßburg (1770–1771) beschäftigte sich Goethe mit dem Gedanken, ein Faustdrama zu dichten. Zwischen 1773 und 1775, also in seiner letzten Frankfurter Zeit, entstand die Reihe von 22 Szenen, die uns heute als der „Urfaust" bekannt sind. Sie wurden erst 1887 veröffentlicht. Nach seiner Rückkehr aus Italien (1790) ließ Goethe das vergrößerte Fragment in seinen Schriften drucken unter dem Titel „Faust, ein Fragment".

Auf Schillers Drängen nahm er die Arbeit 1797 wieder auf und vollendete den ersten Teil, der im Jahre 1808 erschien: „Faust, eine Tragödie". Außerdem waren schon einzelne Szenen des zweiten Teils fertig. Dann folgte wieder eine lange Pause. Erst 1825 nahm er auf Eckermanns Drängen die Manuskripte wieder vor und vollendete das Werk, nach sechs Jahren fast täglicher Arbeit, im Sommer 1831. Es erschien, auf des Dichters Wunsch, nach seinem Tod als erster Band der „Nachgelassenen Werke" (1833).

Das vollendete Gedicht umfaßt über 12 000 Verse und weist die unterschiedlichsten Versmaße auf, vom volkstümlichen

48 ***Maximilian Klinger*** (1752–1831) is the author of the novel „Fausts Höllenfahrt" (1791); ***Friedrich Müller*** (1749–1825), known as Maler Müller, wrote a number of scenes for a Faust play based on the Puppenspiel.
50 **die Entstehungsgeschichte** genesis
51 **sich erstrecken** extend
56 **veröffentlichen** publish
59 **das Drängen** urging
60 **vollen'den** complete
63 **vor-nehmen** take up; ***Johann Peter Eckermann*** (1792–1854) Goethe's secretary from 1825 until the poet's death
66 **nachgelassen** posthumous
68 **umfassen** comprise; **auf-weisen ie ie** show
69 **unterschiedlich** varied; **das Versmaß –e** meter; **volkstümlich** popular

Knittelvers bis zum feierlichen Trimeter der antiken Tragödie. 70
Auch der Stil des Werkes umspannt das ganze literarische Spektrum, von derber realistischer Prosa zu pathetischen oder zart lyrischen Ergüssen.

Es ist hier nicht möglich, eine literarische Würdigung dieses gewaltigen Gedichts zu bieten. Es ist nicht einmal möglich, eine 75 bloße Zusammenfassung der Handlung zu geben. Es soll nur erwähnt werden, daß Goethes Beispiel manche seiner Nachkommen im 19. und 20. Jahrhundert reizte, sich auch an „ihrem" Faust zu versuchen. Das Buch von E. M. Butler „The Fortunes of Faust", berichtet von diesen Versuchen. Hier sollen nur einige 80 Namen von Weltruhm genannt werden, die das Faustthema behandelt haben: Chamisso, Grabbe, Grillparzer, Arnim, Platen, Byron, Pushkin, Lenau, Heine, F. T. Vischer, Paul Valéry und Thomas Mann in seinem berühmten Roman „Doktor Faustus" (1947). 85

Auch die Musik hat sich des Fauststoffs bemächtigt. Es gibt deutsche, italienische und französische Opern über Faust, von denen die bekannteste die von Gounod ist. Das Oratorium von Hector Berlioz: „La Damnation de Faust" (Fausts Verdammnis) gehört zu den großen Leistungen der Musik. 90

70 **der Knittelvers** a verse whose four accents may occur anywhere in the line in contrast to the regular recurrence of the accent in other verse forms; **feierlich** solemn; **der Trimeter** an iambic line consisting of two times three feet; **antik′** classical
71 **umspannen** include
72 **derb** rough; **pathe′tisch** solemn, elevated
73 **der Erguß ¨-e** effusion
74 **Würdigung** appreciation
76 **Zusammenfassung** resumé; **Handlung** action, plot
78 **reizen** stimulate
79 **sich versuchen** try one's hand
81 **der Weltruhm** world fame
86 **sich bemächtigen** take possession
88 ***Charles Gounod*** (1818–1893), French composer
89 ***Hector Berlioz*** (1803–1869), French composer
90 **Leistung** achievement

4

Eine moderne Legende, die sich zum Mythos des modernen Menschen entwickelt hat. Der Popularphilosoph Oswald Spengler (1880–1936) hat das Wort vom „faustischen Menschen" geprägt; das ist der abendländische Mensch, der immer strebt, immer nach vorwärts drängt, unter dem Zeichen des Unendlichen steht 95 und sich bewegt. Das ist ein Mythos, d.h. eine konkrete Darstellung eines Grunderlebnisses der Menschheit. Spenglers faustischer Mensch deckt sich nicht mit Goethes Faust, noch mit dem Helden von Thomas Manns Roman; aber alle diese Auffassungen sind Varianten des Grundmythos, der schon dadurch 100 einzigartig ist, daß uns sein historischer Ursprung bekannt ist.

[38] Der gute Kamerad

Ludwig Uhland (1787–1862)

Uhland was a poet, scholar and minor statesman. He is chiefly remembered for his ballads, which rank among the best in German literature. Der gute Kamerad *(1809) has become a folksong because it symbolizes the "German" virtue of absolute devotion to duty. The melody was adapted from an old folk tune by Friedrich Silcher in 1825.*

93 **prägen** coin
94 **abendländisch** Western
98 **sich decken** agree, be congruent
99 **Auffassung** conception
101 **einzigartig** unique

* **schrittmäßig** in march tempo
2 **die Kugel** bullet; **kam . . .** came flying; **gilt (gelten a o)** is meant
3 **will = er will; derweil′ = während**

[39] Mozart

Walter Bauer (1904–   )

Walter Bauer is a novelist, biographer and lyric poet with a strong social conscience and the gift of expressing himself in simple German. He left Germany after World War II and is at present living in Canada. The six biographies which he wrote especially for this book are printed here for the first time.

Das Köchel-Verzeichnis der Werke Mozarts umfaßt 626 Nummern. Darunter sind zwanzig Opern, Kammermusik für

4 **nit** = **nicht; die Trommel** drum
5 **weggerissen (reißen)** struck down
6 **kann** = **ich kann**
7 **der Streit –e** battle
11 **als wär's** = **also ob es wäre**

1 **Köchel** the catalogue of Mozart's works published in 1862 by Ludwig Köchel; **umfassen** comprise

Klavier, Violine und Bläser, Symphonien, Vokalmusik. Das meiste davon schrieb Mozart auf Bestellung, und alles das schrieb er in den fünfunddreißig Jahren seines Lebens, als ob er wüßte, daß er wenig Zeit haben würde. Er war von dämonischem Fleiß. 5

Wolfgang Amadeus Mozart, geboren am 27. Januar 1756, war der Sohn des Musiklehrers und Kapellmeisters Leopold Mozart in der Hofkapelle des Erzbischofs von Salzburg. Der Vater unterrichtete das vierjährige Wunderkind am Klavier, und der Knabe war sieben Jahre alt, als er in München, Frankfurt, Brüssel, Paris und London Konzerte gab. Mit zwölf Jahren schrieb er sein erstes Singspiel „Bastien und Bastienne" (1768); mit vierzehn reiste er mit dem Vater nach Italien, dem Zentrum des musikalischen Lebens in Europa, spielend, komponierend und auf der Suche nach einer festen Stellung. 1780 schrieb er die Oper „Idomeneo" für den Kurfürsten von Bayern. Er ging nach Wien und hoffte am Hofe des Kaisers Josephs II. eine Stellung zu finden; er gab Konzerte, unterrichtete Schüler und schrieb die Oper „Die Entführung aus dem Serail" (1781). 10 15 20

Haydn erkannte den Genius in Mozart, aber die mittelmäßigen Komponisten und Musiker haßten ihn. Er war ihnen überlegen wie ein Adler den Krähen, aber sie sonnten sich in der Gunst des Hofes und der Öffentlichkeit und besetzten die Stellen. Langsam begriff er, daß er ihren Erfolg nie haben würde. 1785 entstand die Oper „Die Hochzeit des Figaro" nach einem Libretto von Lorenzo da Ponte. Sie war in Wien ein Durchfall und in Prag, wo er das Werk selber dirigierte, ein 25

3 **der Bläser** wind instrument
4 **Bestellung** order
9 **der Kapellmeister** conductor
10 **Hofkapelle** Court orchestra; **der Erzbischof –e** archbishop
14 **das Singspiel –e** operetta, musical comedy
17 **die Suche** search
18 **der Kurfürst –en** electoral prince
19 ***Joseph II*** reigned 1765–1790
21 **Entführung . . .** abduction from the harem
22 ***Joseph Haydn*** (1732–1809); **mittelmäßig** mediocre
24 **überlegen** superior; **der Adler** eagle; **die Krähe** crow
25 **die Gunst** favor; **Öffentlichkeit** public officialdom; **besetzen** occupy
29 **Prag** capital of Bohemia, now Czechoslovakia; **dirigie'ren** conduct

Erfolg. Haydn schrieb in einem Briefe: „Ich bin zornig, daß dieser einzigartige Mozart noch keine Stellung an einem kaiserlichen oder königlichen Hof gefunden hat. Ich verehre ihn so tief." 30

Danach blieben ihm noch vier Jahre seines Lebens. Im Herbst 1787 brachte Mozart seine unvollendete Oper „Don Giovanni" nach Prag und beendete sie im Sommerhaus eines Freundes; im Oktober wurde sie mit großem Erfolg aufgeführt. Der Kaiser ernannte ihn zum Kammermusikus mit einem geringen Gehalt. „Zuviel für das, was ich tue, zuwenig für das, was ich tun könnte", schrieb Mozart auf eine Quittung. In Wien war „Don Giovanni" erfolglos. 35 40

1789 reiste Mozart nach Leipzig und Berlin. Friedrich Wilhelm II., König von Preußen, bot ihm die Stelle eines Kapellmeisters an, aber Mozart lehnte ab. Er hatte unterdes Konstanze Weber geheiratet, sein Vater war gestorben, und er mochte wohl Wien treu bleiben. Die Oper „Cosi fan tutte" (So machen es alle) schrieb er im Auftrag des Kaisers; nach zehn Aufführungen in einem Jahr verschwand sie. Die Briefe an seinen Freund Puchberg, einen Geschäftsmann und Liebhaber der Musik, waren Bettelbriefe. Während seine Frau krank in Baden war, schrieb er „Die Zauberflöte" und arbeitete an einem Requiem, das der Graf von Walsegg für seine verstorbene Frau bestellt hatte. Der Graf schickte seinen Haushofmeister zu Mozart, um ihn darum zu bitten und zu mahnen; und der Fremde erschien Mozart wie ein grauer Bote des Todes. 45 50 55

30 **zornig** angry
31 **einzigartig** unique; **kaiserlich . . .** imperial, royal
32 **verehren** honor, revere
37 **auf-führen** perform
38 **ernennen** appoint; **Kammermusikus** Court musician; **das Gehalt ¨-er** salary
40 **Quittung** receipt
43 **Preußen** Prussia
44 **ab-lehnen** decline; **unterdes'** meanwhile
45 **mochte wohl** probably wanted to
47 **der Auftrag ¨-e** commission
49 **der Liebhaber** amateur
50 **betteln** beg
51 **die Zauberflöte** magic flute
53 **der Haushofmeister** major domo, steward
54 **mahnen** urge

Der unerwartete Erfolg der „Zauberflöte" (1791) war ein Lichtstrahl der Freude. Aber als Konstanze zurückkam, war Mozart krank, und er sagte ihr, daß er das Requiem für sich selber schreibe. Nach sechs Monaten kam das Ende. Einen Tag vor seinem Tode bat er seine Freunde um die Partitur des 60 Requiems, und er sang es mit ihnen. Das war sein Abschied von der Welt, die für ihn Musik gewesen war. Er starb morgens am 5. Dezember 1791.

Sturm und Regen hielten die wenigen Freunde davon ab, den Sarg zu begleiten, und seine Frau war krank. Der Sarg wurde 65 in ein Massengrab geworfen. Niemand kannte später den Ort, an dem Mozart begraben worden war, und keiner hat ihn gefunden. Er ließ dreitausend Florins Schulden und eine Welt unsterblicher Musik zurück.

Mozarts Musik ist vollkommen wie der klare Tag. Wir atmen 70 seine gesunde Luft und nehmen sein Licht auf, ohne es zu wissen. Erst wenn der Tag vergangen ist, erinnern wir uns, wie schön er war, und wir fühlen Trauer, daß die Nacht kommen muß. Mozarts Musik kennt nicht den Sturm Beethovens, dem die süße Stille folgt; sie enthält Tag und Nacht, Licht und 75 Schatten. Sie ist durchsichtig wie das Wasser eines Quells, der aus der Tiefe der Erde kommt. Wenn wir es trinken, vergessen wir seinen Ursprung. Niemand kann sie definieren, Stilgeschichte und Analyse der Form erklären sie nicht. Sie ist ein Wunder, das nie sterben wird. 80

60 **die Partitur'** score
64 **ab-halten** prevent
65 **der Sarg ¨-e** coffin
68 The florin is an old golden coin. 3000 florins is a substantial sum of money.
72 **vergehen** pass
74 **dem** upon which (with **folgt**)
76 **durchsichtig** transparent

[40] Ich lebe mein Leben in wachsenden Ringen

Rainer Maria Rilke (1875–1926)

The following poem is from the Stundenbuch *(1899–1901), a volume of lyrics which Rilke wrote after a visit to Russia. The speaker is a Russian monk in his monastic cell, who expresses his search for God and the question of man's destiny in a series of images. The following brief commentary may help to clarify the poem.*

Dieses Gedicht stellt die Frage von der Bestimmung des Menschen. Der Mensch hat sich allmählich durch die Jahrtausende von Stufe zu Stufe immer höher entwickelt. Er wächst wie ein Baum, der sich jedes Jahr einen neuen Ring zulegt. Zwar kann er den Schluß dieser Entwicklung nicht absehen, doch strebt er fortwährend der Vollkommenheit zu. 5

Was ist aber der Zweck dieser Entwicklung? fragt der Mensch. Wozu dies alles? Diese Frage von seiner Bestimmung stellt er an Gott; oder mit den Worten des Dichters: er kreist um Gott, wie ein Vogel um einen alten Turm kreist. Und der 10 Mensch fragt: was bin ich eigentlich? bin ich ein Falke, d.h. ein Raubvogel? (wie manche „Darwinisten" behaupten); bin ich ein Sturm?, d.h. eine dynamische Kraft, aus Gut und Böse gemischt? (wie der Sturm, der viel Gutes zerstört, aber auch die Luft reinigt und klärt); oder bin ich ein Gesang, ein Engel, 15 dessen Zweck hier auf Erden ist, Gott und die Schöpfung zu rühmen?

Ich lebe mein Leben in wachsenden Ringen,
Die sich über die Dinge ziehn.
Ich werde den letzten vielleicht nicht vollbringen, 20
aber versuchen will ich ihn.

1 **Bestimmung** destiny
4 **sich zu-legen** add
5 **ab-sehen** see to the end
9 **kreisen** circle
11 **der Falke –n** falcon
12 **der Raubvogel ¨–** bird of prey
16 **Schöpfung** creation
17 **rühmen** praise
20 **vollbringen** complete

Ich kreise um Gott, um den uralten Turm,
und ich kreise jahrtausendelang;
und ich weiß noch nicht: bin ich ein Falke, ein Sturm
oder ein großer Gesang. 25

[41] Herbst

Rainer Maria Rilke

Rilke's poetry, like that of most moderns, is difficult. This is one of his simpler poems. The basic image is that of falling, a favorite one with Rilke. The wealth of suggestiveness that the poet draws from the image is characteristic of his art: autumn, falling, decay, death, gravity, security through contact with the earth, God cushioning our fall by receiving it in His hands. The poem was written in September, 1902 and published that same year in the Buch der Bilder.

Die Blätter fallen, fallen wie von weit,
Als welkten in den Himmeln ferne Gärten;
Sie fallen mit verneinender Gebärde.

Und in den Nächten fällt die schwere Erde
Aus allen Sternen in die Einsamkeit. 5

Wir alle fallen. Diese Hand da fällt.
Und sieh dir andre an: es ist in allen.

Und doch ist Einer, welcher dieses Fallen
Unendlich sanft in seinen Händen hält.

22 **uralt** primeval
24 **bin ich** See Appendix §6

2 **als** = **als ob; welken** wither
3 **verneinen** negate, deny; **die Gebärde** gesture
7 **andre** supply **Hände**

[42] Der Panther

Rainer Maria Rilke

The following poem was written in Paris in 1903 and published that same year; it was later incorporated into the Neue Gedichte *(1907). It is one of the many* Dinggedichte *that Rilke wrote at this time, poems describing animals, birds, flowers, people and art objects. But behind the objective picture there is a symbolical value: in the caged panther Rilke has symbolized what many consider to be the true state of modern man: the paralysis of a powerful will by external forces.*

Sein Blick ist vom Vorübergehn der Stäbe
so müd' geworden, daß er nichts mehr hält.
Ihm ist, als ob es tausend Stäbe gäbe
und hinter tausend Stäben keine Welt.

Der weiche Gang geschmeidig starker Schritte, 5
der sich im allerkleinsten Kreise dreht,
ist wie ein Tanz von Kraft um eine Mitte,
in der betäubt ein großer Wille steht.

Nur manchmal schiebt der Vorhang der Pupille
sich lautlos auf—. Dann geht ein Bild hinein, 10
geht durch der Glieder angespannte Stille—
und hört im Herzen auf zu sein.

1 **vorüber-gehen** pass; **der Stab ⸚e** bar
3 **ihm ist** he feels; **es gäbe** there were
5 **geschmeidig** supply
6 **allerkleinst** very smallest
8 **betäubt** benumbed
9 **schiebt sich auf** pushes up; **der Vorhang ⸚e** curtain. (The curtain of the pupil is the "nictitating membrane" found in the cat family.)
11 **Glieder** *gen.* with **Stille; angespannt** tense, taut

[43] Deutschland

1. Die Lage in Europa

Deutschland liegt in Mitteleuropa. Deutsche sagen oft, daß es im Herzen Europas liegt. Sie meinen damit, daß kein anderes Land in Europa so viele politische Nachbarn wie Deutschland hat: Holland, Belgien, Luxemburg, Frankreich, die Schweiz, Österreich, die Tschechoslowakei, Polen, die Sowjetunion, Dänemark. Nur im Norden hat Deutschland teilweise eine natürliche Grenze: das Meer. Der Atlantische Ozean bildet zwei große Meeresbuchten: die Nord- und die Ostsee; zwischen beiden liegt eine Halbinsel, die Jütland heißt. Diese Halbinsel, zusammen mit einigen anderen Inseln, bildet den Staat Dänemark, Deutschlands Nachbar im Norden. Im Süden bilden die Alpen eine Art von Grenze zwischen Deutschland, Österreich und der Schweiz. Aber im Osten hat Deutschland keine natürlichen Grenzen. Im Laufe der Jahrhunderte hat sich die politische Grenze im Osten immer wieder verändert.

Wegen seiner Mittellage, wegen des Mangels an natürlichen Grenzen haben sich die Deutschen immer politisch unsicher gefühlt. Seit Jahrhunderten leiden die Deutschen an einem Gefühl der Angst gegenüber den Franzosen im Westen, den Slawen im Osten und Süden. Im Laufe seiner Geschichte hat Deutschland mit allen seinen Nachbarn (die Schweiz allein

TITLE **die Lage** position
3 **der Nachbar -s -n** neighbor
4 **[das] Frankreich** France; **die Schweiz** Switzerland
5 **[das] Österreich** Austria
6 **teilweise** partly
7 **die Grenze** boundary
8 **die Meeresbucht** sea bay; **Nord- = Nordsee; die Ostsee** Baltic Sea
9 **die Halbinsel** peninsula
12 **die Art** kind
15 **immer wieder** over and over again; **sich verändern** change
16 **der Mangel ¨** lack
17 **unsicher** insecure
20 **die Geschichte** history

ausgenommen) politische Schwierigkeiten gehabt und mit ihnen Krieg geführt.

Viele Deutsche glauben, daß Deutschland nicht nur im Herzen Europas liegt, sondern das Herz von Europa ist: politisch, wirtschaftlich, geistig. Durch seine geographische Lage hat Deutschland immer mit ganz Europa in Beziehung gestanden. Es konnte sich nicht von der Außenwelt abschließen, wie Großbritannien oder Rußland. Die deutsche Kultur hat, wie keine andere, von den großen europäischen Kulturen geistiges Gut geborgt und es dann an Europa zurückgegeben. 25 30

Aber auch in einem anderen Sinne ist Deutschland das Herz von Europa. Es fühlt sich als Mittler zwischen dem westlichen und östlichen Geist.

2. Die Gestalt

Eine physikalische Landkarte von Deutschland zeigt, daß der deutsche Raum aus drei verschiedenen Landschaften besteht. Der nördliche Teil des Landes (Norddeutschland) ist eine Tiefebene, ungefähr dreihundert Kilometer breit. Der östliche Teil dieser Tiefebene besteht aus dunklen Wäldern, vielen Seen, 35

22 **ausgenommen** excepted
23 **Krieg führen** wage war
25 **Wirtschaft** economics
26 **geistig** spiritually
27 **Beziehung** connection
28 **die Außenwelt** outside world; **ab-schließen o o** close off
30 **das Gut ⸗er** goods, substance
31 **borgen** borrow
33 **der Mittler** mediator

TITLE **die Gestalt** shape, form
35 **die Landkarte** map
36 **bestehen bestand bestanden** consist
38 **die Tiefebene** plain, lowland; **ungefähr** approximately
39 **der See –s –n** lake

großen Ackerflächen. Westlich der Elbe findet man weite, baumlose Ebenen, sandigen Geest, zahlreiche Mooren. 40

Der mittlere Teil (Mitteldeutschland) enthält Berge und Hügel von mittlerer Höhe. Diese Gebirge sind unabhängige Gebirgsketten, meist bewaldet. Sie sind regelmäßig über die Landschaft verstreut. Im Osten liegt das Berg- und Hügelland 45 von Oberschlesien, während nach Westen hin sich ein fast ununterbrochener Wall erstreckt: die Sudeten, das Riesengebirge, das Erzgebirge und der Böhmer Wald. Links und rechts vom Rhein findet man vier Paare von Gebirgen: Eifel und Westerwald, Hunsrück und Taunus, Hardt und Odenwald, 50 Vogesen und Schwarzwald.

Süddeutschland ist Hochland. Die Alpen erheben sich im äußersten Süden aus dem hochgelegenen aber flachen Alpenvorland und erstrecken sich nach Westen hin bis in die Schweiz.

Da die deutsche Landschaft im Süden höher als im Norden 55 ist, fließen die meisten Ströme aus dem hohen Süden nach dem flachen Norden. Vier große Ströme fließen in dieser Richtung: der Rhein, die Weser, die Elbe und die Oder. Ein fünfter, die Donau, fließt von Westen nach Osten. Drei Ströme münden in die Nordsee. Der schöne Rhein, reich an Legende und Ge- 60 schichte, entspringt in der Schweiz, fließt durch Deutschland und mündet in Holland in die Nordsee. Die Weser entspringt im Mittelgebirge und fließt direkt nach Norden in die Nordsee.

40 **die Ackerfläche** farmland; **die Elbe** a German river
41 **der Geest** upland; **zahlreich** numerous
43 **der Hügel** hill; **die Höhe** height; **das Gebirge –** mountain range; **unabhängig** independent
44 **die Kette** chain; **bewaldet** wooded
45 **verstreuen** strew
46 **[das] Oberschlesien** Upper Silesia (in Eastern Germany, now under Polish control); **nach . . . hin** toward
47 **ununterbrochen** uninterrupted; **der Wall ⁻̈e** rampart; **sich erstrecken** stretch; **der Riese –n** giant
48 **das Erz –e** ore; **[das] Böhmen** Bohemia (now part of Czechoslovakia)
53 **äußerst** extreme; **hochgelegen** elevated; **flash** flat; **das Vorland** foreland (the land before the mountains)
59 **die Donau** Danube; **münden** mouth, empty
61 **entspringen a u** originate, have as its source
63 **das Mittelgebirge –** central mountain range

Die Elbe kommt aus der Tschechoslowakei, bricht durch das Erzgebirge und fließt dann in nordwestlicher Richtung in die Nordsee. 65

Ein Fluß, der oft die Grenze zwischen Deutschland und den slawischen Nachbarn gebildet hat, nämlich die Oder, mündet in die Ostsee. Die Oder entspringt in einem Gebirge an der deutsch-tschechischen Grenze. Die Donau im Süden ist der 70 einzige große Strom, der von Westen nach Osten fließt. Sie entspringt im Schwarzwald, nicht weit vom Oberrhein, und verläßt Deutschland, fließt durch Österreich und die Balkanländer und mündet in das Schwarze Meer.

Außer diesen Hauptflüssen hat Deutschland eine große Anzahl 75 von kleineren Flüssen und Nebenflüssen. Der wichtigste der kleineren Flüsse ist die Ems im Ruhrgebiet. Unter den Nebenflüssen sind die bekanntesten der Main, der Neckar und die Ruhr (Nebenflüsse des Rheins); die Spree und die Havel (Nebenflüsse der Elbe); die Neiße (Nebenfluß der Oder). Nur 80 ein wichtiger Strom, die Weser, fließt ausschließlich durch deutsches Gebiet. Die anderen haben entweder ihre Quelle oder ihre Mündung außerhalb Deutschlands.

In der norddeutschen Tiefebene und in den Alpen sind viele Seen, die von Gletschern gebildet wurden. Aber auch im Mittel- 85 gebirge befinden sich viele Seen; diese sind meistens Stauseen, die durch Kanäle und Talsperren gebildet sind. Denn viele deutsche Flüsse sind durch Kanäle miteinander verbunden. Auf diese Weise ist es möglich, die Flüsse als Verkehrswege zu benutzen. Dieser Verkehr ist für die deutsche Wirtschaft von 90

64 **brechen a o** break
75 **die Anzahl** number, quantity
76 **der Nebenfluß ¨-e** tributary
81 **ausschließlich** exclusively
82 **das Gebiet –e** territory; **die Quelle** source
83 **außerhalb** (+ *gen.*) outside of
85 **der Gletscher** glacier
86 **sich befinden a u** be; **der Stausee** artificially dammed lake
87 **die Talsperre** dam
88 **verbinden a u** connect
89 **auf diese Weise** in this way; **der Verkehrsweg –e** commercial artery
90 **Wirtschaft** economy

großer Bedeutung. Die Kanäle dienen auch als Sicherung vor Überschwemmungen.

Einen besonderen Reichtum stellen die zahlreichen Thermal- und Mineralquellen dar, die hauptsächlich in den oberrheinischen Gebirgen liegen. An der Nord- und Ostseeküste sind 95 zahlreiche Seebäder, die zur Sommerfrische dienen.

Klimatisch bildet Deutschland eine Übergangszone vom ozeanisch beeinflußten Westeuropa (mit seinen kühlen Sommern, milden, regenreichen Wintern) zum kontinental bestimmten Osteuropa (mit heißen Sommern und strengen Wintern). 100 Je weiter man südostwärts reist, desto heißer wird es im Sommer und desto kälter im Winter. Bei dem vorherrschenden Westwind nehmen die Niederschläge von Westen nach Osten ab, mit Ausnahme der Gebirge, die mehr Niederschlag als die Umgebung haben. 105

3. Politische Gliederung

Die Bundesrepublik Deutschland ist ein Bundesstaat, das heißt eine Verbindung von Staaten, die in gewissem Maße ihre Staatlichkeit behalten. Folglich muß die Staatsgewalt zwischen den Gliedstaaten und dem Gesamtstaat oder Bund aufgeteilt

91 **Bedeutung** significance; **Sicherung** security
92 **überschwemmen** flood
93 **dar-stellen** represent
94 **die Quelle** spring; **hauptsächlich** principally
95 **die Küste** coast
96 **das Seebad ¨-er** sea bathing place; **die Sommerfrische** summer vacation
97 **der Übergang ¨-e** transition
98 **beeinflussen** influence
100 **streng** stern, rigorous
101 **je . . . desto** the . . . the
102 **vorherrschend** prevailing
103 **ab-nehmen** decrease, fall; **der Niederschlag ¨-e** precipitation
104 **die Ausnahme** exception; **Umgebung** environment
106 **der Bund ¨-e** federation; **der Staat –es –en** state
107 **Verbindung** combination
108 **folglich** consequently; **die Gewalt** power
109 **das Glied –er** member; **der Gesamtstaat** total state; **auf-teilen** divide

sein. Diese Verteilung der Gewalt wird in der Bundesverfassung genau dargelegt. 110

Die Bundesrepublik besteht aus zehn Gliedstaaten oder Ländern. Dazu kommt noch die Stadt Berlin (West), die eine besondere Stellung im Bund hat, da ihre Vertreter nur beratende Stimmen in den gesetzgebenden Verhandlungen haben. Die 115 Staatsgewalt ist zwischen Bund und Ländern so aufgeteilt, daß gewisse Gebiete der Gesetzgebung ausschließlich dem Bunde zustehen (z.B. auswärtige Angelegenheiten, Ein- und Auswanderung, Währungs-, Geld- und Münzwesen, Post und Fernmeldewesen, Paß-, Zoll- und Handelswesen). Andere Gebiete 120 der Gesetzgebung stehen ausschließlich den Ländern zu (z.B. Gemeindewesen, Polizeiwesen, Erziehung und Kultuswesen). Außerdem gibt es Gebiete konkurrierender Gesetze (z.B. bürgerliches Recht, Strafrecht, öffentliche Fürsorge). Hier haben die Länder das Recht der Gesetzgebung, wenn die Bundesregierung 125 keinen Gebrauch davon macht.

Tatsächlich liegt aber der Schwerpunkt der Gewalt bei der Bundesregierung. Die Zahl der Gebiete, auf denen die Länder autonom sind, ist beschränkt, und Bundesrecht bricht Landesrecht. Dieses Übergewicht an Macht wird aber dadurch aus- 130 geglichen, daß die Länder die meisten Bundesgesetze als eigene

110 **Verfassung** constitution
111 **dar-legen** lay down
112 **bestehen** consist
113 **dazu'** . . . to this is added
114 **der Vertreter** representative; **beratend** consultative
115 **gesetzgebend** legislative; **Verhandlung** negotiation
117 **das Gebiet –e** territory, field
118 **zu-stehen** pertain; **auswärtige** . . . external affairs; **Wanderung** migration
119 **Währung** currency; **das Wesen** matters; **die Münze** coin, mint; **das Fernmeldewesen** telephone and telegraph affairs
120 **der Paß ⸚e** passport; **der Zoll ⸚e** customs duty; **der Handel** trade
122 **die Gemeinde** community; **Erziehung** education; **das Kultuswesen** religious and educational affairs
123 **konkurrie'ren** compete; **bürgerlich** civil
124 **das Strafrecht** criminal law; **öffentliche** . . . social services
127 **der Schwerpunkt –e** point of gravity
129 **beschränken** limit; **brechen a o** break, i.e. override
130 **das Übergewicht –e** preponderance; **aus-gleichen i i** balance

Angelegenheit durchführen. Die Macht der Länder liegt also hauptsächlich in der Verwaltung.

Trennung der Staatsgewalten

Wie andere Demokratien unterscheidet die deutsche Bundesrepublik drei Hauptgewalten: die gesetzgebende oder legisla- 135 tive, die vollziehende oder exekutive und die rechtsprechende oder juristische. Die gesetzgebende Gewalt wird von dem Bundestag und dem Bundesrat ausgeübt; diese zwei Kammern

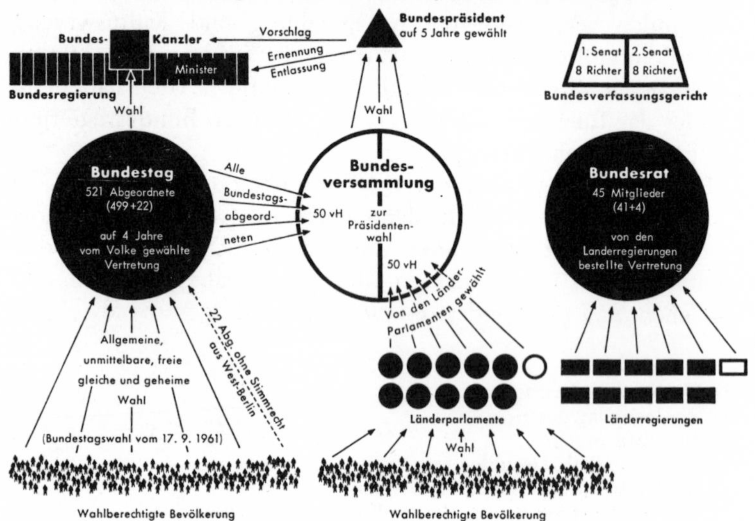

Special vocabulary for the diagram: **bestellen** appoint; **Entlassung** dismissal; **der Vorschlag ⸚e** proposal, nomination; **wahlberechtigt** eligible [for voting].

133 **Verwaltung** administration

trennen separate
134 **unterscheiden ie ie** distinguish
136 **vollziehen** carry out; **recht-sprechen** judge
138 **der Bundestag** diet or parliament; **der Bundesrat** federal council; **die Kammer** chamber

schaffen die Rechtssätze und Normen für das Zusammenleben im Staate. Die vollziehende Gewalt führt die Gesetze aus. Die 140 Regierung und Verwaltung des Bundes und der Länder bilden die ausführenden Organe. Die rechtsprechende Gewalt (Justiz) wendet die Rechtssätze auf den einzelnen Fall an. Im deutschen Staat gibt es auch ein besonderes Gericht—das Bundesverfassungsgericht—, das die Pflicht hat, über die Verfassung zu 145 wachen.

4. Aufbau des Staates

Die Hauptorgane der Bundesrepublik sind: der Bundestag, der Bundesrat, der Bundeskanzler und seine Minister, der Bundespräsident und das Bundesverfassungsgericht. Außerdem bildet sich alle fünf Jahre eine Bundesversammlung aus den 150 Abgeordneten des Bundestages und den Vertretern der Länderparlamente, um den Bundespräsidenten zu wählen.

Bundestag und Bundesrat

Der Bundestag ist das bedeutendste Organ des Bundes. Seine Mitglieder (= Abgeordnete) werden vom ganzen Volk in allgemeiner, unmittelbarer, freier, gleicher und geheimer Wahl auf 155 vier Jahre gewählt. Sie sind Vertreter des ganzen Volkes; daher sind sie an keine Aufträge und Weisungen gebunden und nur

139 **der Rechtssatz ⸗e** law
141 **Regierung** government
143 **an-wenden wandte gewandt** apply
144 **das Gericht –e** court

TITLE **der Aufbau** construction, constitution
148 **der Kanzler** chancellor
150 **alle** every; **Bundesversammlung** assembly of the Bund
151 **der Abgeordnete –n** representative; **der Landtag –e** provincial diet
155 **unmittelbar** direct; **geheim** secret
157 **der Auftrag ⸗e** commission, instruction; **Weisung** mandate

ihrem Gewissen verantwortlich. Der Bundestag beschließt die Gesetze und hat die Aufsicht über die Exekutive.

Als eine Art von zweiter Kammer dient der Bundesrat. Er vertritt die Interessen der Länder; durch ihn wirken die Länder bei der Gesetzgebung und Verwaltung mit. Seine Mitglieder werden nicht (wie im amerikanischen Senat) vom Volk gewählt, sondern von den Regierungen der Länder ernannt. Jedes der zehn Bundesländer hat mindestens drei Vertreter (= Stimmen) im Bundesrat. Die größeren Länder haben mehr Stimmen, je nach der Größe ihrer Bevölkerung. Während die Abgeordneten des Bundestages nur ihrem eigenen Gewissen verantwortlich sind, sind die Mitglieder des Bundesrates an die Weisungen und Aufträge der Länderregierungen gebunden. Sie haben also nicht das Recht der persönlichen Entscheidung.

Der Bundespräsident

Der Bundespräsident wird nicht, wie in Amerika, vom ganzen Volk gewählt, sondern von der Bundesversammlung ernannt, für eine Dauer von fünf Jahren. Er vertritt die Bundesregierung völkerrechtlich. Er schließt Verträge mit ausländischen Staaten im Namen des Bundes. Er beglaubigt und empfängt die Gesandten ausländischer Mächte. Auf Vorschlag des Bundestags ernennt er den Bundeskanzler; auf dessen Vorschlag ernennt und entläßt er die Bundesminister. Er ernennt und entläßt die Bundesrichter, Beamten und Offiziere der Wehrmacht. Er übt das Begnadigungsrecht aus. Seine Funktion ist also wesentlich zeremoniell,

158 **das Gewissen** conscience; **verantwortlich** responsible
159 **die Aufsicht** supervision
161 **mit-wirken** co-operate
166 **je nach** each according
175 **völkerrechtlich** in matters affecting international law; **der Vertrag ⸚e** treaty
176 **beglaubigen** accredit; **der Gesandte –n** ambassador
177 **der Vorschlag ⸚e** proposal
179 **entlassen ie a** dismiss
180 **die Wehrmacht** armed forces; **Begnadigung** pardon, reprieve
181 **wesentlich** essentially

wie die des britischen Monarchen. Er hat nicht die weitgehende Macht des amerikanischen Präsidenten.

Die Bundesregierung

Die Bundesregierung ist die vollziehende Gewalt des Staates; das heißt, sie hat für Durchführung der Gesetze zu sorgen. 185 Aber sie hat auch das Recht, neue Gesetze vorzuschlagen. Der Chef der Bundesregierung ist der Bundeskanzler. Er hat, gemäß der Verfassung, eine starke Stellung im Staate: er bestimmt die Richtlinien der nationalen Politik. Er ist aber dem Bundestag für seine Politik verantwortlich. Er wird vom Bundes- 190 tag gewählt; dieser kann ihn daher zu jeder Zeit mit absoluter Mehrheit abberufen. Aber dieses „Mißtrauensvotum" tritt erst in Kraft, nachdem der Bundestag seinen Nachfolger bestimmt hat. Auf diese Weise werden Regierungskrisen, wie sie in Frankreich während der vierten Republik häufig waren, ver- 195 mieden.

5. Die Grundrechte

Die Verfassung der Bundesrepublik Deutschland ist das Grundgesetz des Landes. Sie enthält 146 Artikel. Von diesen befassen sich die ersten neunzehn mit den Grundrechten des

182 **die** (*dem.*) that
188 **gemäß** in accordance with (*dat.*)
189 **die Richtlinie** guide line; **die Politik** policy
192 **Mehrheit** majority; **ab-berufen ie u** recall; **das Mißtrauen** lack of confidence
193 **der Nachfolger** successor
194 **wie sie** such as
195 **vierten . . .** i.e. from 1946 to 1958

TITLE **das Grundrecht –e** basic right
197 **Verfassung** constitution
199 **sich befassen** concern oneself

Bürgers; die übrigen beschreiben die verschiedenen Organe des 200
Staates und grenzen ihre Funktionen ab.

Die Grundrechte, die dem Bürger persönliche Freiheit sichern, sind ihm nicht vom Staate verliehen, sondern von Gott oder der Natur gegeben. Sie sind unveräußerlich und unverletzlich. Im 19. Artikel heißt es: „In keinem Falle darf ein 205
Grundrecht in seinem Wesensgehalt angetastet werden." Die Grundrechte binden den Staat in seinen Beziehungen zum Bürger. Wenn dieser sich in seinen Rechten durch den Staat verletzt fühlt, steht ihm der Rechtsweg offen. Beschwerden gegen die Verfassung oder gegen die Auslegung der Artikel 210
werden von dem Bundesverfassungsgericht gehört und entschieden.

Einige Auszüge aus den Grundrechten des deutschen Menschen:

Artikel 1: Die Würde des Menschen ist unantastbar. 215

Artikel 2: Jeder hat das Recht auf die freie Entfaltung seiner Persönlichkeit, soweit er nicht die Rechte anderer verletzt und nicht gegen die verfassungsmäßige Ordnung oder das Sittengesetz verstößt.

Artikel 3: Alle Menschen sind vor dem Gesetz gleich. Män- 220
ner und Frauen sind gleichberechtigt. Niemand darf wegen seines Geschlechtes, seiner Abstammung, seiner Rasse, seiner

201 **ab-grenzen** delimit
203 **verleihen ie ie** lend, grant
204 **unveräußerlich . . .** inalienable and inviolable
205 **es heißt** it says
206 **der Wesensgehalt** essential substance; **an-tasten** touch, infringe on
207 **Beziehung** connection, relation
208 **dieser** the latter
209 **verletzen** injure; **der Rechtsweg –e** legal way; **die Beschwerde** complaint
210 **Auslegung** interpretation
211 **das Bundesverfassungsgericht –e** Court for the interpretation of the federal constitution; **entscheiden ie ie** decide
213 **der Auszug ¨–e** extract
215 **die Würde** dignity; **unantastbar** inviolable
216 **Entfaltung** development
218 **verfassungsmäßig** constitutional; **Ordnung** order; **die Sitte** custom, morals, ethics
219 **verstoßen ie o (gegen)** violate
222 **das Geschlecht –er** sex; **Abstammung** origin

Sprache, seiner Heimat und Herkunft, seines Glaubens, seiner religiösen oder politischen Anschauungen benachteiligt oder bevorzugt werden. 225

Artikel 4: Die Freiheit des Glaubens, des Gewissens und des religiösen und weltanschaulichen Bekenntnisses sind unverletzlich.

Niemand darf gegen sein Gewissen zum Kriegsdienst mit der Waffe gezwungen werden. 230

Artikel 5: Jeder hat das Recht, seine Meinung in Wort, Schrift und Bild frei zu äußern und zu verbreiten und sich aus allgemein zugänglichen Quellen ungehindert zu unterrichten. Die Pressefreiheit und die Freiheit der Berichterstattung durch Rundfunk und Film werden gewährleistet. Eine Zensur findet 235 nicht statt. Diese Rechte finden ihre Schranken in den Vorschriften der allgemeinen Gesetze, den gesetzlichen Bestimmungen zum Schutz der Jugend und in dem Recht der persönlichen Ehre.

Kunst und Wissenschaft, Forschung und Lehre sind frei. Die 240 Freiheit der Lehre entbindet nicht von der Treue zur Verfassung.

Artikel 14: Das Eigentum und das Erbrecht werden gewährleistet. Eigentum verpflichtet. Sein Gebrauch soll zugleich zum Wohle der Allgemeinheit dienen. 245

223 **die Herkunft** origin
224 **Anschauung** view; **benachteiligen** discriminate against
225 **bevorzugen** favor
226 **das Gewissen** conscience
227 **weltanschaulich** philosophical, basic; **das Bekenntnis –se** confession, attitude, credo
229 **der Kriegsdienst –e** military service
232 **äußern** utter, express
233 **zugänglich** accessible
234 **Berichterstattung** reporting
235 **der Rundfunk** radio; **gewährleisten** guarantee; **statt-finden** take place
236 **die Schranke** limit; **die Vorschrift** prescription
237 **Bestimmung** regulation
238 **der Schutz** protection
241 **entbinden a u** release
243 **das Eigentum** property; **das Erbrecht** right of inheritance
244 **verpflichten** oblige; **der Gebrauch** use
245 **Allgemeinheit** generality, community

[44] Der Arbeitsmann

Richard Dehmel (1863–1920)

German literature has a distinguished body of social poetry. The classics of this genre include Bürger's Der Bauer, *Chamisso's* Die alte Waschfrau *and* Das Gebet der Witwe, *Heine's* Die schlesischen Weber. *Dehmel's* Der Arbeitsmann *deserves to be listed among them.*

Wir haben ein Bett, wir haben ein Kind,
    mein Weib!
Wir haben auch Arbeit, und gar zu zweit,
und haben die Sonne und Regen und Wind.
Und uns fehlt nur eine Kleinigkeit, 5
um so frei zu sein, wie die Vögel sind:
    Nur Zeit.

Wenn wir sonntags durch die Felder gehn,
    mein Kind,
und über den Ähren weit und breit 10
das blaue Schwalbenvolk blitzen sehn,
oh, dann fehlt uns nicht das bißchen Kleid,
um so schön zu sein, wie die Vögel sind:
    Nur Zeit.

Nur Zeit! wir wittern Gewitterwind, 15
    wir Volk.
Nur eine kleine Ewigkeit;
uns fehlt ja nichts, mein Weib, mein Kind,
als all das, was durch uns gedeiht,
um so kühn zu sein, wie die Vögel sind: 20
    Nur Zeit!

3 **gar . . .** indeed for two
5 **Kleinigkeit** trifle
10 **die Ähre** ear of grain; **weit und breit** far and wide
11 **die Schwalbe** swallow
12 **bißchen** bit
15 **wittern** scent; **das Gewitter** storm
18 **ja** for (See Appendix §5)
19 **als** except; **gedeihen ie ie** thrive
20 **kühn** bold

[45] Gefahren des Übersetzens

Ein bekanntes italienisches Sprichwort sagt: „Traduttore traditore"; das heißt: jeder Übersetzer ist ein Verräter. Natürlich nicht mit Absicht; aber für den Unvorsichtigen ist die Gefahr groß.

Am größten ist sie natürlich für den Anfänger. Er möchte z.B. auf deutsch sagen: „The bus stops at this corner." Wie sagt man „stop" auf deutsch? Er sucht im Wörterbuch und findet unter „stop" folgendes: halten, still stehen, stehen bleiben, aufhören, stoppen. Wie sagt der Franzose? „embarras de richesse" (Verlegenheit aus Reichtum). 5 10

Der Lehrer hat gewarnt: das erste Wort ist es nie, oder fast nie. „Halten" ist also falsch. Das letzte ist es auch nicht; „stoppen" ist doch offensichtlich zu englisch; das würde ein Deutscher nie sagen. Von den anderen klingt das Wort „aufhören" sehr bekannt; das ist schon oft im Lesebuch vorgekommen. Er übersetzt also getrost: „Der Omnibus hört an dieser Ecke auf." Ein Deutscher, der das liest oder hört, muß laut lachen. Denn aufhören bedeutet: „zu Ende gehen", und dieser Satz behauptet, daß der Omnibus an der Ecke plötzlich in die Luft verschwindet oder zerschmilzt. In diesem Falle war der Rat des Lehrers falsch: „halten" ist das richtige Wort. 15 20

Eine Anekdote erzählt von einem Deutschen, der mit seiner Frau nach Amerika kommt. Er wird zu einem Abendessen eingeladen. Da fragt der Deutsche: „May I bring my woman along?" Unverschämt! denkt sich der Amerikaner. Aber der arme, sehr anständige Deutsche denkt natürlich an seine höchst 25

2 **der Verräter** traitor
3 **die Absicht** intention; **die Vorsicht** caution
9 **Verlegenheit** embarrassment
13 **offensichtlich** obviously
15 **vor-kommen** occur
16 **getrost** confidently
18 **behaupten** assert
20 **zerschmelzen o o** melt away
25 **unverschämt** impudent
26 **anständig** respectable

anständige Ehefrau. Denn im Wörterbuch steht unter „Frau“: 1 woman 2 wife 3 Mrs.

Man fragt einen arglosen Anfänger: „Wie geht es Ihnen?“ Er antwortet: „Danke, ich bin nun.“ Denn „nun“ ist doch auf englisch „well“. Oder er will sagen: „I am anxious to see him.“ Im Wörterbuch heißt es unter „anxious“: bange sein, Angst haben. Er übersetzt also: „Ich habe Angst, ihn zu sehen.“ Das ist aber das genaue Gegenteil von dem, was er sagen möchte. Er sollte sagen: „Ich möchte ihn sehr gern sehen.“ 30 35

Es gibt kein gefährlicheres Buch als das Wörterbuch. Man muß es mit der größten Vorsicht gebrauchen.

Bei Wörtern, die in den zwei Sprachen ähnlich oder verwandt sind, ist die Gefahr des Irregehens noch größer. Immer wieder übersetzen Studenten das Wort „überall“ mit „over all“ statt „everywhere“. Das Wort „genial“ ist eine Falle sogar für Leute, die gut Deutsch verstehen. Sie übersetzen „Er war ein genialer Mann“ mit „He was a genial man“. Das ist aber ganz falsch. Denn das deutsche Wort „genial“ bedeutet: „mit Genie begabt“. Ein genialer Mann ist also ein Mann von Genie. Dagegen entspricht das englische Wort „genial“ dem deutschen „heiter“ oder „munter“. 40 45

Genau so vorsichtig muß man mit Wörtern wie „pathetisch“, „fatal“, „sympathisch“, „aktuell“, „eventuell“, umgehen. Pathetisch ist feierlich, gehoben, tief leidenschaftlich: „Er hatte die letzten Worte pathetisch gesprochen.“ „Fatal“ bedeutet unangenehm, verhängnisvoll: „Eine fatale Situation“ ist eine Situation, die unangenehm ist. „Sympathisch“ bedeutet dagegen angenehm: 50

27 **die Ehefrau** [wedded] wife
29 **arglos** innocent
32 **es heißt** it says
34 **das Gegenteil –e** opposite
37 **gebrauchen** use
39 **irre-gehen** go astray
41 **die Falle** trap
45 **begabt** gifted
46 **entsprechen** correspond
49 **um-gehen (mit)** handle
50 **feierlich . . .** solemn, elevated, profoundly passionate
51 **unangenehm . . .** unpleasant, fateful

„Sie ist mir sympathisch" ist gleich: ich mag sie sehr. „Eventuell" heißt möglich, unter gewissen Umständen oder in einem gegebenen Fall: „Das könnte ihm eventuell zum Verhängnis werden." „Aktuell" bedeutet, was gerade jetzt wichtig oder interessant ist. „Diese Frage ist sehr aktuell geworden." Das englische Wort „pathetic" ist auf deutsch traurig; „fatal" ist tödlich; „sympathetic" ist mitleidsvoll; „eventual" ist erfolgend oder schließlich; „actual" ist wirklich oder eigentlich; „his actual words": seine eigentlichen Worte. 55 60

Auch die Sachkundigen können sich irren und grundfalsch übersetzen. Einige Beispiele: Die englische Redensart „the psychological moment" beruht auf einer falschen Übersetzung. Zur Zeit des Deutsch-französischen Krieges von 1870 erschien in einer deutschen Zeitung ein Artikel über die deutsche Belagerung von Paris. Darin wurde vom „psychologischen Moment" gesprochen. Ein französischer Journalist übersetzte: le moment psychologique. Er wußte nicht, daß das deutsche Wort „Moment" zwei Bedeutungen hat, je nach dem Geschlecht: *der* Moment ist ein Augenblick, *das* Moment ein Faktor. Die deutsche Zeitung sprach von einem psychologischen Faktor in der Belagerung von Paris; für den französischen Übersetzer handelte es sich um einen psychologisch geeigneten Augenblick. Vom Französischen kam dann die Redensart ins Englische, natürlich im falschen Sinne. 65 70 75

Vor dem ersten Weltkrieg berichtete ein Engländer in der englischen Presse, daß die Deutschen ihren Kaiser für „self conscious" hielten. Er übersetzte das deutsche Wort „selbstbewußt", das aber das genaue Gegenteil von „self-conscious" bedeutet, 80

54 **ist gleich** equals
55 **der Umstand ⸗e** circumstance
56 **das Verhängnis** doom, misfortune
63 **der Sachkundige –n** expert
64 **die Redensart** phrase
67 **Belagerung** siege
71 **das Geschlecht –er** gender
75 **sich handeln (um)** be a question (of); **geeignet** suitable
78 **berichten** report
79 ***Kaiser Wilhelm II*** reigned 1888–1918.

nämlich: vom eigenen Wert überzeugt, stolz; während „self-conscious" auf deutsch „befangen" ist.

Das Wort „Pädagog" bedeutet Erzieher oder Lehrer. Es stammt vom griechischen παιδαγωγός, der aber kein Lehrer war, 85 sondern ein Begleiter des Kindes auf dem Weg zu und von der Schule, um es vor den Gefahren der Straße zu schützen. Nun schreibt Paulus an die Korinther: „Denn ob ihr gleich zehntausend „Pädagogen" hättet in Christo, so habt ihr doch nicht viele Väter." Die englische King James Fassung übersetzt „in- 90 structors" und an anderer Stelle „schoolmasters." Luther übersetzt „Zuchtmeister." Diese Übersetzungen verfehlen aber den Sinn der Stelle. Denn Paulus unterscheidet zwischen dem Begleiter des Kindes und dessen Vater. Der Begleiter hat die Pflicht, das Kind vor Gefahren zu schützen; er vertritt also die 95 Stelle des Vaters. Allein wenn er diese Pflicht auch noch so treu erfüllt, so ist er noch kein liebender Vater. Der eigentliche Sinn der Metapher geht sowohl in der englischen als auch in der deutschen Bibelübersetzung verloren.

„Alles Lebendige bildet eine Atmosphäre um sich her" sagt 100 Goethe. So ist es auch in der lebendigen Sprache. Nur der kennt sie, der sich in diesen verschiedenen geistigen Klimaten auskennt und die Wörter nicht mit Gewalt auf fremden Boden verschleppt. Schon beim einzelnen Wort muß man vorsichtig sein. „A poor student" ist: ein armer Student, wenn er zu wenig Geld 105 hat oder wenn ich ihn bedaure; aber wenn er langsam lernt, so ist er ein schlechter (kein armer) Student. Bei Redewendungen oder Sprichwörtern kann man selten wörtlich übersetzen. „He gave up the ghost" ist auf deutsch: Er gab den Geist auf, weil

82 **überzeugen** convince
88 **ob ihr gleich = obgleich ihr**
89 ***Christo*** Latin *dat.*
90 **Fassung** version
92 **der Zuchtmeister** disciplinarian; **verfehlen** miss
95 **vertreten** represent
96 **allein = aber; auch noch so** ever so
101 **der** (*dem.*) he
102 **sich aus-kennen** know one's way about
103 **verschleppen** drag away
107 **die Redewendung** phrase

dieses Wort aus der Bibel stammt. Aber: „That holds water“ 110
ist: Das hat Hand und Fuß. „It isn't worth a straw“: Es ist keine
Bohne wert „To speak bluntly“ heißt: einem mit der Tür ins
Haus fallen. „He spoiled my little game“: Er hat mir in die
Suppe gespuckt. „He fell from the frying pan into the fire“: Er
kam vom Regen in die Traufe. „That's Greek to me“: Das sind 115
mir böhmische Dörfer.

Man soll den Sinn übersetzen, nicht die Wörter. Man muß
den Gedanken in Worte, Bilder und Begriffe kleiden, die der
Leser oder Hörer begreifen kann. Ein Europäer, der in Afrika
reiste, sprach mit einem Missionar über die Frage der 120
Bibelübersetzung für die primitiven Eingeborenen. „Wie prägen
Sie ihnen den Begriff der Erlösung ein?“ fragte der Europäer.
„Wie übersetzen Sie zum Beispiel: Er hat uns erlöst?“ „Ich sage
ihnen“, antwortete der Missionar, „er hat uns den Kopf heraus-
genommen. Diese Eingeborenen haben oft das Unglück, daß 125
man sie an Araber für den Sklavendienst verkauft. Sie werden
dann in eine eiserne Halskrause gezwungen, die an einer Stange
befestigt ist. Auf diese Weise marschiert eine ganze Kolonne von
Sklaven in die Sklaverei. Es kommt aber vor, daß ein König oder
Häuptling einen Sklaven dem Araber abkauft. Dann wird der 130
Sklave vom Eisen befreit; der Kopf wird ihm aus dem eisernen
Kragen genommen. Das ist für diese Eingeborenen die einzige
Erlösung, die sie kennen. Wenn ich also sage: er hat uns den
Kopf herausgenommen, so ahnen sie etwas von dem Begriff der
Erlösung.“ 135

114 **spucken** spit
115 **die Traufe** trough
116 **böhmische Dörfer** Bohemian villages, i.e. with Czech names, which are unintelligible to Germans
121 **der Eingeborene –n** native; **ein-prägen** impress
122 **Erlösung** salvation, redemption
126 **der Sklave –n** slave
127 **die Halskrause** ruff, collar; **die Stange** pole
128 **die Kolon'ne** column
129 **vor-kommen** happen
130 **der Häuptling –e** chieftain; **ab-kaufen** buy from
131 **ihm** See Appendix §2
132 **der Kragen** collar

Die berühmte Stelle, wo Faust die Bibel übersetzt, ist belehrend. Faust begeht den üblichen Fehler des unerfahrenen Übersetzers: er übersetzt das griechische Wort „logos" wörtlich. Aber er sieht seinen Fehler sofort ein:

> Geschrieben steht: „Im Anfang war das Wort!" 140
> Hier stock' ich schon! Wer hilft mir weiter fort?
> Ich kann das Wort so hoch unmöglich schätzen.
> Ich muß es anders übersetzen,
> Wenn ich vom Geiste recht erleuchtet bin.
> Geschrieben steht: Im Anfang war der Sinn. 145

Auch diese Übersetzung befriedigt ihn nicht. Er versucht es noch einmal: Im Anfang war die Kraft, und schließlich: Im Anfang war die Tat. Man könnte diese Zeilen so deuten: Wer nicht mit dem Wort zufrieden ist, sondern den Sinn hinter dem Wort sucht, der gewinnt Kraft und gelangt zur Tat: er beherrscht 150 die fremde Sprache.

[46] Die Lorelei

Heinrich Heine

This is Heine's best known poem; it has become a folksong. The Lorelei legend was created by Clemens Brentano (Cf. § 21), used by several other poets, and given its definitive form by Heine. But the theme is, of course, as old as Homer (Odysseus and the sirens). The Lorelei is a rock that juts out of the Rhine near St. Goar. Of the

136 The passage occurs in the scene, „Studierzimmer II", (ll. 1224–1237). Only part of it is quoted here.
137 **begehen** commit; **unerfahren** inexperienced
139 **ein-sehen** realize
140 **geschrieben = es steht geschrieben.** The quotation is the opening verse of the Gospel of St. John.
141 **stocken** hesitate, falter
142 **kann unmöglich** cannot possibly
144 **erleuchten** illuminate, inspire
145 **Sinn** Goethe probably means "sensation"; the word is here interpreted as "meaning."
148 **Tat** deed, achievement

various musical settings the one by Friedrich Silcher, based on a folktune, is usually sung.

5

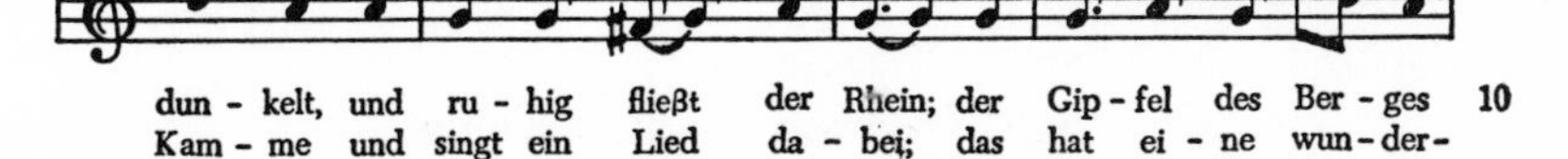

10

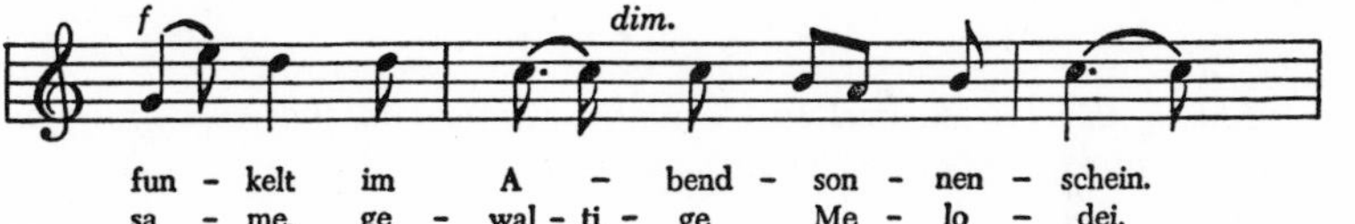

15

1 **soll** can
2 **die Jungfrau** maiden
3 **Schiffer** boatman (*object* of **ergreift**)
5 **wunderbar** strangely; **das Geschmeide** jewelry
6 **der Felsenriff –e** cliff
7 **mir** See Appendix §2
11 **dabei'** at the same time; **wundersam** strange
12 **der Kahn ⸗e** boat
13 **funkeln** sparkle
14 **Melodei'** = **Melodie'**

[47] Leise zieht durch mein Gemüt

Heinrich Heine

This melodious poem is adapted from a folksong in Des Knaben Wunderhorn. *There are musical settings by Schubert, Mendelssohn, Rubinstein, Grieg and others.*

Leise zieht durch mein Gemüt
Liebliches Geläute.
Klinge, kleines Frühlingslied,
Kling hinaus ins Weite.

Kling hinaus, bis an das Haus, 5
Wo die Blumen sprießen;
Wenn du eine Rose schaust,
Sag, ich laß sie grüßen.

[48] Es war ein alter König

Heinrich Heine

This is the Tristan and Isolde myth, reduced to that essential simplicity which is a mark of Heine's poetic genius.

Es war ein alter König,
Sein Herz war schwer, sein Haupt war grau;
Der arme alte König,
Er nahm eine junge Frau.

1 **das Gemüt –er** mind, soul, disposition
2 **das Geläute** ringing, music
4 **das Weite** distance
6 **sprießen o o** sprout, bloom
8 **grüßen lassen** send one's greetings (See Appendix §4)

Schloss Glücksburg near Flensburg (Schleswig-Holstein)
German National Tourist Office, New York

A modern stage setting for the opera *Aida*
German National Tourist Office, New York

Marktplatz at Braunfels an der Lahn in Hessen
German National Tourist Office, New York

Wine growers harvesting at Hexheim in the Pfalz

German National Tourist Office, New York

Es war ein schöner Page, 5
Blond war sein Haupt, leicht war sein Sinn;
Er trug die seid'ne Schleppe
Der jungen Königin.

Kennst du das alte Liedchen?
Es klingt so süß, es klingt so trüb! 10
Sie mußten beide sterben,
Sie hatten sich viel zu lieb.

[49] Der Asra

Heinrich Heine

The following poem is from Romanzero *(1851). The source is Stendhal's* De l'Amour. *The meter is the Spanish unrhymed trochee, which Heine used liberally in his late poetry.*

Täglich ging die wunderschöne
Sultanstochter auf und nieder
Um die Abendzeit am Springbrunn,
Wo die weißen Wasser plätschern.

Täglich stand der junge Sklave 5
Um die Abendzeit am Springbrunn,
Wo die weißen Wasser plätschern;
Täglich ward er bleich und bleicher.

6 **der Leichtsinn** fickleness
7 **seiden** silken; **die Schleppe** train
10 **trüb** sad, gloomy
12 **sich lieb haben** love each other

TITLE *Asra* tribal name
2 **auf und nieder** up and down
3 **der Springbrunn[en]** fountain
4 **plätschern** splash
8 **ward** = **wurde; bleich** pale

Eines Abends trat die Fürstin
Auf ihn zu mit raschen Worten: 10
„Deinen Namen will ich wissen,
Deine Heimat, deine Sippschaft!“

Und der Sklave sprach: „Ich heiße
Mohamet, ich bin aus Yemmen,
Und mein Stamm sind jene Asra, 15
Welche sterben, wenn sie lieben.“

[50] Albert Schweitzer

Walter Bauer

Große Menschen gehören nicht nur einem Lande, sondern der Welt; so gehört Albert Schweitzer der ganzen Welt. Seine Lebensgeschichte ist die Geschichte eines Mannes, der in unserer Zeit die christliche Botschaft lebte. Es ist die Geschichte eines Abenteuers der Menschlichkeit, und sein Name wird für 5 immer verbunden bleiben mit Lambarene, einem Ort in Französisch-Äquatorial-Afrika.

Günsbach, ein Dorf im Elsaß, wo er am 14. Januar 1875 als Sohn eines Pfarrers geboren wurde, war der Ort seiner Kindheit. Seine Liebe gehörte früh der Musik; mit neun Jahren spielte er 10 die Orgel so gut, daß er den Organisten bei einem Gottesdienst vertreten konnte. Der junge Schweitzer nahm in Paris Stunden bei Widor, einem berühmten Lehrer. Er studierte Theologie,

10 **auf ihn zu** up to him
12 **Sippschaft** kin
14 ***Yemen*** is a region in Arabia.
15 **der Stamm ⸚e** tribe

4 **Botschaft** message, mission
5 **das Abenteuer** adventure
8 **Elsaß** Alsace (now in France)
9 **der Pfarrer** clergyman
11 **die Orgel** organ
12 **vertreten** represent, substitute for; **die Stunde** lesson
13 ***Charles-Marie Widor*** (1845–1937), organist and composer

um Pfarrer zu werden, und mit zweiundzwanzig Jahren bereitete er sich gleichzeitig auf den Doktor der Theologie und Philosophie vor. Aus einem Essay über Bach wurde in fünfjähriger Arbeit ein wichtiges Buch, und auf dem Gebiet des Orgelbaues und der Orgelmusik war er ein Fachmann. Vor dem jungen Hilfsgeistlichen lag eine glänzende Laufbahn; er konnte wählen, was er wollte, und er hatte früh in Helene Breslau, einer Studentin, die Lebensgefährtin gefunden. 15 20

Ein Aufsatz über die Nöte der Mission am Kongo, den er zufällig in einer Zeitschrift fand, änderte sein Leben und alle seine Pläne. Er war dreißig Jahre alt, als er sich entschloß, Medizin zu studieren, um dann als Arzt nach Afrika zu gehen. Nach fünf schweren Jahren des Studiums bot er einer Missionsgesellschaft in Paris an, in Lambarene auf eigene Kosten ein kleines Hospital zu bauen. Das Geld dafür brachte er durch Spenden und Orgelspiel zusammen. 25

Am Karfreitag 1913 verließ Schweitzer mit seiner jungen Frau Europa, ohne zu wissen, was er in Lambarene finden würde. Seine Bücher, die jeder junge Mensch lesen sollte, erzählen von dem Abenteuer der Geduld und des Mutes, das sie begannen, von dem Kampf gegen Urwald und Klima und gegen Leiden und Schwierigkeiten aller Art. Das Hospital bestand aus zwei primitiven Räumen, hunderte von Kranken kamen von weither, und die Krankheiten—Lepra, Schlafkrankheit, Malaria, Hautkrankheiten—waren entsetzlich. Joseph, ein Galoa-Neger, war der erste Helfer und Koch. 30 35

Als sie 1914 nach Europa fahren wollten, um auszuruhen, brach der Weltkrieg aus. Da das Elsaß damals zu Deutschland 40

18 **der Fachmann** expert
19 **der Hilfsgeistliche -n** assistant clergyman; **die Laufbahn** career
21 **die Gefährtin -nen** companion
22 **der Aufsatz ¨-e** essay, article; **die Not ¨-e** need, distress; **Kongo** the Congo river in Equatorial Africa
23 **zufällig** accidentally
26 **an-bieten o o** offer
29 **die Spende** contribution, gift
30 **Karfreitag** Good Friday
32 **Bücher:** *Zwischen Wasser und Urwald* (1921); *Mitteilungen aus Lambarene* (1925 ff.)
34 **der Urwald ¨-er** primeval forest
38 **entsetzlich** horrible

gehörte, war Schweitzer ein Feind Frankreichs, aber er durfte seine Arbeit fortsetzen. In den Nächten nach schwerem Tagewerk schrieb er an einem Werk über den Verfall und Wiederaufbau der Kultur. Ehrfurcht vor dem Leben mußte die Grundlage menschlichen Lebens werden. 45

1917 wurden Schweitzer und seine Frau als Gefangene nach Frankreich gebracht, aber auch ein Lager war für ihn ein Ort des Lebens, an dem man lernen und arbeiten konnte. Nach dem Kriege waren sie in der alten Heimat, die nun französisch geworden war. Was sollte er tun? An einer Universität unterrichten? Er war 44 Jahre alt. Er wollte und mußte nach Lambarene zurück; dort war sein Platz. Zwischen 1920 und 1924 reiste er durch Europa, er hielt Vorträge, gab Orgelkonzerte, um Geld für das Hospital zu bekommen. Im Februar 1924 fuhr er nach Afrika zurück, ohne seine Frau, die das Klima nicht aushielt. 50 55

Nach elf Jahren kam er zurück. Die Wildnis hatte alles zerstört, die Hütten waren zerfallen, die Pfade zugewachsen. Er fing ungebrochen von vorn an, und die Kranken kamen wieder. Langsam wuchs das Hospital. Dann wurde, ein paar Kilometer vom alten Platz entfernt, ein neues Hospital gebaut. Er war Arbeiter, Aufseher, Arzt, Verwalter, Baumeister, er war der erste und der letzte, unterstützt von ein paar jungen Ärzten und Schwestern. Die Pflanzungen wuchsen, Lambarene wurde zu einer Siedlung. 60 65

Als 1939 der zweite Weltkrieg ausbrach, war er gerade in Europa angekommen. Er brachte Frau und Tochter in die Schweiz und fuhr nach Afrika zurück, um unter noch schwierigeren Umständen seine Arbeit der Hilfe fortzusetzen.

44 **Verfall . . .** decay and rebuilding
45 **die Ehrfurcht** reverence; **die Grundlage** basis
47 **der Gefangene –n** prisoner
48 **das Lager** [prison] camp
54 **der Vortrag ⸚e** lecture
58 **zerfallen** collapse; **der Pfad –e** path; **zu-wachsen** grow together
59 **von vorn** anew
62 **der Aufseher** overseer, manager; **der Verwalter** administrator; **der Baumeister** architect
64 **die Schwester** nurse
65 **Siedlung** settlement, colony
69 **der Umstand ⸚e** circumstance, condition

1941 kam überraschend seine Frau, die den Weg durch die Wildnis des Krieges nach Lambarene gefunden hatte. Er war fast siebzig Jahre alt, und jeder Tag von morgens bis spät in die Nacht war ein Tag pausenloser Arbeit. Nachts saß er an seinem Tische und schrieb. 70

Nach zwölf Jahren, 1948, fuhr er nach Europa zurück. Ein Jahr später hielt er in Aspen in den Vereinigten Staaten einen Vortrag zum zweihundertsten Geburtstag Goethes; aber wichtiger als alle Ehrungen war es ihm, die Firmen aufzusuchen, die neue Heilmittel gegen Lepra herstellten. Aus sechs Aussätzigen (Leprakranken) im Jahre 1950 wurden 300 im Jahre 1953; er baute ein eigenes Dorf für sie. 1953 empfing er den Friedens-Nobelpreis. 75 80

Am 4. September 1965 starb Albert Schweitzer neunzigjährig in seinem Krankenhause in Lambarene, dem Ort, an dem er die Botschaft der Hilfe und Freundlichkeit verwirklichte. Wie ein alter Bauer, der viele Jahre gesät und geerntet hatte, ging er zur Ruhe und hinterließ einen großen Namen. In einem Jahrhundert, das die Heiligkeit des Lebens verachtet und mißhandelt, lehrte er die Ehrfurcht vor dem Leben durch die Tat. 85

[51] Das zerbrochene Ringlein

Joseph von Eichendorff (1788–1857)

Eichendorff is the most popular of the German romantics. His lyric poetry and his prose express the purest harmony with nature and the world of the imagination. A few of his poems (including Das zerbrochene Ringlein*) have become folksongs. Of his novellas the best known is* Aus dem Leben eines Taugenichts *(1826). The music for this song is by Friedrich Glück (1814).*

70 **überraschen** surprise
76 *Aspen* a summer resort in Colorado
85 **verwirklichen** realize
88 **verachten** despise; **mißhandeln** abuse

1 **der Grund ⸚e** valley
3 **der Spielmann –leute** minstrel
4 **der Reiter** cavalryman; **wohl** a filler used in folksongs; do not translate
5 **hör' ich** See Appendix §6
6 **das Mühlrad ⸚er** mill wheel
7 **dabei'** in doing so
9 **die Schlacht** battle
12 **entzwei'** in two, asunder
13 **die Weise** air
25 **auf einmal** suddenly

[52] Die Nacht

Joseph von Eichendorff

Nacht ist wie ein stilles Meer,
Lust und Leid und Liebesklagen
Kommen so verworren her
Im dem linden Wellenschlagen.

Wünsche wie die Wolken sind, 5
Schiffen durch die stillen Räume,
Wer erkennt im lauen Wind,
Ob's Gedanken oder Träume?—

Schließ' ich nun auch Herz und Mund,
Die so gern den Sternen klagen: 10
Leise doch im Herzensgrund
Bleibt das linde Wellenschlagen.

[53] Frühlingsgruß

Joseph von Eichendorff

Es steht ein Berg in Feuer,
In feurigem Morgenbrand,
Und auf des Berges Spitze
Ein Tannenbaum überm Land.

2 **die Klage** complaint
3 **verworren** confused
4 **linde** gentle
6 **schiffen** navigate, sail
7 **lau** tepid, gentle
8 **Träume** supply **sind**
9 **auch** even though

2 **der Brand ¨-e** fire

Und auf dem höchsten Wipfel 5
Steh' ich und schau' vom Baum,
O Welt, du schöne Welt, du,
Man sieht dich vor Blüten kaum!

[54] Deutsche Landschaften

Heinz Fischer

Die deutsche Landschaft von den Küsten der Nord- und Ostsee bis zum Harz ist flach ausgestreckt unter einem weiten Himmel mit schweren Wolken. Vor der Nordseeküste liegen die Halligen im Meer. Ihre Größe wechselt mit Ebbe und Flut. Brüllend schlägt sie der „blanke Hans". Manche sind in Sturm- 5 fluten versunken.

Das Festland ist durch Dämme geschützt. Aber schon oft war das Meer stärker, durchbrach den Damm und überflutete den Hof, ertränkte das Vieh und versalzte die Wiese. Aber das Meer bietet auch dem Fischer Nahrung, der bis hinauf nach 10 Island auf Fang zieht. Die strohgedeckten Höfe der Bauern liegen weit von einander ab. Sie sind unter alten Bäumen versteckt. Kleine Hecken umgrenzen Weide, Acker und Hof. Kein deutsches Land ist stiller und schwermütiger, wenn an einem grauen Tag die Wolken langsam darüber hinziehen, Vögel 15 schreien und der Wind vom Meer durch die Bäume fährt. Keine deutsche Landschaft ist schöner, wenn die Sonne nach

8 **vor** because of, for; **die Blüte** blossom

1 **die Küste** coast
2 **der Harz** mountain range in Central Germany
4 **Halligen** low lying islands on the west coast of Schleswig-Holstein; **Ebbe . . .** low and high tide
5 **brüllen** roar; **Blanke Hans** local popular name for the sea; **die Sturmflut** storm flood
7 **das Festland** mainland
9 **der Hof ¨e** farm; **ertränken** drown; **versalzen** oversalt
13 **Kleine . . .** Little hedges fence in pasture land, field and farm.
14 **schwermütig** melancholy

kurzen Sommernächten aufgeht und die Kronen der Eichen und Birken vergoldet.

Um Lüneburg liegt abseits die Heide. Das Heidekraut wächst über sandigem Boden. Schwarzes Wasser rinnt durch das Moor. Kleine Schafe weiden umher. Neben tausendjährigen Steingräbern erscheinen die Hütten der Heidebauern wie die Wohnungen eines Zwergengeschlechts. 20

Im deutschen Westen fließt der Rhein. Auf seinem Rücken trägt er Kohle und Eisen des schwarzen Ruhrgebiets stromauf und stromab. Er ist das Rückgrat Deutschlands, und er fließt durch die deutsche Geschichte. In seinem Wasser spiegeln sich die alten Dome von Straßburg, Speyer, Worms, Mainz, Köln und Xanten. Burg steht gegen Burg im Rheinland. Aber heitere Weinberge begleiten die Ufer des Stroms. Die Lieder der Winzer singen von der schönen Lorelei, vom bösen Bischof Hatto, von tapferen Rittern und ihren treuen Frauen. 25 30

Ebenen und Flüsse mag es überall geben. Die Mittelgebirge—der Teutoburger Wald, der Spessart, die Rhön, der Schwarzwald—sind eigentümlich deutsch. Dort in den Mittelgebirgen erheben sich waldüberdeckte Berge, einer vor dem anderen. 35

18 **die Eiche** oak
19 **die Birke** birch
20 **Lüneburg** city in Lower Saxony; **abseits** to the side; **die Heide** heath; **das Heidekraut ⸗er** heather
21 **rinnen a o** run, flow
22 **das Grab ⸗er** grave
23 **die Hütte** hut
24 **das Zwerggeschlecht -er** race of dwarfs
26 **das Ruhrgebiet** the most densely industrialized region of Germany, in Westphalia
27 **das Rückgrat –e** backbone
30 **die Burg** castle, fortress; **heiter** serene, pleasant
31 **das Ufer** shore; **der Winzer** vine grower
32 **Lorelei** the legendary maiden who sat on the rock of the same name, luring fishermen to their death. See §46.
Hatto According to legend, Archbishop Hatto of Mainz allowed starving people to be burned in a barn full of wheat. As punishment for this crime he was devoured by an army of mice in his tower on an island in the Rhine near Bingen. The tower is known as the *Mäuseturm* (popularly: mouse tower; really: toll tower)
33 **tapfer** brave; **der Ritter** knight
36 **eigentümlich** peculiarly
37 **waldüberdeckt** covered by forest

Im Herbst färbt sich der Wald bernsteingelb, rot und braun. Eichen und Buchen stehen über Beeren und Pilzen. Im Tal fließt ein klarer Bach durch grüne Wiesen. Hirsche und Wildsäue brechen durch das Holz. An einem Waldsee steht ein Schloß wie Mespelbrunn im Spessart. Märchenlandschaft! und doch Heimat armer Rhönhirten und kleiner Spessartbauern. Zu dieser Landschaft gehören auch Städte wie Heidelberg, Rothenburg und Dinkelsbühl mit ihren mittelalterlichen Türmen und Mauern.

Die Alpen bilden die deutsche Grenze im Süden. In einer majestätischen Bergwelt durchsetzt mit vielen Seen—der Königssee bei Berchtesgaden ist einer der schönsten—lebt der Alpbauer. Im Sommer weiden seine Kühe auf den Bergwiesen. Für den Winter trägt der Bauer das Heu von den steilen Höhen zu Tal. Nach schwerer Arbeit feiert er seine Feste mit Jodlern und ausgelassenen Tänzen, den Schuhplattlern. Er versteht es, seine Häuser and Kirchen fröhlich zu bemalen.

Schwermütige Ebenen, reiche Weingärten, hohe Burgen, sanfte Wiesen, wilde Berge: auf einem Raum, nicht größer als Ohio, Kentucky, und Indiana zusammen, entfalten sich in Deutschland vier völlig verschiedene Landschaften. Vom Meer zu den Alpen, von den Wäldern zum Strom glänzt ihre Schönheit.

Zu den deutschen Landschaften gehören auch die deutschen Mundarten: das schwere niederdeutsche Platt, in dem die alte Verwandtschaft mit dem Angelsächsischen deutlich herausklingt; das lebhafte fröhliche Fränkisch um den Rhein; das dunkle und ehrliche Schwäbisch; das kräftige, etwas rohe Bay-

38 **der Bernstein** amber
39 **die Buche** beech; **der Pilz –e** mushroom
40 **der Bach ⸚e** brook; **der Hirsch –e** stag, deer; **die Wildsau ⸚e** wild sow
48 **durchsetzt′** studded
49 **Berchtesgaden** in the Alps near the Austrian border
51 **steil** steep
53 **ausgelassen** daring, carefree, wild; **Schuhplattler** a Bavarian country dance
59 **glänzen** glitter, gleam
61 **die Mundart** dialect; **niederdeutsch** low German, i.e. northern; **Platt [deutsch]** low German
62 **heraus′-klingen a u** be audible
63 **lebhaft** lively; **Fränkisch** Franconian
64 **Schwäbisch** Swabian (the territory covered by Württemberg and Baden); **Bayrisch** Bavarian

risch; und Sächsisch, die deutsche Mustersprache in der Goethezeit. Heute wird in Hannover das beste Deutsch gesprochen. Die Stadtmundart der Berliner dürfen wir nicht vergessen, wegen ihres unsentimentalen und doch warmherzigen Humors.

[55] Sandmännchen

This song appeared in Zuccalmaglio's Deutsche Volkslieder *(1840). The folk tune is patterned on that of a 17th century religious folksong. The sandman is the herald of sleep, like the Greek god Hypnos. When children's eyes become heavy with sleep, they are told,* Der Sandmann ist da. *The sandman also figures in E. T. A. Hoffmann's story of that name.*

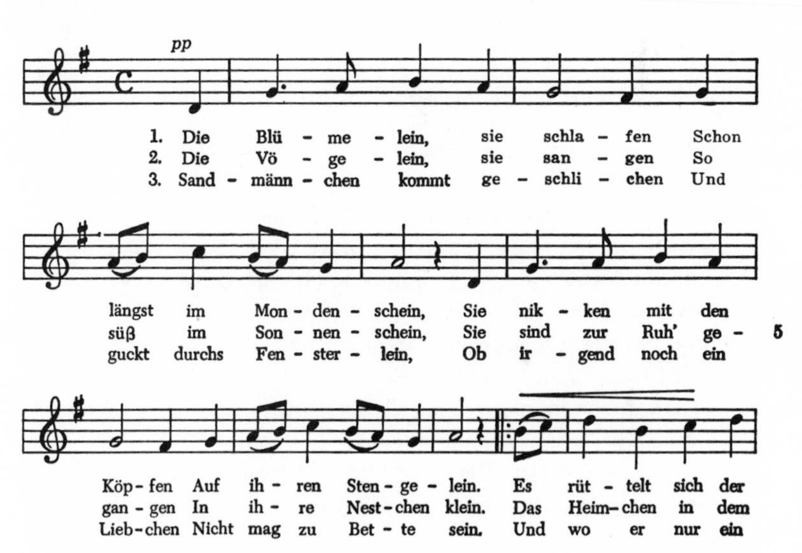

65 **Sächsisch** Saxon; **das Muster** model
66 **Hannover** i.e. the former Duchy of Hanover in North Germany

3 **kommt . . .** comes creeping
4 **längst** for a long time; **nicken** nod
6 **gucken** peep
7 **der Stengel** stem; **rütteln** shake
8 **Heimchen** cricket
9 **Liebchen** dear one

[56] Singen in alten Maßen

Walter Bauer

There is a short biographical note on Walter Bauer at the head of § 39. The following poem is from the volume Mein blaues Oktavheft.

Singen in alten Maßen
und tun, als gäbe es immer noch Harfen—
woher nehmen die Leute den Mut?
Und wieso sprechen sie immer noch von Göttern?
Ist hier nicht alles einsam geworden? 5
Ja, vielleicht flüstern—
das kann man,
als spräche man mit sich selber,
oder mit Worten von der Schärfe des Pflugs
den Acker aufzureißen dieser verrotteten Zeit— 10
das mag es sein, das ist uns erlaubt.

10 **säuseln** rustle
11 **der Ährengrund ⸗e** wheat field; **tut sich kund** makes itself known
12 **streuen** strew; **ihm** See Appendix §2.

1 **das Maß –e** measure, meter
2 **tun als** act as if
10 to tear up the field of this rotten age

Zu viele Gräber liegen auf unsern Stimmen,
zu viele Tote machen sich über uns bitter lustig
in ihrem Verfall,
wenn wir sagen: wir singen. 15
Und so, kaum hörbar, flüsterte ich zu mir selber
oder zu dir . . . ich weiß nicht . . .
dieses Wort vom Lächeln im Gesicht eines Fremden,
das plötzlich ungerufen erschien,
wie der Gruß eines in sich selber Verschütteten. 20
Oder von der Linie unbeschreiblich zart und kühn,
die ein Vogelflug an die Tafel des Himmels schreibt.

[57] Stille Nacht, heilige Nacht

This universally beloved Christmas carol was composed in 1818 by Franz Gruber (1787–1863), organist in a small Tyrolean village, to words written by the village priest, Josef Mohr (1792–1848).

13 **sich lustig machen** make fun of
14 **der Verfall** decay
20 **verschüttet** buried

1 **alles** everyone
2 **Hirten** (*dat.*) to shepherds
4 **traut** dear, beloved
5 **kund** known; **Engel** *gen.* with Halleluja
6 **Mund** i.e. lips

[58] **De Profundis**

The following poems are random samples of simple devotion, a genre in which German literature is rich. Jacob Böhme (1575–1624), a cobbler by trade, was a mystic and philosopher who has left his mark on religious thought. Matthias Claudius (1740–1815) was a moralist in whom simple piety combined with subtle humor. His poems Abendlied *and* Der Tod und das Mädchen *are classics of German lyric poetry. Wilhelm Raabe (1831–1910) was a novelist who treated middle class life with realism and humor. Christian Morgenstern (1871–1914) is best known as a humorist, parodist and writer of nonsense verse; but he was essentially a religious seeker after God.*

Wem Zeit ist wie Ewigkeit
Und Ewigkeit wie die Zeit,
Der ist befreit
Von allem Streit.

Jacob Böhme

*

7 **hold** sweet, lovely; **im** = **mit dem; lockig** curly
9 **da** when

Die Liebe hemmet nichts; 5
Sie kennt nicht Tür noch Riegel,
Und dringt durch alles sich;
Sie ist ohn' Anbeginn,
Schlug ewig ihre Flügel,
Und schlägt sie ewiglich. 10
Matthias Claudius

*

Das Ewige ist stille,
Laut die Vergänglichkeit;
Schweigend geht Gottes Wille
Über den Erdenstreit.
Wilhelm Raabe

*

Dulde 15
trage
bessere Tage
werden kommen.
Alles muß frommen,
denen, die fest sind. 20
Herz, altes Kind,
dulde
trage.
Christian Morgenstern

5 **nichts** is the subject, **Liebe** the object
6 **der Riegel** bolt
7 **sich dringen a u** penetrate
8 **der Anbeginn** beginning
12 **vergänglich** transitory
14 **der Erdenstreit –e** strife on earth
15 **dulden** endure
19 **frommen** succeed

[59] **Beethoven**

Walter Bauer

Beethovens irdisches Leben dauerte sechsundfünfzig Jahre. Seine geistige Existenz, ausgedrückt in seiner Musik, wird solange dauern, als Menschen in der Welt nach mehr als nur nach Brot hungern. Sein äußeres Leben war von einem bestimmten Augenblick an Leiden und wachsende Einsamkeit. 5 In langem Kampf nahm er beides an und unterwarf sich, doch nicht in Resignation, sondern mit heroischem Mut. Seine Musik ist die ergreifende Umsetzung dieses Kampfes, und zuletzt ist sie der Sieg über Leiden und Einsamkeit.

Ludwig van Beethoven wurde am 16. Dezember 1770 in 10 Bonn am Rhein geboren. Sein Vater, ein Trinker, begabt und haltlos, versuchte aus dem Kinde ein Wunderkind zu machen, wie Mozart es war. Armut begleitete seine Jugend, und nach dem Tode der Mutter war er schon als junger Mensch für seinen Vater und die Brüder verantwortlich. Bei einem ersten 15 kurzen Aufenthalt in Wien gab Mozart ihm ein paar Stunden und machte seine Freunde auf Beethoven aufmerksam. Als Haydn Bonn besuchte, spielte Beethoven ihm auf dem Klavier vor, und der Kurfürst, durch Haydn auf das junge Genie aufmerksam gemacht, schickte ihn zur Vollendung seiner Studien 20 1792 nach Wien. Seine Lehrer konnten ihm bald nichts mehr sagen, seine Freunde bewunderten ihn, der, seines Ranges bewußt, stolz, launisch, ungeduldig und entschieden auftrat; Goethe nannte ihn eine „ungezähmte Persönlichkeit" und sagte von ihm, daß er nie einen Künstler getroffen hätte, der so 25

4 **äußer** external, physical
6 **sich unterwerfen** submit
8 **ergreifend** moving; **Umsetzung** translation
11 **begabt . . .** gifted, undisciplined
13 **es** omit in translation; **die Armut** poverty
15 **verantwortlich** responsible
16 **der Aufenthalt –e** stay; **die Stunde** lesson
19 **der Kurfürst –en** elector (one of the seven princes who chose the Emperor of the Holy Roman Empire)
22 **bewundern** admire
23 **seines . . . auftrat** conscious of his rank, appeared proud, moody, impatient and resolute
24 **ungezähmt** untamed

selbstbewußt, kraftvoll, aufrichtig war. Die Wiener Gesellschaft nahm ihn auf, seine Kompositionen waren erfolgreich, und er genoß das Leben wie jeder andere.

1798 traten die ersten Zeichen der Taubheit auf—bei ihm, dem die Welt aus Tönen bestand. Nach einigen Jahren qual- 30 voller Ungewißheit und verzweifelter Hoffnungslosigkeit wußte Beethoven, daß es für ihn keine Heilung gab und daß die Taubheit ihn immer mehr von der Welt trennen würde, in die er mit der stolzen Kraft eines Eroberers eingetreten war. Das „Heiligenstädter Testament", das er 1802 für seine Brüder schrieb 35 und das nach seinem Tode gefunden wurde, ist ein erschütterndes Dokument. „Geboren mit einem feurigen und lebhaften Temperament und empfänglich für die Freuden der Welt, war ich früh gezwungen, mich von allem zu trennen und in Einsamkeit zu leben", hieß es darin. Aber als er dieses Dokument schrieb, 40 wußte er auch, daß in ihm selber ein Quell unzerstörbarer Kraft lag. Wenn ihm nichts sonst blieb, blieb ihm die Kunst, und sie wurde seine Herrin, Freundin, Gefährtin. Er wußte, daß Leiden vor ihm lag, und er nahm es an, um darüber zu siegen. Die „Eroica"—das ist das „Heiligenstädter Testament", in Musik um- 45 gesetzt, und der Wendepunkt seines Lebens als Mann und als Komponist. In der Schwärze der Verzweiflung wuchs das Samenkorn des Mutes zum Licht.

Seine Symphonien, Konzerte, Sonaten, Quartette, die Musik

26 **selbstbewußt . . .** self-assured, energetic, sincere; cf. p. 79, lines 79 ff.
30 **qualvoll** tormenting
31 **verzweifelt** desperate
34 **der Eroberer** conqueror
35 **das Testament –e** will; **Heiligenstadt** a suburb of Vienna in which Beethoven lived at this time. "Das Heiligenstädter Testament" is a sort of will which Beethoven composed in 1802, explaining to the world the torments which his deafness caused him.
36 **erschütternd** deeply moving
37 **lebhaft** lively
38 **empfänglich** receptive
40 **hieß es** it said
41 **unzerstörbar** indestructible
43 **die Gefährtin** companion
45 **„Eroica"** Beethoven's 3rd symphony; **umgesetzt** transposed
46 **der Wendepunkt –e** turning point
47 **das Samenkorn ⸚er** seed grain
49 **das Konzert′ –e** concerto

zu „Egmont", die Oper „Fidelio", die „Missa Solemnis" sind Stationen auf einem langen, bitteren und einsamen Wege, und oft, wie in der Hammerklavier-Sonate von 1818, bricht die Verzweiflung über die Leere seines Lebens wie ein Schrei heraus. Die Siebente Symphonie enthält die Überwindung des Leidens und ist ein überwältigender Lobpreis des Lebens, und in der Neunten Symphonie mit dem Chor des „Liedes an die Freude" wendet der Einsame sich an die von Menschen bewohnte Welt. 50 55

In seinen letzten fünf Quartetten erreichte Beethoven eine unvergleichliche Höhe kristallener, durchsichtiger Reinheit und unirdischer Ruhe. Der Sturm der Leidenschaften war vorüber, menschliches Leiden hatte sich aufgelöst, noch die Klage, die zuweilen aus diesen Quartetten herausbrach, war ohne Finsternis; er hatte Frieden gefunden. „Muß es sein? Es muß sein", schrieb er über einen Satz des Quartetts in F-Dur. 60

Im Winter 1826 kam er von einem Besuch bei seinem Bruder Johann krank nach Wien zurück. Die Operationen, durch die man die Wassersucht beseitigen wollte, waren erfolglos. Das Zimmer, in dem er lag, war schmutzig und unaufgeräumt. Als er am Nachmittag des 26. März 1827 im Sterben lag,—so berichtet sein Freund Rüttenbrenner, der mit Beethovens Schwägerin am Bett war—, zog ein Gewitter auf. Als ein Blitz krachend das Zimmer erleuchtete, schien der Sterbende zu erwachen. Er hob die geballte Faust und sah mit drohendem Blick empor. Dann war der Kampf vorüber, der Tod kam, und die Unsterblichkeit begann. 65 70 75

50 **„Egmont"** incidental music to Goethe's tragedy; **Missa . . .** solemn mass
52 **Hammerklavier** the modern piano in which the strings are struck by hammers instead of being plucked, as in the harpsichord
54 **überwinden a u** conquer
55 **überwältigender . . .** overpowering hymn
56 **„Liedes . . ."** Schiller's ode *An die Freude* is the text for the chorale that closes the 9th symphony.
57 **an die** See Appendix §1
59 **unvergleichlich** incomparable; **durchsichtig** transparent
61 **sich auf-lösen** dissolve; **noch** even; **die Klage** lament
64 **der Satz ⸚e** movement; **F-Dur** F major
67 **die Wassersucht** dropsy; **beseitigen** remove
68 **unaufgeräumt** untidy
71 **krachen** crash
73 **ballen** clench; **drohen** threaten

[60] Die Verwandlung

Wilhelm Busch (1832–1908)

Among the many titles to fame to which Wilhelm Busch might lay claim is the dubious one of being the father of the modern comic strip. His collection of rhymed cartoons, Max und Moritz, *does seem to be the source of the American comic* The Katzenjammer Kids, *one of the earliest of our comic strips. But Busch was a graphic artist of genius with a gift for expressing his philosophy of life—which was a gentle pessimism—in line drawings and witty verse.*

Die Verwandlung

Die gute Schwester Anna spricht
Zu Bruder Karl: „Ach, nasche nicht!"

Doch der will immer weiter lecken.
Da kommt die Mutter mit dem Stecken.

TITLE **Die Verwandlung** transformation
2 **naschen** nibble, pilfer food
3 **immer weiter** on and on; **lecken** lick, nibble

Er läuft bis vor das Hexenhaus, 5
Da baumelt eine Wurst heraus.

Schwipp! fängt ihn an der Angel schlau
Die alte, böse Hexenfrau.

5 **die Hexe** witch
6 **baumeln** dangle
7 **schwipp** whiz (imitative sound); **die Angel** fishing rod

Dem Karl ist sonderbar zumute,
Die Hexe schwingt die Zauberrute 10

9 **einem zumute sein** feel
10 **die Zauberrute** magic wand

Und macht durch ihre Hexerein

Aus Karl ein kleines Quiekeschwein.

Schon fängt der Hexe böser Mann
Das Messer scharf zu schleifen an.

11 **die Hexerei′** witchcraft
12 **das Quiekeschwein –e** squealing pig
13 **Hexe** *gen.* depending on Mann
14 **schleifen iff iff** grind

Da findet das treue Schwesterlein
Die Wunderblume mit lichtem Schein.

15

Und eben als die Bösen trachten
Das Quiekeschwein sich abzuschlachten,

17 **trachten** plan
18 **ab-schlachten** slaughter

Da tritt herein das Ännchen. — Das Schwein quiekt und rennt;
Die Hexe fällt ins Messer, der böse Mann verbrennt. 20

Und Bruder Karl verliert auch bald
Die traurig-schweinerne Gestalt;

Da ist er froh
Und spricht: Nie mach' ich's wieder so!

19 **Ännchen** Annie 23 **da** thereupon

[61] Hochzeit auf der Schildwache

Johann Peter Hebel (1760–1826)

Ein Regiment, das sechs Wochen lang in einem Dorf gelegen hatte, bekam unerwartet in der Nacht um zwei Uhr Befehl zum plötzlichen Aufbruch. Also war um drei Uhr schon alles auf dem Marsch, bis auf eine einsame Schildwache draußen im Feld, die in der Eile vergessen wurde und stehen blieb. Dem Soldaten auf der einsamen Schildwache wurde jedoch zuerst die Zeit nicht lang; denn er schaute die Sterne an und dachte: „Glitzert, solange ihr wollt; ihr seid doch nicht so schön wie zwei Augen, die jetzt in der Mühle schlafen." 5

Gegen fünf Uhr jedoch dachte er: „Es könnte jetzt bald drei sein." Aber niemand wollte kommen, um ihn abzulösen. Die Wachtel schlug, der Dorfhahn krähte, die letzten Sterne waren aufgegangen, der Tag erwachte, die Arbeit ging ins Feld, aber noch immer stand unser Musketier unabgelöst auf seinem Posten. Endlich sagte ihm ein Bauer, der auf sein Feld ging, das ganze Bataillon sei schon um drei Uhr ausmarschiert, kein Gamaschenknopf sei mehr im Dorf, noch weniger der Mann dazu. 10 15

Also ging der Musketier unabgelöst ins Dorf zurück. Jetzt hätte er den Doppelschritt anschlagen und dem Regiment nachziehen sollen. Allein der Musketier dachte: „Wenn sie mich nicht brauchen, so brauche ich sie auch nicht." Außerdem dachte er: „Es ist nicht zu trauen. Wenn ich ungerufen komme und mich selbst abgelöst habe, so kann es spanische Nudeln absetzen." 20

TITLE **die Schildwache** sentry, sentry box
2 **der Befehl –e** command
3 **der Aufbruch ⸚e** departure; **alles** everyone
4 **bis auf** except for
5 **die Eile** haste
7 **nicht lang** i.e. he was not bored
8 **glitzern** glitter
11 **ab-lösen** relieve
12 **die Wachtel** quail; **schlagen** sing, warble; **der Hahn ⸚e** rooster
16 **der Gama'schenknopf ⸚e** gaiter button
17 **dazu'** i.e. who wears the gaiter
19 **Doppelschritt . . .** take to the double
22 **Es . . .** it is not to be trusted –i.e. it is not safe.
23 **spanische . . .** rain down Spanish noodles, i.e. blows

Außerdem dachte er: „Der Müller hat ein hübsches Mädchen und das Mädchen hat einen hübschen Mund, und der Mund hat holde Küsse, und ob sonst schon etwas geschehen ist, geht keinen etwas an.“ 25

Also zog er den blauen Rock aus und fand ein Stelle im Dorf als Bauernknecht; und wenn ihn jemand fragte, so antwortete er, es sei ihm ein Unglück begegnet, sein Regiment sei ihm verloren gegangen. Brav war der Junge, schön war er auch, und die Arbeit ging ihm flink aus den Händen. Zwar war er arm, aber desto besser paßte des Müllers Töchterlein für ihn, denn der Müller hatte Geld. Kurz, die Heirat kam zustande. Also lebte das junge Ehepaar in Liebe und Frieden glücklich zusammen und sie bauten ihr Nestlein. 30 35

Nach Verlauf von einem Jahr aber, als er eines Tages von dem Felde nach Hause kam, schaute ihn seine Frau bedenklich an: „Fridolin, es ist jemand dagewesen, der dich nicht freuen wird.“ „Wer?“ „Der Quartiermeister von deinem Regiment; in einer Stunde sind sie wieder da.“ 40

Der alte Vater lamentierte, die Tochter lamentierte und sah mit nassen Augen ihren Säugling an. Der Fridolin aber, nach kurzem Schrecken, sagte: „Laßt mich gewähren. Ich kenne den Obersten.“ Also zog er den blauen Rock wieder an, den er zum ewigen Andenken hatte aufbewahren wollen, und sagte seinem Schwiegervater, was er tun sollte. Dann nahm er das Gewehr auf die Schulter und ging wieder auf seinen Posten. 45

26 **hold** lovely, delightful; **sonst schon etwas** anything else . . . already **geht . . .** is nobody's business
29 **der Bauernknecht –e** farmhand
30 **es** See Appendix §3; **verloren gehen** be lost
31 **brav** nice
32 **flink** nimbly
33 **passen** fit, suit
34 **zustan'de kommen** take place
37 **der Verlauf ¨–e** course
38 **bedenklich** seriously
39 **freuen** make happy
43 **der Säugling –e** infant; **der** omit in translation
44 **der Schrecken** fright; **laßt . . .** let me handle the matter
45 **der Oberst –en** colonel
46 **das Andenken** memory; **auf-bewahren** keep
47 **das Gewehr –e** rifle

Als das Bataillon eingerückt war, trat der alte Müller vor den Obersten. „Haben Sie doch Einsehen, Herr General, mit dem armen Menschen, der vor einem Jahr auf den Posten gestellt worden ist draußen an der Waldspitze. Ist es erlaubt, eine Schildwache ein ganzes Jahr lang auf demselben Fleck stehen zu lassen und nicht abzulösen?" Da schaute der Oberst den Hauptmann an, der Hauptmann schaute den Unteroffizier an, der Unteroffizer den Gefreiten, und die halbe Kompanie, als gute Bekannte des Vermißten, liefen hinaus, um die einjährige Schildwache zu sehen.

Endlich kam auch der Gefreite, derselbe, der ihn vor zwölf Monaten auf den Posten geführt hatte, und löste ihn ab: „Präsentiert das Gewehr, das Gewehr auf die Schulter, marsch!" nach soldatischem Herkommen und Gesetz. Dann mußte er vor dem Obersten erscheinen, und seine junge hübsche Frau mit ihrem Säugling auf den Armen begleitete ihn, und mußten ihm alles erzählen. Der Oberst aber, der ein gütiger Herr war, schenkte ihm einen Taler und half ihm danach zu seinem Abschied.

49 **ein-rücken** move in
50 **das Einsehen** understanding
52 **die Waldspitze** edge of the forest
53 **der Fleck –e** spot
55 **der Hauptmann –leute** captain; **der Unteroffizier** non-commissioned officer
56 **der Gefreite –n** corporal
62 **das Herkommen** tradition
65 **gütig** kind
66 **Taler** an old coin worth 3 marks
67 **der Abschied –e** discharge

[62] Das deutsche Reich

Das deutsche Wort „Reich" ist dem Englischen „commonwealth" sinnverwandt; es bezeichnet eine Wirtschaft, die für das gemeine Wohl geführt wird. „Das deutsche Reich" war, bis vor kurzem, der offizielle Name Deutschlands, ohne Rücksicht auf die jeweilige Regierungsform. Während des Mittelalters, als Deutschland ein Kaiserreich war, hieß es „Das Heilige Römische Reich deutscher Nation". Denn es bestand zu jener Zeit die Fiktion, daß das alte römische Weltreich nie untergegangen sei, sondern noch immer fortlebe—im deutschen Kaiserreich. Als Deutschland im Jahre 1918 eine Republik wurde, hieß es noch immer „Das deutsche Reich". Auch unter der faschistischen Diktatur der Nationalsozialisten hatte Deutschland denselben Namen. Erst nach dem Zweiten Weltkrieg, als Deutschland in zwei besondere Staaten getrennt wurde, fiel dieser alte Name weg. Jetzt haben wir eine „Bundesrepublik" im Westen und eine „Deutsche Demokratische Republik" im Osten. Es ist also falsch, das Wort Reich mit „empire" zu übersetzen, wie es oft getan wird.

Die Nationalsozialisten nannten ihr Regime „Das Dritte Reich". Sie gebrauchten dieses Wort in doppeltem Sinne. Erstens war ihre Regierung der dritte Versuch, Deutschland zu einer Weltmacht aufzurichten. Der erste war das mittelalterliche Reich, das bis zum Jahre 1806 dauerte; das zweite war das Reich, das Bismarck im Jahre 1871 gründete und das bis 1918 dauerte. Das nationalsozialistische Deutschland bildete also das dritte Reich.

Aber noch in ganz anderem Sinne beanspruchten die National-

2 **sinnverwandt** synonymous; **bezeichnen** designate; **Wirtschaft** economy
3 **das Wohl** welfare, weal; **vor kurzem** a short while ago
4 **die Rücksicht** consideration
5 **jeweilig** at the moment
6 **das Kaiserreich** empire
8 **unter-gehen** perish
12 The National Socialist dictatorship lasted from 1933 to 1945.
22 **auf-richten** set up
24 ***Otto von Bismarck*** (1815–1898), Prussian statesman
26 **bean'spruchen** claim

sozialisten den Namen „Das Dritte Reich". Dieses Wort erweckt bei dem gebildeten Deutschen eine alte Vorstellung religiösen, politischen, sozialen und dichterischen Gehalts. Es drückt eine tiefe und edle Sehnsucht der deutschen Seele aus: die Vision eines goldenen Zeitalters, einer idealen Welt des Friedens, der Gerechtigkeit, der Einheit aller Völker. Man sieht also, daß der Begriff des dritten Reichs einen prophetischen, mystischen Sinn in sich trägt. Das Wort „Reich" erinnert an die Begriffe „Himmelreich", „das Reich Gottes", „denn dein ist das Reich", „mein Reich ist nicht von dieser Welt."

Lessing, z.B., verwendet diesen Begriff des dritten Reichs in seiner Schrift „Die Erziehung des Menschengeschlechtes" (1780). Bis jetzt, schreibt Lessing, ist die Menschheit durch zwei Stufen der geistigen Entwicklung gegangen. Die erste Stufe war die des alten Testaments. Da wird dem Menschen gesagt, wenn er Tugend ausübt, wird ihn Gott in dieser Welt belohnen. Das neue Testament verspricht keinen Lohn in dieser Welt, wohl aber im Jenseits. Das ist schon eine höhere Stufe der geistigen Entwicklung, meint Lessing. Nun sei die Zeit gekommen, da der Mensch nicht mehr das Gute tun wird um des Lohnes willen, sondern weil es das Gute ist. Und das ist sein „drittes Reich". Er nennt diese Zeit zwar „das dritte Zeitalter", aber es ist eigentlich der alte Gedanke vom dritten Reich.

Diesen reinen, edlen, idealistischen Gedanken haben sich die Nationalsozialisten als Propagandamittel angeeignet, und ihn zu niederen Zwecken der Machteroberung ausgenutzt. Wenn

28 **gebildet** cultured; **Vorstellung** image, picture
29 **der Gehalt -e** content
30 **die Sehnsucht** yearning
31 **das Zeitalter** age
Gerechtigkeit justice
37 *Lessing* See [72]; **verwenden** use
38 **Erziehung . . .** education of the human race
40 **Entwicklung** development
42 **die Tugend** virtue
belohnen reward
44 **das Jenseits** beyond
45 **meinen** be of the opinion, think
51 **sich an-eignen** appropriate
52 **Eroberung** conquest; **aus-nutzen** exploit

Deutschland wieder einmal vereinigt ist, so wird der Titel „Deutsches Reich" vielleicht wieder zur Geltung kommen und seinen alten idealistischen Gehalt zurückgewinnen. 55

[63] Aphorismen II

1. Das Recht sagt: jedem das seine. Die Liebe: jedem das deine. (Wilhelm Müller)

2. Man lobt den Künstler dann erst recht, wenn man über sein Werk sein Lob vergißt. (Lessing)

3. Nachahmen oder anfeinden ist der Charakter der Menge. (Grillparzer) 5

4. Enthaltsamkeit ist das Vergnügen an Sachen, welche wir nicht kriegen. (Wilhelm Busch)

5. Sie sind mein Freund; ich will meine Gedanken von Ihnen geprüft, nicht gelobt haben. (Lessing) 10

6. Dumme Gedanken hat jeder, nur der Weise verschweigt sie. (Busch)

7. Das Weib im Manne zieht ihn zum Weibe; der Mann im Weibe trotzt dem Mann. (Hebbel)

8. Liebe ist darum so schön, weil sie vor Selbstliebe schützt. (Hebbel) 15

9. Es gibt Leute, die sich über den Weltuntergang trösten würden, wenn sie ihn nur vorausgesagt hätten. (Hebbel)

10. Die Höhe der Kultur ist die einzige, zu der viele Schritte hinaufführen und nur ein einziger herunter. (Hebbel) 20

11. Wenn man ein Seher ist, braucht man kein Beobachter zu sein. (Marie von Ebner-Eschenbach)

54 **zur . . .** become valid

1 **das seine** his own
3 **erst recht** really
5 **nach-ahmen** imitate; **an-feinden** be hostile, hate; **die Menge** crowd
7 **Enthaltsamkeit** abstinence
11 **verschweigen ie ie** keep quiet about
17 **der Untergang** destruction; **trösten** console
21 **der Seher** seer; **beobachten** observe

12. Formel meines Glücks: ein Ja, ein Nein, eine gerade Linie, ein Ziel. (Nietzsche)

13. Im Unglück finden wir meistens die Ruhe wieder, die uns durch die Furcht vor dem Unglück geraubt wurde. (Marie von Ebner-Eschenbach) 25

14. Ein Wohltäter hat immer etwas von einem Gläubiger. (Hebbel)

15. Es ist fast unmöglich, die Fackel der Wahrheit durch ein Gedränge zu tragen, ohne jemandem den Bart zu versengen. (Lichtenberg) 30

16. Ein Buch ist ein Spiegel; wenn ein Affe hineinguckt, so kann freilich kein Apostel heraussehen. (Lichtenberg)

17. Überzeugungen sind gefährlichere Feinde der Wahrheit als Lügen. (Nietzsche) 35

18. Das Gewissen ist die Wunde, die nie heilt und an der keiner stirbt. (Hebbel)

19. Jeder ungebildete Mensch ist die Karikatur von sich selbst. (Friedrich Schlegel) 40

20. Der Ungebildete sieht überall nur einzelnes, der Halbgebildete die Regel, der Gebildete die Ausnahme. (Grillparzer)

[64] Dorfkirche im Sommer

Detlev von Liliencron (1844–1909)

Liliencron was a lyric poet of stature, most successful in catching surface impressions of life both in its tragic and comic moments. The following snapshot of a village church on a summer Sunday morning shows him at his best.

28 **der Gläubiger** creditor
30 **die Fackel** torch
31 **das Gedränge** throng; **jemandem** See Appendix §2; **der Bart ¨-e** beard; **versengen** singe
33 **gucken** peep, look
34 **freilich** to be sure
37 **das Gewissen** conscience
39 **ungebildet** uncultured
42 **die Ausnahme** exception

Schläfrig singt der Küster vor,
Schläfrig singt auch die Gemeinde.
Auf der Kanzel der Pastor
Betet still für seine Feinde.

Dann die Predigt, wunderbar, 5
Eine Predigt ohnegleichen.
Die Baronin weint sogar
Im Gestühl, dem wappenreichen.

Amen. Segen. Türen weit.
Orgelton und letzter Psalter. 10
Durch die Sommerherrlichkeit
Schwirren Schwalben, flattern Falter.

[65] Willkommen und Abschied

Johann Wolfgang von Goethe

This poem dates from about the same time as Mailied *(§ 13) and celebrates Goethe's love for Friederike Brion. It describes the visit of a young lover to his beloved, their sorrowful parting, and ends with an affirmation of the power of love. The imagery and rhythm make it one of the great poems in German literature.*

1 **schläfrig** sleepily; **der Küster** sexton (also choirmaster); **vor-singen** lead in singing
2 **die Gemeinde** congregation
3 **die Kanzel** pulpit
6 **ohnegleichen** unequaled
8 **das Gestühl** pew; **wappenreich** elaborately adorned with the [baronial] coat of arms
9 **der Segen** blessing; **weit** i.e. wide open
10 **der Psalter** psalm
12 **schwirren** whir; **der Falter** butterfly

Philharmonie Music Hall, Berlin
German National Tourist Office, New York

Jugendherberge (youth hostel), Köln
German National Tourist Office, New York

The Loreleifels at St. Goarshausen on the Rhine
German National Tourist Office, New York

Innsbruck, Österreich

Klaus Otten, Yellow Springs, Ohio

Es schlug mein Herz, geschwind zu Pferde!
Es war getan, fast eh' gedacht;
Der Abend wiegte schon die Erde,
Und an den Bergen hing die Nacht;
Schon stand im Nebelkleid die Eiche, 5
Ein aufgetürmter Riese, da,
Wo Finsternis aus dem Gesträuche
Mit hundert schwarzen Augen sah.

Der Mond von einem Wolkenhügel
Sah kläglich aus dem Duft hervor; 10
Die Winde schwangen leise Flügel,
Umsausten schauerlich mein Ohr;
Die Nacht schuf tausend Ungeheuer,
Doch frisch und fröhlich war mein Mut:
In meinen Adern, welches Feuer! 15
In meinem Herzen, welche Glut!

Dich sah ich, und die milde Freude
Floß von dem süßen Blick auf mich;
Ganz war mein Herz an deiner Seite,
Und jeder Atemzug für dich. 20

1 **es** See Appendix §3; **geschwind** swift
3 **wiegen** rock
4 **hing (hangen i a)** hung
5 **die Eiche** oak
6 **aufgetürmt** towering
7 **das Gesträuch –e** bushes
9 **der Hügel** hill
10 **kläglich** plaintively; **der Duft ⸚e** haze
11 **schwingen a u** wave
12 **umsausen** whistle about; **schauerlich** causing [me] to shudder
13 **das Ungeheuer** monster
14 **frisch** brisk
15 **die Ader** vein
16 **die Glut** glow, fire
20 **der Atemzug ⸚e** breath

Ein rosenfarbnes Frühlingswetter
Umgab das liebliche Gesicht,
Und Zärtlichkeit für mich—ihr Götter!
Ich hofft' es, ich verdient' es nicht!

Doch ach, schon mit der Morgensonne 25
Verengt der Abschied mir das Herz:
In deinen Küssen, welche Wonne!
In deinem Auge, welcher Schmerz!
Ich ging, du standst und sahst zur Erden,
Und sahst mir nach mit nassem Blick: 30
Und doch, welch Glück, geliebt zu werden!
Und lieben, Götter, welch ein Glück!

[66] Schiller

Walter Bauer

Der deutsche Essayist und Literarhistoriker Herman Grimm (1828–1910) schrieb in seinem „Leben Goethes": „In Goethes Gedichten merkt man bei jedem leisen Atemzuge, woher er kommt. Man fühlt die südliche Luft, den Strom des Seewindes, der über das griechische Meer zu Ihpigenie heranweht. Man 5 fühlt den süßen Hauch der Lorbeerhecken und der Orangen von Ferrara, man saugt den reinen Luftzug des Rheintales ein,

21 **rosenfarben** rose colored
22 **umgeben** surround
23 **Zärtlichkeit** tenderness
26 **verengen** constrict; **mir** See Appendix §2
27 **die Wonne** bliss
31 **geliebt werden** be loved

5 **Iphige'nie** the heroine of Goethe's drama *Iphigenie auf Tauris;* **heran'-wehen** blow toward
6 **die Lorbeerhecke** laurel hedge
7 ***Ferrara*** in Italy (allusion to Goethe's drama *Tasso*); **der Luftzug ⸚e** current of air

wenn man Goethes Briefe über das Straßburger Münster liest. Bei Schiller fühlt man nur die dynamische Kraft des Sturmes, einerlei, ob Süd- oder Nordwind.“ 10

Diese „dynamische Kraft“ ist in Schillers Werk und in seinem Leben. Von den siebenundzwanzig Jahren seines kurzen Lebens, in denen er unaufhörlich schrieb und immer neue geistige Bezirke eroberte, war kaum eines frei von Not und Armut. Alles, was er tat, zwang er einem kranken Körper ab. Die Natur 15 verzehrte ihn, und er verzehrte sich selbst in unbeschreiblicher und großartiger Anstrengung. Als er mit sechsundvierzig Jahren starb, hatte er zwölf Dramen geschaffen, eine Fülle von Balladen und Gedichten, die Prosawerke „Der Dreißigjährige Krieg“ und die „Geschichte des Abfalls der vereinigten Niederlande“, 20 den Roman „Der Geisterseher“, philosophische und ästhetische Schriften; und er ließ Fragmente und Pläne zurück, deren Vollendung ein volles Menschenleben ausgefüllt haben würde.

Der Schüler Rousseaus und Kants war ein geborener Dramatiker, und als Dramatiker war er ein pathetischer Prediger auf der 25 Bühne, in der er eine „moralische Anstalt“ sah, ein leidenschaftlicher Anwalt der Freiheit und Menschlichkeit, ein Verschwörer, der die Welt nicht nahm, wie sie ist. Jean Paul nannte ihn einen „Cherub mit dem Keime des Abfalls“.

8 **das Münster** cathedral
10 **einerlei** no matter
13 **unaufhörlich** incessantly; **der Bezirk –e** region
14 **erobern** conquer; **die Armut** poverty
15 **ab-zwingen a u** (*dat.*) force out
16 **verzehren** consume
17 **großartig** grand, magnificent; **Anstrengung** exertion, effort
20 **der Abfall** defection, rebellion, decay
24 ***Jean Jacques Rousseau*** (1712–1778) and ***Immanuel Kant*** (1724–1804) were both thinkers of the Enlightenment; Schiller was indebted to both of them for certain aspects of his thought.
25 **pathe'tisch** solemn, lofty
26 **die Bühne** stage; **die Anstalt** institution (One of Schiller's early essays is entitled *Die Schaubühne als eine moralische Anstalt betrachtet.* The stage regarded as a moral institution.)
27 **der Anwalt ⸚e** champion; **der Verschwörer** conspirator
28 ***Jean Paul Friedrich Richter*** (1763–1825), author of sentimental and satirical novels
29 **der Keim –e** germ, bud

Friedrich Schiller wurde am 10. November 1759, zehn Jahre nach Goethe, in Marbach in Schwaben als Sohn eines Feldschers und Chirurgen geboren. Der Herzog von Württemberg zwang seine Offiziere, ihre begabten Söhne zu seiner Militärakademie zu schicken, und so studierte der junge Schiller widerwillig in der Karlsschule Medizin. Achtzehnjährig schrieb er heimlich „Die Räuber", das wilde, chaotische Geniestück der Verschwörung einer Gruppe gegen die ganze Welt, Gott eingeschlossen. 1782 wurde es im Nationaltheater in Mannheim mit ungeheurem Erfolg aufgeführt. Als der Herzog ihm das Schreiben und die Reisen in das „Ausland" verbot, floh Schiller, sein zweites Stück im Gepäck—„Die Verschwörung des Fiesco zu Genua"—und warf sich in das Abenteuer ökonomischen und geistigen Kampfes, das nicht mehr aufhören sollte. In der Gastfreundschaft einer Gönnerin schrieb er „Kabale und Liebe". Eine Anstellung als Theaterdichter in Mannheim war kurz. Unbekannte Verehrer und Freunde, Körner und seine Frau, schenkten ihm in Leipzig und Dresden zwei sorglose Jahre. In Leipzig entstand „Das Lied an die Freude"; in einem Garten-

31 **Schwaben** Swabia, the present Württemberg; **der Feldscher** barber-surgeon
32 **der Chirurg –en** surgeon; **der Herzog ⸚e** duke (The Duke in question was Karl Eugen of Württemberg [1728–1793], a violent, licentious spendthrift.)
33 **begabt** gifted
34 **widerwillig** against his will
35 **Karlsschule** the academy established by the Duke; **heimlich** secretly
36 **Genie'** the term popularly used in the second half of the 18th century to characterize all that was unconventional, imaginative in literature
37 **eingeschlossen** included
38 **ungeheuer** enormous
40 **Ausland** i.e. outside of Württemberg
42 **das Abenteuer** adventure
44 **Gastfreundschaft** hospitable friendship; **die Gönnerin** patron (Henriette von Wolzogen, who lived in Bauerbach, Thüringen); **„Kaba'le und Liebe"** (1784) Intrigue and Love, a social drama of protest against petty tyranny
45 **Anstellung** position
46 **der Verehrer** admirer; ***Christian Gottfried Körner*** (1756–1831), father of the poet Theodor Körner
48 **Lied** the ode which Beethoven set to music and included in his 9th symphony

haus bei Dresden schrieb er im Blankvers „Don Carlos", eines der wenigen politischen Dramen der deutschen Literatur; es bedeutete Schillers Wendung zum Idealismus. 50

Um aus Enge und Not herauszukommen, fuhr er im Juli 1787 nach Weimar, dem einzigen Ort in Deutschland, wo ein Mann seines Ranges leben konnte; aber Goethe, den er dort treffen wollte und mußte, war noch in Italien. In Rudolstadt in Thüringen schrieb er die „Geschichte des Abfalls der vereinigten Niederlande" (1788) und lernte in Charlotte von Lengefeld seine Frau kennen. Die erste Begegnung mit Goethe war kühl, aber durch Goethe wurde er Professor in Jena. Ein norddeutscher Prinz, ein Bewunderer seiner Arbeit, machte ihm das Geschenk von eintausend Talern jährlich für drei Jahre, und zum erstenmal konnte er aufatmen. Von dem Verleger Cotta gebeten, übernahm er die Leitung der Zeitschrift „Die Horen", für die er die besten Geister Deutschlands gewann—und Goethe. Langsam näherten sie sich einander, und die großartigste aller geistigen Freundschaften entstand, deren unvergängliches Zeugnis der Briefwechsel zwischen Goethe und Schiller ist. 55 60 65

In Weimar schrieb Schiller die Trilogie des „Wallenstein" (1799), „Die Jungfrau von Orleans" (1801), „Maria Stuart" (1800) und übersetzte „Macbeth". Nach der „Braut von Messina" (1803), in der die antike Schicksalsidee eine deutsche Gestaltung erhielt, stand am Ende der durchhetzten Laufbahn „Wilhelm Tell", der 1804 in Weimar aufgeführt wurde. Aus der wilden Flamme jugendlicher Rebellion in den „Räubern" war 70

49 ***Don Carlos*** (1787), a historical tragedy dealing with the Spain of Philip II
52 **Enge** constriction
60 **Prinz** The benefactor was Prince Christian of Schleswig-Holstein-Augustenburg.
61 **Taler** an old coin worth 3 marks
62 **auf-atmen** breathe freely; **der Verleger** publisher; ***Cotta*** a famous German publishing house
63 **Leitung** direction
66 **unvergänglich** imperishable
67 **das Zeugnis –se** testimony
71 **antik'** classical; **das Schicksal –e** fate
72 **Gestaltung** form; **durchhetzt'** harassed; **die Laufbahn** career

das optimistische Feierstück einer Verschwörung geworden, die eine natürliche Ordnung gegen Unnatur verteidigt. 75

Am 9. Mai 1805 starb Schiller, ohne den „Demetrius" vollendet zu haben; er hinterließ ein Fragment von mächtiger Größe. Als er in Weimar begraben wurde, war Goethe krank, und er sah den Freund nicht mehr. Als alter Mann sagte Goethe von ihm: 80 „Er mochte sich stellen, wie er wollte, er konnte gar nichts machen, was nicht immer bei weitem größer herauskam als das Beste der Neueren; ja, wenn Schiller sich die Nägel beschnitt, war er größer als diese Herren." Er hatte seine stolze Seele gekannt, der nichts genug war. 85

[67] Hoffnung

Friedrich Schiller (1759–1805)

The following poem was written in 1797; it is a characteristic expression of Schiller's optimism. It has been set to music by various composers, including Schubert (twice).

Es reden und träumen die Menschen viel
  Von bessern künftigen Tagen,
Nach einem glücklichen goldenen Ziel
  Sieht man sie rennen und jagen:
Die Welt wird alt und wird wieder jung, 5
Doch der Mensch hofft immer Verbesserung.

75 **das Feierstück –e** play celebrating . . .
81 **mochte sich stellen** could behave
82 **bei weitem** by far
83 **die Neueren** moderns; **sich die Nägel beschneiden** pare one's nails
85 **der** for which

1 **es** See Appendix §3
2 **künftig** future

Die Hoffnung führt ihn ins Leben ein,
Sie umflattert den fröhlichen Knaben,
Den Jüngling locket ihr Zauberschein,
Sie wird mit dem Greis nicht begraben; 10
Denn beschließt er im Grabe den müden Lauf,
Noch am Grabe pflanzt er—die Hoffnung auf.

Es ist kein leerer schmeichelnder Wahn,
Erzeugt im Gehirne des Toren,
Im Herzen kündet es laut sich an: 15
Zu was Besserm sind wir geboren.
Und was die innere Stimme spricht,
Das täuscht die hoffende Seele nicht.

[68] Deutsche Erziehung

Heinz Fischer

Volksschule und Höhere Schule

Hans besuchte zwanglos den *Kindergarten* bis zum sechsten Lebensjahr. Dann kam für ihn und seine Zwillingsschwester Grete der erste Schultag. Mit einer großen Tüte voll Zuckerwerk im Arm erschienen sie in der *Volksschule,* die sie von jetzt an entweder acht oder vier Jahre lang besuchen werden. Denn 5

9 **locken** lure; **der Zauber** magic
10 **der Greis –e** old man
11 **beschließt** See Appendix §6
13 **der Wahn** delusion
14 **erzeugen** engender; **das Gehirn –e** brain; **der Tor –en** fool
15 **an-künden** announce
16 **was = etwas**
18 **täuschen** deceive

TITLE elementary and high school
1 **zwanglos** voluntarily
2 **der Zwilling –e** twin
3 **die Tüte** bag; **das Zuckerwerk** sweets

nachdem vier Jahre vergangen sind, müssen die Eltern eine wichtige Entscheidung treffen. Soll Hans ein Handwerk lernen, etwa Autoschlosserei, oder soll er z.B. Kaufmann werden? Dann kann er weiter die Volksschule besuchen. Wenn er aber einen Beruf ergreifen will, der das Studium an einer Universität voraus- 10 setzt (z.B. Rechtsanwalt, Arzt), dann hat für ihn nach vier Jahren die Abschiedsstunde von der Volksschule geschlagen. Um später die Universität besuchen zu können, muß er zu einem Gymnasium überwechseln.

Grete beendet ihre acht Jahre an der Volksschule, denn sie 15 möchte Friseuse werden. Wenn sie vierzehn ist, suchen ihre Eltern für sie eine Lehrstelle. Sie wird bei einem Meister des Friseurhandwerks angestellt. Sie erlernt gründlich ihren Beruf drei Jahre lang als Lehrling. Während dieser drei Jahre besucht sie einen Tag in der Woche die *Berufsschule*. Dort vertieft sie 20 ihr theoretisches und praktisches Wissen über ihr Handwerk. Nach drei Jahren legt Grete ihre Gesellenprüfung ab und ist dann eine richtige Friseuse. Nach weiteren sieben Jahren kann sie Meisterin werden und selbst Lehrlinge anlernen.

Für Hans ist es aber schon mit zehn Jahren die Frage, ob er 25 sich mehr für einen geisteswissenschaftlichen oder naturwissenschaftlichen Beruf interessiert. Danach richtet sich nämlich die Wahl des Gymnasiums. Es gibt drei Hauptarten: das *Humani-*

7 **eine Entscheidung treffen** make a decision
8 **etwa** such as; **der Schlosser** mechanic
9 **der Beruf –e** vocation, profession
10 **ergreifen iff iff** take up; **voraus′-setzen** presuppose
11 **der Rechtsanwalt ⸚e** lawyer
16 **die Friseuse′** hairdresser
17 **die Lehrstelle** apprenticeship
18 **an-stellen** place, hire
19 **der Lehrling –e** apprentice
20 **die Berufsschule** vocational school
22 **ab-legen** take; **Gesellenprüfung** journeyman's examination (an intermediate stage towards the goal of **Meister** under the guild system)
23 **richtig** real, full
24 **an-lernen** train
26 **Geisteswissenschaften** the humanities and social sciences; **Naturwissenschaften** natural sciences
27 **sich richten** depend

stische (oder Altsprachliche) *Gymnasium*, das *Neusprachliche Gymnasium* und das *Mathematisch-Naturwissenschaftliche* 30
Gymnasium. Der Lehrplan an diesen Schulen umfaßt dreiunddreißig Pflichtstunden in der Woche (nachmittags findet kein Unterricht statt). Wenn Hans einmal sein Gymnasium gewählt hat, bleibt ihm weiter nicht mehr viel zu wählen übrig. Der Stundenplan steht fest. Am Humanistischen Gymnasium lernt er 35
neun Jahre Latein und fünf Jahre Griechisch mit je sechs Wochenstunden im Durchschnitt; Deutsch neun Jahre und Mathematik acht Jahre mit durchschnittlich vier Wochenstunden. Fünf Jahre lernt er Englisch (drei bis vier Stunden in der Woche). Nebenher gehen Geschichte, Physik, Biologie, Chemie, 40
Geographie, Kunst und Leibeserziehung, Musik, und Religionslehre und in den höheren Klassen auch Sozialkunde. Zusätzlich kann Hans noch Sprachen wie Französisch oder Hebräisch wählen, aber auch Instrumentalmusik oder Kurzschrift—wenn er dazu Zeit findet. Denn für seine Pflichtstunden muß er noch 45
über zwanzig Stunden Hausarbeit machen.

Der Stundenplan des Naturwissenschaftlichen Gymnasiums umfaßt Chemie für fünf Jahre. Anstelle von Latein kann Französisch gewählt werden. Griechisch fällt weg. Die Wahlfächer umfassen, zusätzlich zu denen am Humanistischen Gymnasium 50
(außer Hebräisch), noch besondere naturwissenschaftliche und mathematische Übungen. Das Neusprachliche Gymnasium steht dem humanistischen nahe. Latein gibt es aber nur drei Jahre, und auf Griechisch wird verzichtet.

Mit Hans zusammen haben vierzig bis fünfzig Jungen und 55
Mädchen die Aufnahmeprüfung für ihr Gymnasium—sagen wir

31 **der Lehrplan ⸗e** curriculum, schedule
32 **die Pflichtstunde** compulsory class; **statt-finden** take place
35 **der Stundenplan ⸗e** schedule
36 **je** i.e. in each subject
37 **der Durchschnitt –e** average
40 **nebenher′** along with this
41 **die Leibeserziehung** physical education
42 **Die Sozial′kunde** social science; **zusätzlich** in addition
44 **die Kurzschrift** shorthand
49 **das Wahlfach ⸗er** elective subject
56 **Aufnahmeprüfung** entrance examination

das humanistische—bestanden. Sie bilden eine Klasse. Da die Anforderungen groß sind, bleiben jedes Jahr einige Schüler „sitzen". Das heißt, sie müssen das gleiche Schuljahr wiederholen. Es kann schon eine „Sechs" in einem Hauptfach (das sind besonders die sprachlichen bezw. naturwissenschaftlichen Fächer) zum „Durchfallen" genügen. Dadurch und durch freiwilligen Abgang von der Schule schmilzt Hans' Klasse mehr und mehr zusammen. Einige verlassen auch nach dem sechsten Gymnasialjahr die Schule mit der „Mittleren Reife", die für einige Berufe genügt. Eine Mittlere Reife hat auch der Realschüler, der eine *Realschule* vom zwölften zum sechzehnten Lebensjahr besucht. Der Übergang zu diesem neuen Schultyp erfolgt in der Regel nach sechs Volksschulklassen.

Hans behauptet sich in der Schule und rückt jährlich eine Klasse vor. Neun Klassen muß er bestanden haben, bevor er sein Abitur ablegt. Das Abitur ist eine Prüfung über alles, was Hans im Gymnasium gelernt hat. Nur wenn er sie besteht, wird er an einer Universität zugelassen. Sein Denken ist durch die Beschäftigung mit griechischer Grammatik und Infinitesimalrechnung geschärft worden. Er weiß zwischen unwesentlichen und wesentlichen Dingen zu unterscheiden. Er wertet die Schätze der Kultur und Bildung nicht weniger als die greifbaren materiellen Güter. Das wird von ihm im Abitur erwartet.

Zum Schulleben gehört auch die Tätigkeit, die wir in Amerika „extracurricular" nennen. Das gibt es im deutschen Schulwesen

57 **bestehen** pass
58 **Anforderung** demand, standard
59 **sitzen-bleiben** fail (and repeat)
60 **es** See Appendix §3; **Sechs** grades begin with 1 (= excellent). **das Hauptfach ⸚er** main subject
61 **bezw.** = **beziehungsweise** respectively, or
63 **der Abgang ⸚e** withdrawal; **schmelzen o o** melt
65 **die Reife** maturity, leaving examination
67 **die Realschule** a type of secondary school in which the so-called dead languages are not taught
70 **sich behaupten** hold one's own; **vor-rücken** move forward
72 **das Abitur'** leaving examination; **ab-legen** pass
74 **zu-lassen** admit
75 **Infinitesimal'rechnung** calculus
77 **wesentlich** essential
78 **Bildung** education; **greifbar** palpable, material

auch. In der höheren Schule wird organisierter Sport getrieben: Fuß-, Hand- und Korbball sind die häufigsten Spiele. Die Schule hat oft ihr eigenes Orchester, das Konzerte für Eltern und Interessierte veranstaltet. Im Rahmen des Elternbeirats werden 85 gesellschaftliche Veranstaltungen angeboten: Vorträge, Theateraufführungen, Konzerte. Für die Gesundheit der Kinder wird gesorgt: die Schule hat einen Arzt und eine Krankenschwester, die die Schüler regelmäßig betreuen. Aber unser „psychological counselling" durch berufliche Psychologen ist in Deutschland 90 noch nicht weit entwickelt. Diese Funktion des Beratens übernimmt gewöhnlich der Klassenlehrer. Im allgemeinen versucht man, wie in Amerika, Lehrer, Eltern und Schüler im Interesse einer besseren Erziehung zusammenzubringen.

Universität

Hans hat das Abitur bestanden und hat gezeigt, daß er zum 95 Studium an einer *Universität* reif ist. Welche soll er wählen? Es gibt in der Bundesrepublik Deutschland zwanzig Universitäten. Sie haben im Durchschnitt 10 000 Hörer. Die größte in München zählt 24 000 Hörer. Die älteste Universität ist die Heidelberger. Sie wurde 1386 gegründet. Andere berühmte Universitäten sind 100 die von Göttingen, Tübingen und München.

Hans möchte Anglistik und Germanistik studieren. Deshalb kommt für ihn nur die Universität in Frage. Das wäre anders, wenn er sich z.B. für Architektur entschieden hätte. Die Universität pflegt die reine Wissenschaft. Im Gegensatz dazu werden 105 praktische Fächer (aus dem Ingenieurwesen, der Wirtschaft und Kunst u.a.) an besonderen Hochschulen gelehrt. Bei den Naturwissenschaften ist eine saubere Trennung zwischen reiner und angewandter Wissenschaft, zwischen Theorie und Praxis natürlich nicht möglich. 110

Die Universität umfaßt die vier klassischen Fakultäten der Theologie, Jurisprudenz, Medizin und Philosophie. Physik gehört z.B. zur Philosophie. In neuer Zeit sind aber an vielen Univer-

107 **u.a. = unter anderem** among other things

sitäten naturwissenschaftliche und staatswissenschaftliche Fakultäten dazugekommen. 115

Die spezialisierten Hochschulen befassen sich nur mit einem Wissensgebiet wie Musik, Tiermedizin oder Braukunde. Die *Technische Hochschule* befaßt sich allerdings mit den meisten angewandten Naturwissenschaften und mit ihren theoretischen Voraussetzungen. Wegen ihres weiten Rahmens heißen diese 120 Technischen Hochschulen auch Technische Universitäten. Pädagogische Hochschulen bilden die Lehrer für die Volksschulen aus.

Der akademische Standard ist bei allen Universitäten gleich hoch. Das kommt daher, daß alle Universitäten staatlich sind, daß es nicht viele Universitäten gibt, und daß die Professoren an allen 125 Universitäten bewährte Wissenschaftler sind. Es wird an einer Universität nichts gelehrt, was Hans schon im Gymnasium hätte lernen können, wie Algebra oder elementare englische Grammatik. (Hans kann aber mit einer ungewöhnlichen Sprache wie Schwedisch oder Japanisch beginnen.) Wenn Hans jetzt die Universität 130 München wählt, dann tut er das nicht, weil sie besser als andere wäre, sondern wegen des Kulturlebens der Stadt und vielleicht, weil ihn ein bestimmter Professor besonders anzieht. Denn das Universitätsleben konzentriert sich mehr um den Professor als an angelsächsischen Universitäten. Für jeden Zweig der Wissen- 135 schaft beruft die Universität nur einen Professor. Er ist von einigen Außerordentlichen Professoren und Privatdozenten umgeben. Wer einmal zu der Würde eines Professors aufsteigen will, muß nach der Promotion zum Doktor seiner Fakultät eine weitere wissenschaftliche Arbeit vorlegen und sich damit habilitieren. 140 Dadurch wird er Privatdozent und hat das Recht, Vorlesungen zu halten. Wenn er sich bewährt, kann er einmal den ehrenvollen Ruf zum Professor erhalten. Allerdings sieht ein neues Hochschulgesetz vor, daß wissenschaftliche Veröffentlichungen die Habilitation ersetzen können. 145

Mit vielen Studenten, vielleicht einigen hundert—es gibt keine

117 **die Braukunde** brewing science
124 **daher′** from the fact
126 **bewährte Wissenschaftler** proven scholars
144 **Veröffentlichung** publication

begrenzten Klassen—geht nun Hans zum erstenmal in einen Hörsaal. Mit lautem Klopfen auf die Bänke begrüßen die Studenten den Professor. Er geht zum Katheder und beginnt zu lesen. Nie wird er eine Frage an einen Hörer stellen, nie wird ein Student eine Frage an ihn stellen. Die Vorlesung wird kritisch angehört. Zur Zustimmung klopfen die Studenten, zum Widerspruch scharren sie kräftig mit den Füßen. In diesem Jahr ist der Professor, den Hans jetzt hört, gleichzeitig „Rektor". Denn die Universität verwaltet sich selbst und wählt ihren Rektor jedes Jahr aus einer anderen Fakultät. (Es gibt also keinen ständigen „Präsidenten".) Von allen Professoren wird erwartet, daß sie nicht nur Vorlesungen halten, sondern auch selbständig weiterforschen. Es herrschen Lehr- und Lernfreiheit; das heißt, der Professor liest über ein Thema, das ihn interessiert (gewöhnlich ein Gebiet seiner eigenen Forschung—es gibt deshalb kaum Überblickskurse!), und der Student hört, wann und wo er will. Das wissenschaftliche Gespräch wird in den Seminaren geführt. Hans hat während seines Studiums ungefähr zwölf Seminare zu besuchen und Referate zu bearbeiten. Da auch diese Übungen oft stark belegt sind, lernen sich Professor und Student allerdings kaum kennen.

150 155 160 165

Akademische Freiheit

Ein Zwang, bestimmte Vorlesungen zu hören oder gar regelmäßig zu hören, besteht an deutschen Universitäten nicht. Jeder Student kann sich seinen Stundenplan zusammenstellen wie er will; niemand wird ihn offiziell beraten. Er hat nur die Pflicht, zwölf Wochenstunden zu belegen, aber nicht zu hören. Das Studienjahr ist in zwei Semester aufgeteilt: das Wintersemester dauert vier Monate, von Anfang November bis Ende Februar; das Sommersemester drei Monate, von Anfang Mai his Ende Juli. Hans hat also auch das Jahr über reichlich Ferien. Während der Vorlesungen gibt es für Hans keine „Hausaufgaben". Der Professor regt nur zum Studium an. Die Vorlesungen werden

170 175

156 **es** See Appendix §3
162 **der Überblickskurs –e** survey course

auch nicht am Ende des Semesters mit einer Prüfung abgeschlossen. 180

Hans hat also alle akademische Freiheit. Aber es wird von ihm erwartet, daß er von dieser Freiheit einen ernsten Gebrauch macht und sich gründlich in seine Fächer vertieft. Es gibt im allgemeinen keine Zwischenprüfungen; das erste Examen, das Hans nach dem Abitur ablegen wird, ist das Examen, das sein 185 Studium beendet. Eine Zwischenstufe wie „Bachelor" gibt es nicht.

Angesichts der Entwicklung der Wissenschaften in unserem Jahrhundert, angesichts der Überfüllung der Universitäten (obwohl nur 5% eines Geburtsjahres eine Universität oder andere wissenschaftliche Hochschule besuchen), und angesichts 190 der Spannung zwischen der alten akademischen Freiheit und neuen Anforderungen ist in Deutschland eine Hochschulreform im Gange.

Eine Reihe von neuen Universitäten wurde gegründet, wie Bochum, Regensburg und Konstanz. Unter diesen Gründungen 195 ist ein Universitätstyp hervorzuheben, die „Forschungsuniversität", die besonders begabten Studenten offensteht. Es besteht die Tendenz, an einer Forschungsuniversität die verschiedenen Wissenschaften auf einen Forschungsschwerpunkt hin zu koordinieren; z.B. „Lebensforschung" in Konstanz. 200

Die Universitäten sollen das Recht erhalten, Bummelstudenten vom Studium auszuschließen. Wenn ein Student nach dem neunten Semester (in der Regel) sein Studium noch nicht abgeschlossen hat, soll er automatisch exmatrikuliert werden. Der Student kann sein Studium um ein oder zwei Semester ver- 205 längern, wenn er gute Gründe bringt. Diese Regelung im neuen Hochschulgesetz wird aber von den Studenten und vielen Pro-

187 **angesichts** in view of
195 **Bochum** an industrial city in Westphalia; **Regensburg** an old imperial city on the Danube with a rich cultural heritage; **Konstanz** a beautiful old town on the Bodensee near the Swiss border
196 **Forschungsuniversität** university oriented toward research
199 **der Schwerpunkt –e** point of gravity, i.e. emphasis
201 **der Bummelstudent –en** loafing student, playboy
204 **exmatrikulieren** remove from the books, i.e. expel

fessoren heftig bekämpft, weil sie die akademische Freiheit verringert.

Prüfungen

Den Abschluß des Studiums bildet eine wochenlange Prüfung. 210
Es gibt staatliche und akademische Prüfungen. Die meisten Studenten beenden ihr Studium mit einem Staatsexamen. Wer besteht, gewinnt das Recht, seinen Beruf auszuüben (z.B. Ärzte, Rechtsanwälte) oder in den Staatsdienst einzutreten. Im Staatsdienst stehen höhere Beamtenstellen wie Richter oder Studienrat 215
offen. In allen Fällen liegen zwischen dem Staatsexamen und der selbständigen Berufsausübung einige Jahre.

Die praktischen Studien werden mit einem Diplom abgeschlossen. Es gibt Diplom-Ingenieure, -Dolmetscher, -Chemiker, -Forstwirte usw. 220

Ein kleinerer Teil der Studenten erwirbt den Doktorgrad, der nach den Fakultäten bezeichnet wird: Dr. jur., d.h. Doktor der Rechte; Dr. Phil., d.h. Doktor der Philosophie; Dr. rer. nat., d.h. Doktor der Naturwissenschaften; Dr. med., d.h. Doktor der Medizin, sind die Haupttitel. Technische Hochschulen haben das 225
Recht, den Dr. Ing., d.h. Doktor der Ingenieurwissenschaften, zu verleihen. Das Doktorat ist, besonders an den großen Universitäten, ein zeitraubendes Studienziel. Deshalb wurde neulich der Magistergrad wieder eingeführt, der vor dem Dr. phil. verliehen wird und der vielen Studenten genügt. 230

Studentenleben

Da die Individualität der Studenten geachtet, ja erwartet wird, haben sich die Universitäten nie mit dem Privatleben ihrer Hörer befaßt. Es gibt keine „dormitories“ und keinen „campus“. Die Studenten leben privat. Auch die Unterrichtsinstitute (Kliniken, Labors) sind über die Stadt verstreut. Es gibt aber ein Kern- 235

208 **verringern** curtail
215 **die Beamtenstelle** civil service position
235 **das Kerngebäude** main building

gebäude, in dem die meisten Vorlesungen stattfinden. Einige universitätseigene Wohnheime und Speiseräume (Mensen) sind erst in der letzten Zeit entstanden. Sie sollen die Wohnungsnot verringern und billiges Essen schaffen.

Nur ein kleiner Teil der Studenten gehört schlagenden oder nichtschlagenden Verbindungen an. Das sind Gruppen, die—unterstützt von den ehemaligen Corpsbrüdern—eine traditionelle Geselligkeit pflegen, oft in farbenreichen Kostümen. Der nüchterne und kritische Student (oft ist er Werkstudent), der seinen eigenen Weg zu finden sucht, bestimmt heute das Leben an einer deutschen Universität. 240 245

Schulaufbau im Bundesgebiet (ohne Hamburg, Bremen und West-Berlin)

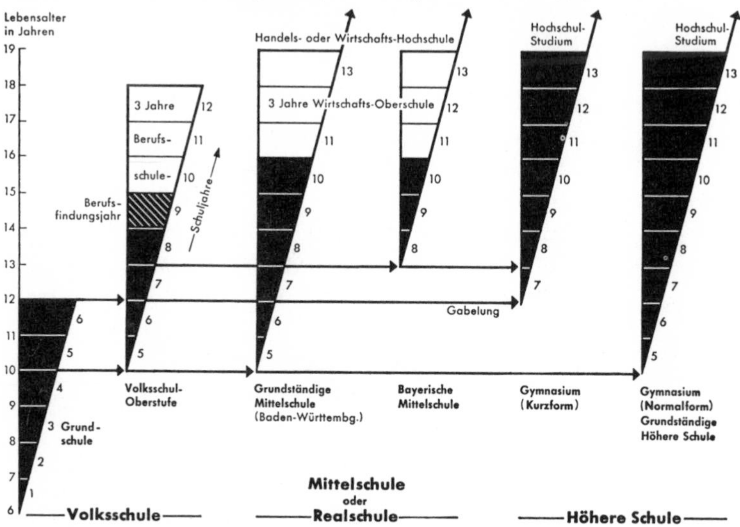

237 **universitätseigen** university owned; **Mensen** plural of *mensa* (Latin) table, i.e. dining room
240 **schlagend** duelling
241 **Verbindung** fraternity (the best known type is the **Corps**)
243 **Geselligkeit** sociability; **nüchtern** sober, prosaic

Notes for diagram: **die Berufsschule** vocational school; **die Handelsschule** trade school; **grundständig** beginning with the lowest class in the secondary school (**Oberschule**); **das Berufsfindungsjahr** year devoted to determining the pupil's future vocation; **die Gabelung** branching off

[69] Unverhofftes Wiedersehen

Johann Peter Hebel

This "true story" was first brought to public attention in 1808. Hebel recognized the deep human significance of the material. Among subsequent treatments of the motif are E. T. A. Hoffmann's novella and Hugo von Hofmannsthal's play, both bearing the title Das Bergwerk zu Falun.

In Falun in Schweden küßte vor guten fünfzig Jahren und mehr ein junger Bergmann seine junge hübsche Braut und sagte zu ihr: „Auf Sankt Luciä wird unsere Liebe von des Priesters Hand gesegnet. Dann sind wir Mann und Weib und bauen uns ein eigenes Nestlein." „Und Friede und Liebe soll darin wohnen", 5
sagte die schöne Frau mit holdem Lächeln, „denn du bist mein einziges und alles, und ohne dich möchte ich lieber im Grab sein als an einem andern Ort."

Als sie aber vor Sankt Luciä der Pfarrer zum zweitenmal in der Kirche ausgerufen hatte: „Wenn nun jemand Hindernis 10
anzuzeigen wüßte, warum diese Personen nicht ehelich zusammenkommen möchten", da meldete sich der Tod. Am folgenden Morgen ging der Bergmann in seiner schwarzen Bergmannskleidung an ihrem Haus vorbei (der Bergmann hat sein Totenkleid immer an). Er klopfte an ihrem Fenster und sagte ihr guten 15
Morgen aber keinen guten Abend mehr. Er kam nie aus dem Bergwerk zurück und sie säumte vergebens am selben Morgen ein schwarzes Halstuch mit rotem Rand für ihn zum Hochzeitstag. Als er aber nicht kam, legte sie es weg und weinte um ihn und vergaß ihn nie. 20

TITLE **unverhofft** unexpected; **das Bergwerk –e** mine
2 **der Bergmann –leute** miner; **die Braut ¨–e** betrothed, bride
3 **Sankt Luciä** December 13
4 **segnen** bless
9 **sie** object of **ausgerufen,** i.e. read the bans
11 **an-zeigen** report; **wüßte** is able; **ehelich** in marriage
12 **möchten** might, should; **sich melden** report
17 **säumen** hem; **vergebens** in vain
18 **das Halstuch ¨–er** kerchief; **der Rand ¨–er** border

Unterdessen wurde die Stadt Lissabon in Portugal durch ein Erdbeben zerstört, und der Siebenjährige Krieg ging vorüber, und Kaiser Franz der Erste starb, und der Jesuitenorden wurde aufgehoben und Polen geteilt, und die Kaiserin Maria Theresia starb, und der Struensee wurde hingerichtet, Amerika wurde 25 frei, und die vereinigte französische und spanische Macht konnte Gibraltar nicht erobern. Die Türken schlossen den General Stein in der Veteraner Höhle in Ungarn ein, und der Kaiser Joseph starb auch. Der König Gustav von Schweden eroberte Russisch-Finnland, und die französische Revolution und der 30 lange Krieg fing an, und der Kaiser Leopold der Zweite ging auch ins Grab. Napoleon eroberte Preußen, und die Engländer bombardierten Kopenhagen, und die Ackerleute säeten und schnitten. Der Müller mahlte und die Schmiede hämmerten, und die Bergleute gruben nach den Metalladern in ihrer 35 unterirdischen Werkstatt.

Als aber die Bergleute in Falun im Jahre 1809 zwischen zwei Schachten eine Öffnung durchgraben wollten, gute dreihundert Ellen tief unter dem Boden, gruben sie aus dem Schutt und Vitriolwasser die Leiche eines Jünglings heraus, der ganz mit 40

21 **Lissabon** allusion to the famous earthquake (= **Erdbeben**) of 1755
22 The Seven Years' War lasted from 1756 to 1763.
23 ***Franz I*** (1708–1765); The Jesuit Order was suppressed (= **aufgehoben**) by Pope Clement XIV in 1773.
24 The first partition of Poland occurred in 1772. The Empress Maria Theresia died in 1780.
25 Count Struensee, Danish statesman, was overthrown and executed (= **hingerichtet**) in 1772.
27 **erobern** conquer; Gibraltar was besieged from 1779 to 1782. **Türken** an episode in the Turkish War of 1787–1792
28 **Joseph II,** son of Maria Theresia, died in 1790.
29 ***Gustav III*** conquered Finland in a war against Russia (1788–1790).
30 The French Revolution began in 1789. The long war is, of course, the series of revolutionary and Napoleonic wars that lasted till 1815. The Emperor Leopold II, brother of Joseph II, died in 1792. Napoleon conquered Prussia in 1806. The English bombarded Copenhagen in 1807.
33 **der Ackermann –leute** farmer; **säen** sow
34 **schneiden** harvest; **mahlen** grind
38 **die Schacht** shaft
39 An ell is an old cloth measure, varying from 27 to 45 inches. **der Schutt** rubble
40 **die Leiche** corpse

Eisenvitriol durchdrungen, sonst aber unverwest und unverändert war, so daß man seine Gesichtszüge und sein Alter noch völlig erkennen konnte, als wenn er erst vor einer Stunde gestorben und an der Arbeit ein wenig eingeschlafen wäre.

Kein Mensch wollte den schlafenden Jüngling kennen oder etwas von seinem Unglück wissen; Vater und Mutter, Freunde und Bekannte waren schon lange tot. Bis die ehemalige Verlobte des Bergmanns kam, der eines Tages auf die Schicht gegangen und nie zurückgekehrt war. Grau und zusammengeschrumpft kam sie an einer Krücke an den Platz und erkannte ihren Bräutigam. Mehr mit freudigem Entzücken als mit Schmerz sank sie auf die geliebte Leiche nieder. Erst als sie sich von einer langen heftigen Bewegung des Gemüts erholt hatte, sagte sie endlich: „Es ist mein Verlobter, um den ich fünfzig Jahre lang getrauert habe und den mich Gott noch einmal vor meinem Ende sehen läßt. Acht Tage vor der Hochzeit ist er unter die Erde gegangen und nie heraufgekommen."

Da wurden die Gemüter der Umstehenden von Wehmut und Tränen ergriffen, als sie die ehemalige Braut in der Gestalt des hingewelkten kraftlosen Alters sahen und den Bräutigam noch in seiner jugendlichen Schönheit, und wie in ihrer Brust nach fünfzig Jahren die Flamme der endlichen Liebe noch einmal erwachte. Aber er öffnete den Mund nicht zum Lächeln oder die Augen zum Wiedererkennen.

Endlich ließ sie ihn in ihr Stüblein tragen, als die einzige, die ihm angehöre und ein Recht an ihn habe, bis sein Grab auf

41 **Eisenvitriol** iron vitriol (ferric sulphate); **durchdringen a u** saturate; **verwest** decomposed
42 **der Gesichtszug ⸗e** feature
45 **wollte** claimed, pretended
47 **ehemalig** former; **die Verlobte** fiancée
48 **die Schicht** [work] shift
49 **schrumpfen** shrivel
50 **die Krücke** crutch; **der Bräutigam –e** bridegroom
51 **das Entzücken** rapture, delight
53 **das Gemüt –er** mind, soul, spirit
58 **die Wehmut** sadness
60 **hingewelkt** withered
65 **ließ tragen** See Appendix §4; **Stüblein** little parlor

dem Kirchhof gerüstet sei. Am folgenden Tag, als sein Grab auf dem Kirchhof gerüstet war und ihn die Bergleute holten, schloß sie ein Kästlein auf, legte ihm das schwarzseidene Halstuch mit roten Streifen um und begleitete ihn in ihrem Sonntagskleid, als wenn es ihr Hochzeitstag und nicht der Tag seiner Beerdigung wäre. Denn als man ihn auf dem Kirchhof ins Grab legte, sagte sie: „Schlafe nun wohl, noch einen Tag oder zehn im kühlen Hochzeitsbett, und laß dir die Zeit nicht lang werden. Ich habe nur noch ein wenig zu tun und komme bald, und bald wird's wieder Tag. Was die Erde einmal wiedergegeben hat, wird sie zum zweitenmal auch nicht behalten", sagte sie, als sie fortging und noch einmal umschaute.

[70] Humor

Wilhelm Busch

Much German humor is "Galgenhumor," the humor shown by the man who goes to the gallows and can still see the humorous side of life. The following poem is the distilled essence of this conception of humor. On Wilhelm Busch see § 61.

Es sitzt ein Vogel auf dem Leim,
Er flattert sehr und kann nicht heim.
Ein schwarzer Kater schleicht herzu,
Die Krallen scharf, die Augen gluh.
Am Baum hinauf und immer höher (5)
Kommt er dem armen Vogel näher.

67 **rüsten** prepare
69 **Kästlein** little box
71 **Beerdigung** burial
74 **laß . . . werden** don't be bored

1 **es** See Appendix §3; **der Leim** bird lime (glue spread on branches to catch birds)
3 **der Kater** tomcat; **herzu′** hither
4 **die Kralle** claw; **gluh** glowing

Der Vogel denkt: Weil das so ist
Und weil mich doch der Kater frißt,
So will ich keine Zeit verlieren,
Will noch ein wenig quinquillieren 10
Und lustig pfeifen wie zuvor.

Der Vogel, scheint mir, hat Humor.

[71] **Aphorismen III**

1. „Es ist schade, daß es keine Sünde ist, Wasser zu trinken", rief ein Italiener, „wie gut würde es schmecken!" (Lichtenberg)

2. Es ist möglich, jemandem die Backen so zu streicheln, daß es einem dritten scheint, als hätte man ihm eine Ohrfeige 5 gegeben. (Lichtenberg)

3. Wir fressen einander nicht, wir schlachten uns bloß. (Lichtenberg)

4. Wer in sich selbst verliebt ist, hat wenigstens bei seiner Liebe den Vorteil, daß er nicht viele Nebenbuhler erhalten 10 wird. (Lichtenberg)

5. Wenn dem Menschen nicht immer etwas teurer ist als das Leben, dann ist das Leben nicht viel wert. (Seume)

6. Wer keine Ungerechtigkeit ertragen kann, darf nicht zum Fenster hinaussehen und muß die Stubentür schließen. Vielleicht 15 tut er auch gut daran, wenn er den Spiegel wegnimmt. (Seume)

8 **doch** anyway (See Appendix §7)
10 **quinquillie'ren** warble
12 **der** (*dem.*) that

1 **schade** a pity; **die Sünde** sin
4 **jemandem** See Appendix §2; **die Backe** = **Wange,** cheek; **streicheln** stroke
5 **als** = **als ob; die Ohrfeige** box on the ear
7 **fressen a e** devour
10 **der Vorteil –e** advantage; **der Nebenbuhler** rival
14 **ungerecht** unjust; **ertragen** endure
16 **daran'** omit in translation

7. Herrschen ist Unsinn, aber Regieren ist Weisheit. Man herrscht also, weil man nicht regieren kann. (Seume)

8. Den Ruhm soll der Weise verachten, aber nicht die Ehre. Nur selten ist Ehre, wo Ruhm ist, und fast noch seltener Ruhm, wo Ehre ist. (Seume) 20

9. Faulheit ist Dummheit des Körpers, und Dummheit Faulheit des Geistes. (Seume)

10. Ein langes Glück verliert schon bloß durch die Dauer. (Lichtenberg) 25

11. Sie sprechen für ihre Religion mit einer Hitze, als wenn sie unrecht hätten. (Lichtenberg)

12. Es ist eine alte Regel: ein Unverschämter kann bescheiden aussehen, wenn er will, aber kein Bescheidener unverschämt. (Lichtenberg) 30

13. Wenn ein Buch und ein Kopf zusammenstoßen und es klingt hohl, ist das allemal im Buch? (Lichtenberg)

14. Es gibt wenig aufrichtige Freunde—die Nachfrage ist auch gering. (Marie von Ebner-Eschenbach)

15. Was du zu müssen glaubst, ist was du willst. (Marie von Ebner-Eschenbach) 35

16. „Das habe ich getan", sagt mein Gedächtnis. „Das kann ich nicht getan haben", sagt mein Stolz und bleibt unerbittlich. Endlich—gibt das Gedächtnis nach. (Nietzsche)

17. Ich habe dir und mir vergeben und vergessen; 40
Weh! Du hast dich und mich vergessen und vergeben.
(Nietzsche)

18. Liebe und Freundschaft der meisten Menschen ist ein Füllen ihrer eigenen Leere mit fremdem Inhalt. (Hebbel)

19 **der Ruhm** fame
28 **unverschämt** shameless, insolent; **bescheiden** modest
31 **zusam'men-stoßen ie o** collide
32 **hohl** hollow; **allemal = immer**
33 **aufrichtig** sincere; **die Nachfrage** demand
35 **zu müssen** i.e. that you must do
37 **das Gedächtnis -se** memory
38 **unerbittlich** inexorable
39 **nach-geben** yield
40 **vergeben** forgive, give away

[72] **Lessing**

Walter Bauer

Gotthold Ephraim Lessing wurde am 22. Januar 1729 in Sachsen geboren. Er kam aus einer Familie von Juristen und Theologen; sie gab ihm Schärfe des Verstandes, Freude an geistigem Kampf und Hunger nach der Wahrheit.

Der Zwölfjährige riß in der berühmten Fürstenschule von Meißen alles Wissen mit unersättlicher Begierde an sich. Der Siebzehnjährige ging zur Universität Leipzig und in Freundschaften mit Schauspielern öffneten sich ihm das volle Leben und die Welt des Theaters. Hier schrieb er sein erstes Stück, „Der junge Gelehrte" (1748).

Als freier Schriftsteller ging er nach Berlin, lernte Voltaire kennen und lernte durch ihn mit Kraft und Witz schreiben. Seine Feder wurde zur Waffe, mit der er ein Leben lang gegen Mittelmäßigkeit in der Literatur und gegen Orthodoxie in der Theologie kämpfte. Seine Feder besaß die Schärfe eines Floretts, die Kraft des Blitzes, die Frische des Morgenlichtes. Er schrieb die beste kritische Prosa der Deutschen. Es war die Tragik seines Lebens, daß seine Gegner diesem klarsten und edelsten Schriftsteller der deutschen Literatur nicht gewachsen waren. Er mußte den Kampf für die Reinigung der Literatur und für die Grundlagen eines neuen deutschen Theaters allein führen.

Durch die kritische Arbeit seiner „Briefe, die neueste Literatur betreffend" (1759) zerstörte er das Wertlose und verteidigte das Wertvolle. In dem berühmten 17. Briefe erhob er Shake-

3 **die Schärfe** sharpness
6 **Meißen** the famous "porcelain" city near Leipzig; **unersättlich** insatiable; **die Begierde** eagerness
11 **frei** i.e. freelance; **der Schriftsteller** writer: ***Voltaire*** the eighteenth-century French writer, who spent several years in Potsdam as a guest of Frederick the Great
13 **die Waffe** weapon; **mittelmäßig** mediocre
15 **das Florett' –e** foil
19 **gewachsen** a match
20 **die Grundlage** basis
23 **betreffend** concerning; **verteidigen** defend

speare zum Vorbild für ein lebendiges deutsches Theater gegen die Herrschaft der französischen Tragödie. Der Theoretiker wurde zum Dramatiker und schrieb in „Miß Sara Sampson" (1755) das erste bürgerliche Schauspiel Deutschlands.

Lessing war ein Gelehrter, der das Leben liebte, und als Sekretär eines preußischen Generals im Siebenjährigen Kriege atmete er das Leben in vollen Zügen. Die Frucht dieser Zeit war „Minna von Barnhelm" (1763), das schönste deutsche Lustspiel, witzig, lebendig, menschlich.

Um endlich festen Boden zu finden, bewarb er sich um die Stelle des Leiters der Königlichen Bibliothek in Berlin, aber Friedrich der Große wählte nicht den besten Schriftsteller, den Deutschland besaß, sondern einen unbekannten Franzosen. Der König las auch nicht die kunstkritische Schrift „Laokoon" (1765), die Lessing geschrieben hatte, um die Stelle zu bekommen; in ihr versuchte er das Schöne und seine Grenzen zu definieren.

Lessing ging dann als Dramaturg zum Nationaltheater in Hamburg. In der „Hamburgischen Dramaturgie" (1767–69) gab er die Grundlagen des deutschen Theaters—für Shakespeare und gegen die Franzosen. Das Theater brach nach zwei Jahren zusammen.

1770 fand der „Vogel auf dem Dach" ein armseliges Nest. Lessing wurde Bibliothekar des Erbprinzen von Braunschweig in Wolfenbüttel, einer kleinen Stadt in der Provinz. Zwei Jahre später erschien „Emilia Galotti" als ein Beispiel für die Tragödie klassischer Form.

25 **das Vorbild –er** model
28 **bürgerlich** i.e. dealing with middle class life rather than with life in high circles
29 **der Gelehrte –n** scholar
30 Lessing was secretary to General Tauentzien during the Seven Years' War (1756–1763).
31 **der Zug ¨–e** draught
33 **das Lustspiel –e** comedy
34 **sich bewerben a o** apply
36 Frederick the Great was a pronounced Francophile.
42 **Dramaturg′** dramatic producer, i.e. who chooses and adapts plays to be performed
47 **armselig** poor, wretched
48 **der Erbprinz –en** hereditary prince

Lessing, der das Lebendige liebte, mußte den Buchstaben hassen. Der literarische Kritiker wurde zum theologischen Kritiker, und in den Flugschriften des „Anti-Goeze" griff er die religiöse Intoleranz an, die die Wahrheit auf den Buchstaben 55 der Bibel gründete. 1778 machte ihn der Erbprinz durch einen Zensurbefehl stumm.

In diesen Jahren erfuhr Lessing für kurze Zeit menschliches Glück und verlor es. Er heiratete Eva König, die Witwe eines Freundes, besaß für vierundzwanzig Stunden einen Sohn, und 60 dem toten Kinde folgte die geliebte Frau. Er war allein am großen Eichentisch seines Arbeitszimmers und ein alternder Mann.

1779 machte Lessing die Bühne zum Lehrstuhl, und in dem dramatischen Gedicht „Nathan der Weise" sprach er seine 65 Botschaft von Humanität und Toleranz aus. Dieses Stück ist der „helle Wahrheitstag", für den Lessing immer gekämpft hatte. Es ist das große Beispiel für das Tendenzstück, das reine Dichtung wird. Goethe rühmte es als ein Meisterstück. Herder schrieb in einem Briefe an Lessing: „Ich sage Ihnen kein Wort Lob über 70 das Stück; das Werk lobt den Meister, und dies ist Manneswerk."

Er starb am 15. Februar 1781. Er war der männlichste Schriftsteller der deutschen Literatur, ein Kämpfer des Geistes für Wahrheit, Humanität, Toleranz. Verbitterung und langer, 75 mühsamer Kampf machten seine Menschlichkeit nur reifer und menschlicher. Vieles von seinen kritischen Schriften war an die Zeit gebunden, in der er lebte, und so ist es vergänglich. Anmut und Heiterkeit der „Minna von Barnhelm" und die Botschaft

52 **der Buchstabe –n** letter
54 **die Flugschrift** pamphlet; Goeze was a Lutheran clergyman in Hamburg.
57 **der Zensur'befehl –e** censorship order
59 **die Witwe** widow
62 **die Eiche** oak
64 **der Lehrstuhl** i.e. instrument of teaching
66 **Botschaft** message; **Humanität'** the ideal of liberal culture that characterized the age in which Lessing, Herder, Goethe, Schiller lived
68 **das Tendenz'stück –e** didactic play
76 **mühsam** laborious
78 **vergänglich** transitory; **Anmut . . .** grace and serenity

von „Nathan dem Weisen" sind unvergänglich. Er war als Mann so groß und aufrichtig wie als Schriftsteller und gab das seltene Beispiel eines unabhängigen, tapferen Lebens. 80

[73] Sommerbild

Friedrich Hebbel (1813–1863)

Hebbel was one of the outstanding German dramatists of the nineteenth century. His output of lyric poetry was small but distinguished in content and form. This poem deals with a theme which Hebbel treated in his tragedy Agnes Bernauer, *the metaphysical relation between beauty and death. The "idea" of the poem is contained in line 4; but this central idea does not exhaust the overtones of suggestion that the poem contains: beauty as tragic guilt; the process of nature relentlessly carried forward unintentionally and even unwillingly; the destruction of one member of nature's family by another.*

The last two lines might be paraphrased: Doch, obgleich der Flügelschlag des Schmetterlings kaum die Luft bewegte, die Rose empfand es und verging.

Ich sah des Sommers letzte Rose stehn,
Sie war, als ob sie bluten könne, rot;
Da sprach ich schauernd im Vorübergehn:
„So weit im Leben—ist zu nah am Tod!"

Es regte sich kein Hauch am heißen Tag, 5
Nur leise strich ein weißer Schmetterling;
Doch ob auch kaum die Luft sein Flügelschlag
Bewegte, sie empfand es und verging.

82 **tapfer** courageous

3 **schauernd** with a shudder
5 **regen** stir
6 **streichen i i** flit past; **der Schmetterling –e** butterfly
7 **ob auch** even though; **Luft** object of **bewegte**
8 **empfinden a u** feel; **vergehen** pass away

[74] Deutsche Nachschlagewerke

Die Deutschen sind bekanntlich hervorragende Organisatoren und Systematiker bis zur Pedanterie. Dieser Trieb zum Systematischen kommt besonders in dem deutschen Nachschlagewerk zur Geltung. Deutsche Nachschlagewerke sind Muster ihrer Art. Wo gibt es z.B. ein zweites Wörterbuch gleich dem „Sprachbrockhaus?" „Acht Wörterbücher in einem Band" preist der Verleger an. Das ist keine leere Prahlerei; denn was findet man *nicht* darin? Erstens eine Masse Stichwörter aus der Schrift- und Umgangssprache, aus den Berufs- und Sondersprachen, Neubildungen der letzten Jahre, und eine Auswahl von Wörtern aus den verschiedenen Mundarten. Bei jedem Wort sind die Herkunft des Wortes und die nötigen grammatikalischen Auskünfte angegeben: Rechtschreibung, Aussprache (wo dies notwendig ist), Betonung; Geschlecht und Deklination der Substantive; Abwandlung der Verben; unregelmäßige Steigerung der Adjektive; abhängiger Fall bei Verben und Adjektiven (z.B. ich erinnere ihn daran; München ist stolz auf seine Kunst).

Außerdem bringt dieses wunderbare Wörterbuch über sechshundert Bilder. Sie möchten wissen, wie die verschiedenen Teile eines Hauses heißen? Dann schlagen Sie den „Sprach-

TITLE **das Nachschlagewerk –e** reference work
1 **bekanntlich** as is known; **hervor'ragend** outstanding
4 **zur Geltung kommen** be realized; **das Muster** sample, model
6 **an-preisen ie ie** commend, advertise
7 **der Verleger** publisher; **Prahlerei'** bragging
8 **das Stichwort ⸚er** cue, keyword; **die Schriftsprache** written or literary language
9 **Umgangssprache** everyday language; **Berufssprache** technical language; **Sondersprache** special language
10 **Neubildung** neologism; **die Auswahl** selection
11 **die Mundart** dialect
12 **die Herkunft** origin
13 **die Auskunft ⸚e** information; **Rechtschreibung** correct spelling; **die Aussprache** pronunciation
14 **Betonung** accent; **das Geschlecht –er** gender
15 **Abwandlung** vowel change
15 **unregelmäßige . . .** irregular comparison
16 **abhängig** dependent
20 **auf-schlagen** open

brockhaus" bei dem Bild H12 auf. Hier sehen wir sowohl das Äußere als auch das Innere eines typischen Hauses; jedes Teilchen davon, vom Blitzableiter oben auf dem Dach bis zum Kratzeisen unten an der Haustür, ist genau benannt. Was für Lokomotiven gibt es und wie heißen deren Hauptteile? Bild L20 sagt es uns. Wie verbindet man zwei Stücke Holz miteinander? Bild H28 zeigt es höchst anschaulich. Eine Schreibmaschine? Tischlerwerkzeuge? Männer- oder Damenkleidung? Klavier oder Kloster? Klotz oder Knoten? Schüssel oder Schützengraben? Alles ist da in Bildern. 25 30

Aber nicht nur konkrete Gegenstände werden so anschaulich dargestellt. Wenn Sie wissen möchten, wie man in Deutschland grüßt, so schlagen Sie den „Sprachbrockhaus" bei G39 auf. Sie möchten etwas über Kunststil wissen? Bild S78 stellt die verschiedenen Stile in der Baukunst, der Bildhauerei, der Ornamentik und den Möbeln dar. Die Elemente der musikalischen Bezeichnung stehen im Bild N9; Bild V5 (eigentlich kein Bild, sondern eine Übersichtstabelle) enthält eine ganz vollständige Verslehre, ein Muster gedrängter Klarheit. Nicht weniger als 28 solcher Übersichtstabellen befassen sich mit der deutschen Sprache. Andere behandeln die Bibel, Staatsformen, verschiedene Wissenschaften, und sogar Rätsel und Spiele werden in Bildern anschaulich geschildert. Wie unterscheidet man zwischen den verschiedenen Zusammensetzungen von „stecken": abstecken, anstecken, einstecken, feststecken? Das wird nicht nur 35 40 45

23 **der Blitzableiter** lightning conductor
24 **das Kratzeisen** scraper
27 **höchst . . .** most graphically; **die Schreibmaschine** typewriter
28 **das Tischlerwerkzeug –e** carpenter's tool
29 **das Kloster ⸗** monastery or convent; **der Klotz ⸗e** block of wood; **der Knoten** knot
30 **der Schützengraben ⸗** trench
31 **der Gegenstand ⸗e** object
35 **Baukunst . . .** architecture, sculpture
37 **Bezeichnung** notation
38 **die Übersichtstabel'le** survey table
39 **die Verslehre** metrics; **gedrängt** compressed
42 **das Rätsel** riddle
43 **schildern** describe
44 **Zusammensetzung** compound

schriftlich erklärt, sondern auch in einer Reihe von Bildern gezeigt (S69). Und da ich schon bei diesem Bilde bin, kann ich nicht umhin auch zu lernen, was eine Stecknadel ist und ein Steckenpferd und ein Stecker. Und dabei erfahre ich auch, daß „the bridge" einer Geige auf deutsch ein „Steg" heißt. Mein Auge wird dann sogleich durch Bild S70 angezogen und da sehe ich die verschiedenen Zusammensetzungen des Verbs steigen: absteigen, aufsteigen, aussteigen, einsteigen.—Was sind die verschiedenen Stellungen? Bild S72 belehrt uns darüber; die Eigenschaften? Bild E3 stellt sie konkret dar.

Der „Sprachbrockhaus" ist das Kind einer zahlreichen, berühmten Familie von Nachschlagewerken. Darunter steht an erster Stelle der „Große Brockhaus", ein Konversationslexikon in zwölf Bänden, ein Werk, das unserer „Encyclopedia Britannica" entspricht. Dieser Vater hat einen Sohn in zwei Bänden, der „Kleine Brockhaus" genannt, und einen Enkel in einem Band, den „Volksbrockhaus". Vor einigen Jahren ist ein neuer Onkel erschienen, der sich der „Neue Brockhaus" nennt, ein „Allbuch" in fünf Bänden und einem Atlasband. Und gerade in diesem Jahre (1966) wird der zwölfbändige „Große Brockhaus" durch eine neue Ausgabe in 20 Bänden ersetzt, die unter dem Titel „Brockhaus Enzyklopädie" erscheinen soll. Diese neue Ausgabe soll der ungeheuren Erweiterung des Wissens im 20. Jahrhundert gerecht werden.

47 **ich kann nicht umhin** I can't help
48 **Stecknadel . . .** pin, hobby horse, electric plug
50 **die Geige** violin
51 **an-ziehen** attract
55 **Eigenschaft** quality, attribute
56 **zahlreich** numerous
58 **das Konversations'lexikon –ka** encyclopedia
60 **entsprechen** correspond
64 **das Allbuch** omnibus volume; **gerade** just, very
65 **zwölfbändig** 12 volume
68 **ungeheuer** enormous; **Erweiterung** expansion
69 **gerecht werden** do justice

[75] Schwalbensiziliane

Detlev von Liliencron

The theme of this poem is the four stages of life: infancy, youth, manhood, death. The refrain suggests the cyclical, repetitive nature of man's existence. The poem recalls Jacques' speech in As You Like It: *All the world's a stage . . .* A Siziliane *is a verse form that originated in Italy. Liliencron called this poem* Schwalbensiziliane *because the swallow recurs in the refrain. There is one set of rhymes—ab.*

Zwei Mutterarme, die das Kindchen wiegen,
Es jagt die Schwalbe weglang auf und nieder.
Maitage, trautes Aneinanderschmiegen,
Es jagt die Schwalbe weglang auf und nieder.
Des Mannes Kampf: Sieg oder Unterliegen, 5
Es jagt die Schwalbe weglang auf und nieder.
Ein Sarg, auf den drei Handvoll Erde fliegen,
Es jagt die Schwalbe weglang auf und nieder.

[76] Das deutsche Volkslied

1

Das deutsche Volkslied spielt eine größere Rolle im deutschen Kulturleben als es bei anderen Völkern der Fall ist. Es lohnt sich daher, sein Wesen und seine Geschichte zu untersuchen.
Wir wissen aus dem bitteren Kampf der mittelalterlichen Kirche gegen das Volkslied, daß es vom Volk stark gepflegt 5

1 **wiegen** cradle, rock
2 **es** See Appendix §3; **weglang** along the way
3 **traut** intimate, cosy; **aneinan'der-schmiegen** cuddle up against each other
5 **der Sieg –e** victory; **das Unterliegen** defeat
7 **der Sarg ⁻̈e** coffin

2 **sich lohnen** pay
5 **pflegen** cultivate

wurde, obwohl fast keine Volkslieder aus dieser Zeit uns erhalten sind. Im 15. Jahrhundert erscheint das erste Volksliederbuch. Aber erst im späteren 18. Jahrhundert erwacht in ganz Europa ein starkes Interesse am Volkslied, als Ausdruck des neuen romantischen Empfindens. 1765 erschien in England eine Sammlung altenglischer und schottischer Lieder und Balladen, vom Bischof Thomas Percy herausgegeben. Unter den jungen Enthusiasten, auf die Percys Sammlung gewirkt hatte, war Johann Gottfried Herder, von dem das Wort „Volkslied" geprägt wurde. Herder wurde ein eifriger Sammler von Liedern aller Völker und gab in den Jahren 1777–1779 die berühmte Anthologie „Stimmen der Völker" heraus. Sein Enthusiasmus ging auf die jüngeren Geister der Zeit über; Matthias Claudius, Ludwig Hölty, Gottfried August Bürger, der junge Goethe haben Volkslieder gedichtet. Seitdem ist das Interesse am Volkslied nie erloschen. Die Romantik sammelte und dichtete Volkslieder. Brentano, Eichendorff, Wilhelm Müller, Heine, Uhland, Mörike dichteten im Geiste des Volksliedes. Die berühmten Sammlungen sind „Des Knaben Wunderhorn" von Arnim und Brentano (1806–1808) und „Alte hoch- und niederdeutsche Volkslieder" von Ludwig Uhland (1844–1845).

Das spätere 19. Jahrhundert, das dem Geiste der Romantik feindlich gesinnt war und nur in der Gegenwart und Zukunft leben wollte, vernachlässigte das Volkslied. Statt dessen dichtete

6 **erhalten** preserve
10 **empfinden a u** feel
12 **heraus'-geben** edit
13 **wirken (auf)** influence, affect
14 ***Herder*** Notes are given only for writers who are not represented in this book; **prägen** coin
15 **eifrig** zealous
19 ***Gottfried August Bürger*** (1747–1794) minor poet, famous for his ballad *Lenore*
21 **erlöschen o o** become extinguished
22 ***Wilhelm Müller*** (1794–1827) minor poet of the Romantic movement, author of the *Müllerlieder* and the *Winterreise* cycle, both of which were set to music by Schubert
24 **Wunderhorn** The horn alluded to is the horn of plenty (cornucopia).
25 For the terms **Hoch-** and **Niederdeutsch** see p. 171.
28 **feindlich . . .** hostilely minded
29 **vernachlässigen** neglect

man politische und soziale Lieder. Aber um die Jahrhundert- 30
wende erwachte in Deutschland das Interesse am Volkslied von
neuem, als Ausdruck des neuromantischen Geistes. Die radikale
Politisierung des deutschen Lebens im Dritten Reich war für
das Volkslied nicht günstig; es wurde durch Kampflieder ersetzt.
Heute kann man kaum von einer Wiedergeburt des Volkslieds 35
sprechen; amerikanischer Jazz und das Cowboylied sitzen zu
fest im deutschen Sattel. Aber der Zauber des deutschen Volkslieds wird sich gewiß wieder einmal des deutschen Menschen
bemächtigen und dann wird er wieder Volkslieder singen und
dichten. 40

2

Was ist nun ein Volkslied? Für Herder war jedes Lied, das
vom Volke gesungen wird, ein Volkslied, wenn es in Sprache,
Gefühl, Gedanken und Melodie dem Volksgeiste gemäß ist. Die
Romantik hat den Begriff des Volksliedes enger aufgefaßt. Für
Jacob Grimm und Ludwig Uhland ist ein echtes Volkslied ein 45
Lied, das keinen bestimmten Verfasser hat, sondern vom „Volk"
gedichtet und komponiert wurde. Moderne Forscher auf dem
Gebiet der Volkskunde stehen diesem mystischen Begriffe vom
anonymen „Volk" skeptisch gegenüber. Der Gelehrte John
Meier glaubt, daß das bestimmende Merkmal eines Volksliedes 50
die Aufnahme ist; wenn ein Lied vom Volk aufgenommen, immer
wieder gesungen, verändert (zersungen) wird, wird es zu einem

31 **die Wende** turn; **von neuem** anew
34 **günstig** favorable; **ersetzen** replace
35 **die Wiedergeburt** rebirth
36 **sitzen . . .** The wry image is deliberate.
37 **der Zauber** [magic] charm
39 **sich bemächtigen** take possession
43 **gemäß** commensurate, appropriate
44 **auf-fassen** conceive
46 **der Verfasser** author
47 **der Forscher** researcher
48 **gegenüber-stehen** regard
49 **der Gelehrte –n** scholar
50 **das Merkmal –e** sign, mark
51 **die Aufnahme** reception
52 **zersingen** sing to pieces, i.e. distort

Schlossplatz at Erbach in the Odenwald (Hessen)
German National Tourist Office, New York

St. Josefskirche at Schweinfurt (Bayern)
German National Tourist Office, New Yo

Henry Ford Building at the Freie Universität in West Berlin
German National Tourist Office, New York

Schloss Bellevue Residence of the Bundespräsident, Bonn
German National Tourist Office, New York

Volkslied. Das Volk ist also Träger des Volksliedes, nicht dessen Schöpfer. Ein zweiter Forscher, Hans Naumann, unterscheidet verschiedene Arten von Volksliedern: a. Lieder, von großen 55 Künstlern gedichtet und vertont, die beim Volk beliebt geworden sind; b. Lieder, die von einfachen Leuten aus dem Volk nach berühmtem Muster geschaffen wurden; c. Lieder, die im Schoße der Volksgemeinschaft entstanden sind.

Trotz der Verschiedenheit der Meinungen herrscht Überein- 60 stimmung über die Hauptmerkmale des Volkslieds. Es muß dem Volke zugänglich sein, nach Inhalt, dichterischer und musikalischer Form. Es muß den Vorstellungen und Empfindungen des Volkes entsprechen. Einfachheit des Inhalts gehört zu seinem Wesen; auch die strophische und rhythmische Form 65 und die Melodie müssen einfach, naiv sein. Die Themen, die das Volkslied bevorzugt, sind die Grunderlebnisse der Menschheit: Glaube, Liebe, Tod, Trennung, Freude an der Natur. Vorgänge aus dem Gebiet der Sage und Geschichte werden von der Volksballade behandelt. Das historische Volkslied gehört zu 70 den ältesten Formen geschichtlicher Überlieferung; es gestaltet epische Stoffe der Sage und zeitgenössische Ereignisse, mit Vorliebe Schlachten und ritterliche Taten.

Die stilistischen Merkmale des Volkslieds sind Mangel an gefeilter Form, übermäßige Länge oder sprunghafte Kürze, die 75

53 **der Träger** carrier; **dessen** (*dem.*) its
54 **der Schöpfer** creator
56 **vertonen** set to music
58 **das Muster** model; **schaffen u a** create; **der Schoß ¨-e** lap, womb
59 **Volksgemeinschaft** community; **entstehen** arise
60 **Übereinstimmung** agreement
62 **zugänglich** accessible
63 **Vorstellung** idea
64 **entsprechen** correspond
65 **strophisch** stanzaic
67 **bevorzugen** prefer; **das Grunderlebnis -se** basic experience
68 **Trennung** separation
69 **der Vorgang ¨-e** event
70 **behandeln** treat
71 **Überlieferung** tradition; **gestalten** give form to
72 **zeitgenössisch** contemporary
73 **die Vorliebe** preference
75 **feilen** polish; **übermäßig** excessive; **sprunghaft** disconnected

gegen die Logik verstößt. Charakteristisch ist auch die Vorliebe für typische Anschauungen und formelhafte Wendungen, Wiederholung, Kehrreime, der Gebrauch von dramatischem Dialog statt der epischen Schilderung. Das Sprunghafte im Volkslied, das dem modernen Hörer auffällt, geht auf die 80 Tatsache zurück, daß das Volk diese Lieder stark umgestaltet hat. Hier wurde eine Strophe hinzugesetzt, da fiel eine weg. Lieder, die ähnliche Stoffe behandeln, wurden miteinander verschmolzen. Auch die Melodie unterliegt solchen Veränderungen, obwohl in geringerem Maße als der Text. 85

[77] Wer schneidet besser ab?

This witty piece on the eternal war between the sexes appeared anonymously in a German newspaper.

Ein Mann, der im Kaffeehaus allein an einem Tisch sitzt, sieht sich die hübschen Frauen an und freut sich.

Eine Frau, die allein an einem Tisch im Kaffeehaus sitzt, sieht sich auch die hübschen Frauen an—und ärgert sich.

Wenn zwei Männer an einem Tisch sitzen, so sprechen sie 5 meist über eine Frau.

Wenn zwei Frauen an einem Tisch sitzen, so sprechen sie auch über eine Frau. Oder über zwei Männer. Sprächen sie über einen Mann, so würden sie nicht an einem Tisch sitzen.

76 **verstoßen ie o** offend
77 **Anschauung** view; **Wendung** turn, phrase
78 **der Kehrreim –e** refrain
79 **schildern** describe
80 **auf-fallen** strike, astonish
81 **um-gestalten** reshape, change
82 **hinzu′-setzen** add
84 **verschmelzen o o** fuse; **unterliegen** be subject

TITLE **ab-schneiden** come off
4 **sich ärgern** be annoyed
8 **sprächen sie** if they were speaking (See Appendix §6)

Wenn drei Männer an einem Tisch sitzen, so politisieren sie oder spielen Skat. 10

Wenn drei Frauen an einem Tisch sitzen, langweilen sie sich.

Wenn vier Männer an einem Tisch sitzen, so machen sie Politik.

Wenn vier Frauen an einem Tisch sitzen, so spielen sie Bridge. 15

Die Laune eines Mannes erkennt man an der Art, wie er sich seine Zigarre anzündet.

Die Laune einer Frau erkennt man an der Art, wie sie ihren Hut trägt.

Die Frau vergißt leichter als der Mann, aber sie erinnert sich besser an das, was sie vergessen hat. 20

Frauen sollen tapferer sein als Männer? Und eine Frau fürchtet sich doch vor einer Maus! Doch vor dieser selben Frau fürchtet sich der Mann.

Wer ist klüger: die Frauen oder die Männer? Die Frauen, denn sie heiraten Männer; die Männer aber heiraten Frauen. 25

Das schwächere Geschlecht ist oft das stärkere Geschlecht wegen der Schwäche des stärkeren Geschlechts für das schwächere Geschlecht.

[78] Lied des Türmers

Johann Wolfgang von Goethe

The following poem is from the second part of Goethe's Faust *(ll. 11288 ff.). It is a magnificent expression of the reverence for life which was Goethe's mature* "Weltanschauung." *Lynceus, one of the*

10 **politisie'ren** talk politics
11 **Skat** a popular German card game
12 **langweilen** bore
14 **Politik' machen** plan something
16 **die Laune** mood
22 **tapfer** brave
27 **das Geschlecht -er** sex

TITLE **der Türmer** watchman on the tower

Argonauts, was so keen-sighted (like the lynx) that he could see through the earth. Goethe appropriately makes him the watchman on the tower of Faust's castle.

Zum Sehen geboren,
Zum Schauen bestellt,
Dem Turme geschworen,
Gefällt mir die Welt.
Ich blick' in die Ferne, 5
Ich seh' in der Näh'
Den Mond und die Sterne,
Den Wald und das Reh.
So seh' ich in allen
Die ewige Zier, 10
Und wie mir's gefallen,
Gefall' ich auch mir.
Ihr glücklichen Augen,
Was je ihr gesehn,
Es sei wie es wolle, 15
Es war doch so schön!

[79] Fortschrittsglaube

Christoph Martin Wieland (1733–1813)

Wieland, an older contemporary of Goethe's, was intellectually an adherent of the Aufklärung *(the rationalist movement which dominated European thought in the 18th century). The following passage from his dialogue* Euthanasia *expresses, in wonderfully terse form, the eighteenth-century ideal of "Humanität," or worldly humane culture, that was the creed of the age of Goethe.*

2 **bestellt** commanded
6 **in . . .** nearby
8 **das Reh –e** deer
10 **die Zier** ornament, beauty
11 **gefallen** supply **hat**
15 **es sei . . .** be it as it may
16 **doch** really (See Appendix §7)

Alles Wünschenswürdige erwarte ich von den Fortschritten der Nachwelt. Des guten Samens ist viel ausgestreut, und ein Teil wenigstens wird aufgehen und Früchte bringen. Die Menschheit, wie langsam auch ihre aufsteigende Bewegung sein mag, wird sich mit immer wachsender Geschwindigkeit von jeder erstiegenen Stufe zu einer höheren erheben, und auf jeder sich irgendeines ihr noch anhängenden gemeinschädlichen Vorurteils, Irrsals und Mißbrauches entledigen. Die Religion ist das Palladium der Menschheit, oder vielmehr sie selbst ist die reinste, höchste Humanität, steht durch sich selbst und bedarf keiner stützenden Rohrstäbe. Jede Verfinsterung, durch welche das Menschengeschlecht schon gegangen, zog auch um ihre himmlische Gestalt einen düstern Nebel, der sie hinderte, ihm ihr Licht und ihre Wärme mitzuteilen. Aberglaube, Schwärmerei, Magie, Dämonismus, Möncherei und wie sie alle heißen, jene, der Menschheit feindseligen Geister, sie setzten sich im Dunkeln an ihren Platz und wirkten längere oder kürzere Zeit unter ihrem Namen—was sie vermöge ihrer Natur wirken konnten. So wie die Menschheit sich der Quelle des Lichtes wieder näherte, trat auch die Religion wieder aus dem Nebel hervor, erhob sich mit ihr und wird sich von einer Lichtstufe zur andern so lange erheben, bis sie dereinst in ihrer ganzen Schöne über unsern glücklichen Nachkommen stehen und die ganze Fülle ihres wohltätigen Einflusses auf sie herabschütten wird.

4 **wie auch** however
5 **jeder** i.e. **Stufe**
7 **ihr** See Appendix §1
8 **Palladium** safeguard
10 **bedarf** (+ *gen.*) = **braucht**
11 **der Rohrstab ⸚e** bamboo stick; **Verfinsterung** darkening, i.e. period of reaction
12 **gegangen [ist]; ihre** i.e. **der Humanität**
13 **ihm** i.e. **dem Menschengeschlecht**
14 **Aberglaube . . . Möncherei** superstition, fanaticism, magic, demonology, monasticism (all symbols of opposition to enlightenment, rationalism, *Humanität*)
16 **ihren** i.e. **der Menschheit**
18 **vermöge** by virtue
21 **Lichtstufe** light stage, i.e. stage of enlightenment; **dereinst** some day
22 **Schöne** = **Schönheit**
23 **Fülle** plenitude

[80] Waldlilie im Schnee

Peter Rosegger (1843–1918)

Rosegger was an Austrian from the Steiermark (Styria), who began life as a tailor's apprentice. His writings fill forty volumes and have been translated into many languages. His sincerity, simplicity and charm account for his wide popularity.

Hinter Salzburg, tief drinnen in den Alpen, liegt das kleine Dorf Winkelsteg. Dort wohnt der Bertold, dessen Familie von Jahr zu Jahr wächst und von Jahr zu Jahr weniger zu essen hat. Der Bertold ist also ein Wilderer geworden. Das Holzen wirft viel zu wenig ab für eine Stubevoll von Kindern. Für die kranke 5 Frau eine kräftige Suppe, für die Kinder ein Stück Fleisch will er haben und schießt die Rehe nieder, die ihm des Weges kommen. Dazu tut die Leidenschaft das ihre, und so ist der Bertold, der vormals als Hirt ein guter, lustiger Bursche gewesen ist, durch Armut, Trotz und Liebe zu den Seinigen zum Verbrecher her- 10 angewachsen.

Ein trüber Wintertag ist es gewesen. Die Fensterchen sind mit Moos vermauert; draußen fallen frische Flocken auf alten Schnee. Bertold wartet bei den Kindern und bei der kranken Frau, bis das älteste Mädchen, die Lili, mit der Milch heimkehrt, 15 die sie bei einem nachbarlichen Einsiedler erbetteln mußte. Denn die Ziegen im Haus sind geschlachtet und verzehrt, und sobald die Lili zurückkommt, will der Bertold mit der Büchse

2 The use of **der** is roughly equivalent to: that fellow Bertold
4 **der Wilderer** poacher; **das Holzen** cutting wood; **ab-werfen a o** yield
6 **kräftig** nourishing
7 **ihm . . .** his way (See Appendix §2)
8 **das ihre** its share
9 **der Bursche –n** lad, fellow
10 **die Armut** poverty; **der Trotz** defiance; **die Seinigen** family, **der Verbrecher** criminal
12 **trübe** dull
13 **das Moos –e** moss; **vermauern** wall up; **die Flocke** flake
16 **der Einsiedler** hermit; **erbetteln** get by begging
17 **die Ziege** goat; **verzehren** consume
18 **die Büchse** gun

in den Wald. Bei solchem Wetter sind die Rehe nicht weit zu suchen. 20

Aber es wird dunkel, und die Lili kehrt nicht zurück. Der Schneefall wird dichter und schwerer, die Nacht bricht herein, und Lili kommt nicht. Die Kinder schreien schon nach der Milch und die Mutter richtet sich auf in ihrem Bett. „Lili", ruft sie. „Kind, wo läufst du denn herum im stockfinsteren Wald? Geh 25 heim!" Wie kann die schwache Stimme der Kranken durch den wüsten Schneesturm das Ohr der Irrenden erreichen?

Je finsterer und stürmischer die Nacht wird, desto tiefer sinkt in Bertold der Hang zum Wildern, und desto höher steigt die Angst um seine Waldlilie. Es ist ein schwaches, zwölfjähriges 30 Mädchen; es kennt zwar die Waldstege und Abgründe, aber die Stege verdeckt der Schnee, den Abgrund die Finsternis. Endlich verläßt der Mann das Haus, um sein Kind zu suchen. Stundenlang irrt und ruft er in der sturmbewegten Wildnis; der Wind bläst ihm Augen und Mund voll Schnee; seine ganze Kraft 35 muß er anstrengen, um wieder zurück zur Hütte zu kommen.

Und nun vergehen zwei Tage. Der Schneefall hält an, die Hütte des Bertold wird fast verschneit. Sie trösten sich überlaut, die Lili wird wohl bei dem Einsiedler sein. Diese Hoffnung wird zunichts am dritten Tag, als der Bertold nach einem stunden- 40 langen Ringen im verschneiten Gelände die Klause erreicht; Lili sei vor drei Tagen wohl bei dem Klausner gewesen und habe sich dann mit dem Milchtopf auf den Heimweg gemacht. „Dann liegt meine Waldlilie im Schnee begraben", sagt der Bertold.

24 **sich auf-richten** sit up
25 **stockfinster** pitch dark
27 **wüst** desolate; **irren** wander, stray
29 **der Hang** desire
32 **der Steg –e** path; **der Abgrund ⸚e** abyss
35 **blasen ie a** blow; **ihm** See Appendix §2
36 **an-strengen** exert
38 **verschneien** snow in; **trösten** comfort
39 **wird wohl sein** is probably
41 **ringen a u** struggle; **das Gelände** country; **die Klause** hermitage
42 **wohl** indeed, to be sure
43 **sich machen** set out

Dann geht er zu den anderen Holzern und bittet, daß man komme und ihm das tote Kind suchen helfe. 45

Am Abend desselben Tages haben sie die Waldlilie gefunden. Abseits in einer Waldschlucht, im finsteren, wildverflochtenen Dickicht junger Fichten, auf den dürren Eichennadeln des Bodens, inmitten einer Rehfamilie von sechs Köpfen hat die liebliche blasse Waldlilie gesessen. 50

Es ist ein sehr wunderbares Ereignis. Das Kind hat sich auf dem Rückweg in die Waldschlucht verirrt und, da es die Schneemassen nicht mehr hat überwinden können, sich zur Rast unter das trockene Dickicht verkrochen. Und da ist es nicht lange alleingeblieben. Kaum daß ihm die Augen anfangen zu sinken, kommt ein Rudel von Rehen bei ihm zusammen, alte und junge. Und sie schnuppern an dem Mädchen, und sie blicken es mit milden Augen völlig verständig und mitleidig an, und sie fürchten sich gar nicht vor diesem Menschenwesen, und sie bleiben und lassen sich nieder und benagen die Bäumchen und belecken einander und sind ganz zahm. Das Dickicht ist ihr Winterheim. Am folgenden Tag hat der Schnee alles eingehüllt. Waldlilie sitzt in der Finsternis, die nur durch einen Dämmerschein gemildert ist, und sie labt sich an der Milch, die 55 60 65

45 **der Holzer** woodcutter
48 **abseits** out of the way; **die Schlucht** gully; **wild . . .** wildly entangled thicket
49 **dürr** dried; **die Eichennadel** oak needle
51 **blaß** pale
52 **das Ereignis –se** event
53 **der Rückweg –e** way back
54 **überwinden a u** cope with; **die Rast** rest
55 **sich verkriechen o o** creep away
56 **sinken** i.e. retreat into their sockets
57 **das Rudel** pack, herd
58 **schnuppern** sniff
59 **mitleidig** sympathetically
60 **das Menschenwesen** human being
61 **benagen** gnaw at; **belecken** lick at
62 **zahm** tame
63 **ein-hüllen** cover
64 **der Dämmerschein –e** half light
65 **sich laben** refresh oneself

sie den Ihren hat bringen wollen, und sie schmiegt sich an die guten Tiere, damit sie im Frost nicht ganz erstarre.

So vergehen die bösen Stunden des Verlorenseins. Und da sich die Waldlilie schon hingelegt zum Sterben und in ihrer Einfalt die Tiere gebeten hat, daß sie treu bei ihr bleiben möchten in der letzten Sterbestunde, da fangen die Rehe plötzlich an ganz seltsam zu schnuppern und heben die Köpfe und spitzen die Ohren, und in wilden Sätzen durchbrechen sie das Dickicht, und mit gellendem Pfeifen stieben sie davon. Jetzt arbeiten sich die Männer durch Schnee und Gesträuch herein und sehen mit lautem Jubel das Mädchen. 70 75

So hat es sich zugetragen. Und wie der Bertold gehört hat, daß die Tiere des Waldes sein Kind gerettet hätten, daß es nicht erfroren sei, da schrie er wie närrisch: „Nimmermehr, mein Lebtag nimmermehr!" Und seine Büchse, mit der er seit manchem Jahr die Tiere des Waldes getötet hatte, hat er an einem Stein zerschmettert. 80

[81] Hälfte des Lebens

Friedrich Hölderlin (1770–1843)

Hölderlin is one of Germany's great poets, a noble soul, a profound seer, a prophet of freedom, beauty, purity, and nobility. His verse is hauntingly beautiful. The present poem depicts the emotions of the poet at mid life. The two stanzas contrast the satisfying beauty of

66 **den Ihren** to her family; **sich schmiegen** cuddle; **erstarren** grow stiff
70 **die Einfalt** simplicity
73 **spitzen** point; **der Satz ¨-e** leap
74 **gellend** shrill; **davon'-stieben o o** disperse
75 **das Gesträuch –e** shrubbery
76 **der Jubel** exultation
77 **sich zu-tragen** happen
79 **närrisch** foolish, crazy
80 **mein Lebtag** all my life
82 **zerschmettern** smash

autumnal plenty with the bleakness of winter to come. Keats's Ode to Autumn *and Shelley's* Ode to the West Wind *invite comparison; so does Hebbel's poem* Sommerbild (*§ 73*).

Mit gelben Birnen hänget
Und voll mit wilden Rosen
Das Land in den See,
Ihr holden Schwäne,
Und trunken von Küssen 5
Tunkt ihr das Haupt
Ins heilignüchterne Wasser.

Weh mir, wo nehm' ich, wenn
Es Winter ist, die Blumen, und wo
Den Sonnenschein 10
Und Schatten der Erde?
Die Mauern stehn
Sprachlos und kalt, im Winde
Klirren die Fahnen.

[82] Die Heimat

Friedrich Hölderlin

Froh kehrt der Schiffer heim an den stillen Strom
Von fernen Inseln, wo er geerntet hat;
Wohl möcht' auch ich zur Heimat wieder;
Aber was hab' ich, wie Leid, geerntet?

4 **hold** lovely
5 **trunken** drunk
6 **tunken** dip
7 **heilignüchtern** sacred-sober
14 **klirren** rattle; **die Fahne** weathervane

2 **ernten** harvest
4 **wie** as [much as]

Ihr holden Ufer, die ihr mich auferzogt, 5
Stillt ihr der Liebe Leiden? ach, gebt ihr mir,
Ihr Wälder meiner Kindheit, wann ich
Komme, die Ruhe noch einmal wieder?

[83] Eine größere Anschaffung

Wolfgang Hildesheimer (1916–)

Wolfgang Hildesheimer has had a varied career as a cabinetmaker, soldier, interpreter, information officer, painter, writer and humorist by the grace of God. He did not begin to write until 1950; since then he has published a delightful novel Paradies der falschen Vögel, *(1953), plays, short stories and a number of Hörspiele (radio plays), for which he is best known. Does his work contain a deeper meaning? The commentators have struggled manfully to find one. Is it not enough to say that Hildesheimer possesses the gift of revealing the absurdities to which humanity is prone? One can find sermons in stones and "philosophy" in Hildesheimer; but he should be read for fun and as a demonstration that German literature has its share of first-rate humorists.*

Eines Abends saß ich im Dorfwirtshaus vor (genauer gesagt, hinter) einem Glas Bier, als ein Mann gewöhnlichen Aussehens sich neben mich setzte und mich mit gedämpft-vertraulicher Stimme fragte, ob ich eine Lokomotive kaufen wolle. Nun ist es zwar ziemlich leicht, mir etwas zu verkaufen, denn ich kann 5 schlecht nein sagen, aber bei einer größeren Anschaffung dieser Art schien mir doch Vorsicht am Platze. Obgleich ich wenig von Lokomotiven verstehe, erkundigte ich mich nach Typ, Baujahr

5 **das Ufer** shore; **die ihr** you who; **auf-erziehen** raise
6 **Liebe** *gen.*
7 **wann** = **wenn**

TITLE **Anschaffung** purchase
1 **genau gesagt** more precisely
2 **Aussehen** appearance
3 **gedämpft-vertraulich** low, intimate

und Kolbenweite, um bei dem Mann den Anschein zu erwecken, als habe er es hier mit einem Experten zu tun, der nicht gewillt sei, die Katze im Sack zu kaufen. Ob ich ihm wirklich diesen Eindruck vermittelte, weiß ich nicht; jedenfalls gab er bereitwillig Auskunft und zeigte mir Ansichten, die das Objekt von vorn, von hinten und von den Seiten darstellten. Sie sah gut aus, diese Lokomotive, und ich bestellte sie, nachdem wir uns vorher über den Preis geeinigt hatten. Denn sie war bereits gebraucht, und obgleich Lokomotiven sich bekanntlich nur sehr langsam abnützen, war ich nicht gewillt, den Katalogpreis zu zahlen.

Schon in derselben Nacht wurde die Lokomotive gebracht. Vielleicht hätte ich dieser allzu kurzfristigen Lieferung entnehmen sollen, daß dem Handel etwas Anrüchiges innewohnte, aber arglos wie ich war, kam ich nicht auf die Idee. Ins Haus konnte ich die Lokomotive nicht nehmen, die Türen gestatteten es nicht, zudem wäre es wahrscheinlich unter der Last zusammengebrochen, und so mußte sie in die Garage gebracht werden, ohnehin der angemessene Platz für Fahrzeuge. Natürlich ging sie der Länge nach nur etwa halb hinein, dafür war die Höhe ausreichend; denn ich hatte in dieser Garage früher einmal meinen Fesselballon untergebracht, aber der war geplatzt.

9 **die Kolbenweite** piston width, i.e. diameter
der Anschein appearance, impression
12 **vermitteln** make
16 **sich einigen** agree
gebraucht used
17 **bekanntlich** as is well known: **sich abnützen** wear out
20 **kurzfristig** short-term, hasty
20 **entnehmen** deduce, conclude
21 **anrüchig** shady
inne-wohnen be attached *or* connected
22 **arglos** innocent
23 **gestatten** permit
24 **zudem′** besides
25 **ohnehin′** in any case
26 **angemessen** appropriate
das Fahrzeug –e vehicle
27 **der Länge nach** lengthwise
dafür′ on the other hand
ausreichend adequate
29 **der Fesselballon –s** blimp
unter-bringen house
platzen burst

Bald nach dieser Anschaffung besuchte mich mein Vetter. Er ist ein Mensch, der, jeglicher Spekulation und Gefühlsäußerung abhold, nur die nackten Tatsachen gelten läßt. Nichts erstaunt ihn, er weiß alles, bevor man es ihm erzählt, weiß es besser und kann alles erklären. Kurz, ein unausstehlicher Mensch. Wir begrüßten einander, und um die darauffolgende peinliche Pause zu überbrücken, begann ich: „Diese herrlichen Herbstdüfte . . .“ —„Welkendes Kartoffelkraut“, entgegnete er, und an sich hatte er recht. Fürs erste steckte ich es auf und schenkte mir von dem Kognak ein, den er mitgebracht hatte. Er schmeckte nach Seife, und ich gab dieser Empfindung Ausdruck. Er sagte, der Kognak habe, wie ich auf dem Etikett ersehen könne, auf den Weltausstellungen in Lüttich und Barcelona große Preise, in St. Louis gar die goldene Medaille erhalten, sei daher gut. Nachdem wir schweigend mehrere Kognaks getrunken hatten, beschloß er, bei mir zu übernachten, und ging den Wagen einstellen. Einige Minuten darauf kam er zurück und sagte mit leiser, leicht zitternder Stimme, daß in meiner Garage eine große Schnellzugslokomotive stünde. „Ich weiß“, sagte ich ruhig und nippte von meinem Kognak, „ich habe sie mir vor kurzem angeschafft.“ Auf

31 **jeglicher = jeder**
Äußerung expression
32 **abhold** averse
gelten lassen accept, admit
34 **unausstehlich** insufferable
35 **darauffolgend** ensuing
36 **überbrücken** bridge
der Duft ⸗e scent, perfume
37 **welkendes . . .** withering potato leaves
entgegnen answer, counter
an sich actually
38 **fürs erste** for the time being
etwas auf-stecken give up (colloquial)
ein-schenken pour [a glass]
40 **Empfindung** sentiment
41 **das Etikett′ –e** label
ersehen see from, realize
Weltausstellung world's fair
42 **Lüttich = Liège** (Belgium), **Barcelona** (Spain)
45 **ein-stellen** put into the garage
47 **der Schnellzug ⸗e** express train
48 **stünde** *imp. subj.* of stehen
nippen sip

seine zaghafte Frage, ob ich öfters damit fahre, sagte ich, nein, nicht oft, nur neulich, nachts, da hätte ich eine benachbarte Bäuerin, die ein freudiges Ereignis erwartete, in die Stadt ins Krankenhaus gefahren. Sie hätte noch in derselben Nacht Zwillingen das Leben geschenkt, aber das habe wohl mit der nächtlichen Lokomotivfahrt nichts zu tun. Übrigens war das alles erlogen, aber bei solchen Gelegenheiten kann ich der Versuchung nicht widerstehen, die Wirklichkeit ein wenig zu schmücken. Ob er es geglaubt hat, weiß ich nicht, er nahm es schweigend zur Kenntnis, und es war offensichtlich, daß er sich bei mir nicht mehr wohl fühlte. Er wurde ganz einsilbig, trank noch ein Glas Kognak und verabschiedete sich. Ich habe ihn nicht mehr gesehen. 50 55 60

Als kurz darauf die Meldung durch die Tageszeitungen ging, daß den französischen Staatsbahnen eine Lokomotive abhanden gekommen sei (sie sei eines Nachts vom Erdboden—genauer gesagt vom Rangierbahnhof—verschwunden), wurde mir natürlich klar, daß ich das Opfer einer unlauteren Transaktion geworden war. Deshalb begegnete ich auch dem Verkäufer, als ich ihn kurz darauf im Dorfgasthaus sah, mit zurückhaltender Kühle. Bei dieser Gelegenheit wollte er mir einen Kran verkaufen, aber ich wollte mich in ein Geschäft mit ihm nicht mehr einlassen, und außerdem, was soll ich mit einem Kran? 65 70

50 **zaghaft** hesitating
öfters often
52 **das freudige Ereignis** joyful event
55 **übrigens** as a matter of fact
erlogen a lie
57 **schmücken** decorate
58 **zur Kenntnis nehmen** take cognizance, apprehend
59 **offensichtlich** obvious
60 **einsilbig** monosyllabic
61 **sich verabschieden** take [one's] leave
62 **darauf'** after that
die Meldung report
63 **die Staatsbahn** government railway
abhanden kommen be lost
65 **der Rangierbahnhof ⸗e** switching station or yard
66 **unlauter** dirty
68 **zurückhaltend** restrained
69 **der Kran –e** crane
70 **sich ein-lassen** get involved
71 **was soll ich** what am I to do

[84] **Die drei Ringe**

Im Mittelalter waren theologische Auseinandersetzungen zwischen Vertretern verschiedener Konfessionen sehr beliebt. Das bekannteste dieser Religionsgespräche ist die Parabel von den drei Ringen. Sie wurde um 1100 von einem spanischen Juden verfaßt. Wir finden sie in mehreren Sammlungen des 13. und 14. Jahrhunderts: in den „Gesta Romanorum", in den „Hundert alten Novellen", im „Dekameron" von Boccaccio. Ihr Sinn ist die Antwort auf die Frage, welche der drei Hauptreligionen—Christentum, Islam, Judentum—die „wahre" ist. Die drei Religionen werden in der Parabel durch die drei Ringe vertreten. Der Kern der Parabel ist folgender:

Ein Mann besaß einen kostbaren Ring. Vor seinem Tod vermachte er ihn seinem geliebtesten Sohn. Der Sohn tat desgleichen, als er sein Ende nahen fühlte. Das ging so von Generation zu Generation. Aber schließlich kam der Ring auf einen Vater von drei Söhnen, die er alle gleich liebte. Da er keinen von ihnen bevorzugen wollte, ließ er zwei weitere Ringe anfertigen, die dem ursprünglichen vollkommen ähnlich waren, so daß der Vater den echten Ring *kaum* noch erkennen konnte. Er gab jedem Sohn einen Ring und starb. Nach seinem Tode behauptete jeder der Söhne, sein Ring sei der echte.

Die Lösung dieses Rätsels ist von Quelle zu Quelle verschieden. In den „Gesta Romanorum" schlägt ein Sohn vor, daß man durch eine Tat beweise, welcher Ring der echte sei. Es werden daher verschiedene Kranke herbeigebracht; die zwei falschen Ringe sind machtlos, aber der echte Ring heilt die Kranken. Bei Boccac-

1 **Auseinandersetzung** dispute
2 **Konfession** religious denomination, creed
6 ***Gesta Romanorum*** (= deeds of the Romans) a collection of stories in Latin which appeared about 1250; ***Cento Novelle Antiche*** a collection of stories written about 1300 by an unknown Florentine
7 The ***Decameron*** appeared between 1348 and 1353.
12 **vermachen** bequeath
13 **desgleichen** the same
17 **bevorzugen** prefer
18 **ursprünglich** original
22 **das Rätsel** riddle

cio dagegen und in den „Hundert alten Novellen" ist die Lösung subtiler. Der echte Ring ist nicht mehr zu unterscheiden. Auf die Frage, welche Religion die „wahre" sei, lautet die Antwort: wir wissen es nicht mehr. Bei Boccaccio heißt es weiter: jedes der drei Völker glaubt, daß seine Erbschaft, sein Gesetz und seine Gebote die des wahren Gottes sind; dieser Glaube verhilft ihm dazu, sie zu befolgen. Es bleibt aber unentschieden, welcher der drei Söhne die echte Botschaft geerbt hat. 30

Die Parabel von den drei Ringen bildet den Kern von Lessings Drama „Nathan der Weise". Lessings Drama, 1779 verfaßt, ist eine Apologie der religiösen Toleranz im Geiste der Aufklärung. Es wendet sich besonders gegen den Hochmut der christlichen Orthodoxie, den Lessing sein Leben lang bekämpfte. Im „Nathan" werden Vertreter der drei Hauptreligionen in Jerusalem zur Zeit der Kreuzzüge zusammengebracht. Aus ihrem Verhältnis zueinander ergibt sich die These des Stückes: daß der Christ nicht besser als der Jude oder Muselmann ist, daß er im Gegenteil sittlich tiefer als die beiden andern steht. Die jüdischen und islamischen Gestalten des Dramas sind edel, großmütig, weise und tolerant, während die Christen (ein Tempelherr, der Patriarch von Jerusalem und die Magd Daja) sehr „unchristlich" handeln. 35 40 45

Held des Stücks ist der reiche und weise jüdische Kaufmann Nathan. Auf dem Höhepunkt des Dramas wird ihm vom Sultan 50

29 **lauten** sound, be
30 **es heißt** we read
31 **Erbschaft** inheritance
32 **das Gebot –e** commandment
33 **befolgen** follow, obey; **unentschieden** undecided
34 **Botschaft** mission
37 **Aufklärung** the period of Enlightenment in European intellectual history (ca. 1650–1750), in which reason was regarded as the key to the good life. The *Aufklärung* is the source of the modern liberal tradition.
38 **der Hochmut** arrogance
41 **der Kreuzzug ¨–e** crusade
42 **sich ergeben** be yielded
45 **großmütig** generous
46 **Tempelherr** member of the Order of Knights Templars, a military organization whose task it was to protect the numerous pilgrims who visited the Holy Land during the Crusades
Patriarch head of the Christian religion in Jerusalem

Saladin die Frage über die drei Ringe gestellt. Seine Antwort ist: In alten Zeiten lebte ein Mann im Osten, der einen Ring von unschätzbarem Wert besaß. Es war ein Ring mit einem eingesetzten Opal, der die geheime Kraft besaß, den Träger bei Gott und Menschen beliebt zu machen, wenn er den Ring in diesem 55 Glauben trug. Der ursprüngliche Besitzer des wunderbaren Ringes hinterließ ihn seinem Lieblingssohn. Und er befahl, daß seine Nachkommen den Ring nur dem geliebtesten ihrer Kinder vermachen sollten. Kraft des Rings allein, ohne Ansehen der Geburt, sollte der jeweilige Träger das Haupt der Familie sein. 60

So kam der Ring von Sohn zu Sohn endlich auf einen Vater, der drei Söhne hatte, die er alle gleich liebte, weil ihm alle drei gleich gehorsam waren. Aber von Zeit zu Zeit, wenn er sich mit einem der drei Söhne allein befand, schien ihm dieser Sohn des Ringes würdiger als die beiden andern. Und er hatte die fromme 65 Schwachheit, jedem der drei Söhne den Besitz des Ringes zu versprechen.

Als die Zeit kam, wo der Vater sterben mußte, geriet er in große Verlegenheit. Er konnte es nicht über sich bringen, zwei seiner Söhne zu enttäuschen. Er ließ also heimlich einen Gold- 70 schmied holen, bei dem er zwei Ringe nach dem Muster des seinigen bestellte. Er befahl dem Goldschmied, weder Mühe noch Kosten zu sparen, um die zwei Ringe dem Muster vollkommen gleich zu machen.

Der Goldschmied war der Aufgabe gewachsen. Als er die 75 Ringe dem sterbenden Vater lieferte, konnte dieser seinen Musterring nicht mehr von den andern unterscheiden. Er rief also jeden seiner Söhne heimlich zu sich und gab ihm seinen Segen und einen Ring. Dann starb er.

Kaum war der Vater tot, so kam jeder der Söhne mit seinem 80

51 ***Saladin*** (1138–1193), Sultan of Egypt and Syria, noted for his broad-mindedness and generosity
53 **unschätzbar** inestimable
54 **kraft** by virtue
59 **das Ansehen** distinction
60 **jeweilig** at the moment
68 **geriet (geraten)** fell, came
75 **gewachsen** a match

Ring und wollte das Haupt der Familie sein. Man suchte nach Erklärungen, man zankte sich, man klagte; umsonst—der echte Ring war nicht von den beiden anderen zu unterscheiden.

Die Söhne kamen vor den Richter, und jeder von ihnen schwor, daß er seinen Ring unmittelbar aus der Hand des verstorbenen Vaters hätte—was die Wahrheit war. Und jeder von ihnen betonte, daß er schon lange vorher vom Vater das Versprechen erhalten hätte, daß er einmal das Vorrecht des Ringes genießen sollte—was nicht minder der Wahrheit entsprach. „Unser Vater", behauptete jeder „kann nicht falsch gegen mich gewesen sein. Ehe ich das von einem solchen lieben Vater glaube, bin ich lieber bereit, meine zwei Brüder des falschen Spiels zu beschuldigen, obwohl ich immer nur das Beste von ihnen geglaubt habe. Und ich werde diese Verräter schon entlarven und mich an ihnen rächen."

Der Richter sprach: „Entweder schafft ihr mir euren Vater herbei, oder ihr verlaßt dieses Gericht. Glaubt ihr, daß ich da bin, um Rätsel zu lösen? Oder wartet ihr, bis der echte Ring den Mund auftut?—Doch halt! Ich höre ja, der echte Ring besitzt die Wunderkraft, den Träger beliebt und vor Gott und Menschen angenehm zu machen. Das muß entscheiden. Nun, wen lieben zwei von euch am meisten?—Ihr schweigt?—Die Ringe wirken nur zurück und nicht nach außen?—Jeder liebt sich selbst am meisten? Dann seid ihr alle drei betrogene Betrüger! Alle drei Ringe sind falsch. Der echte Ring ging vermutlich verloren. Um

81 **wollte** claimed to
82 **sich zanken** quarrel
klagen sue
85 **unmittelbar** directly
88 **das Vorrecht –e** privilege
92 **beschuldigen** accuse
94 **der Verräter** traitor
entlarven unmask
95 **sich rächen** take vengeance
96 **schaffen** produce
99 **auf-tun** open; **ja** See Appendix §5
103 **zurück** i.e. it makes you love yourself, not your fellow men
104 **betrogene Betrüger** deceived deceivers
105 **vermutlich** presumably

diesen Verlust zu verbergen, ließ euer Vater drei falsche Ringe als Ersatz für den einen machen.

Mein Rat ist also: nehmt die Sache völlig, wie sie ist. Wenn jeder von euch seinen Ring von seinem Vater hat, so soll er glauben, daß sein Ring der echte ist. Es ist möglich, daß euer 110 Vater die Tyrannei des einen Ringes nicht mehr dulden wollte. Gewiß hat er euch alle drei gleich geliebt und wollte nicht zwei von euch dadurch kränken, daß er den dritten begünstigte. Es lebe also jeder von euch in aufrichtiger Liebe zu seinen Brüdern. Es strebe jeder von euch danach, die Kraft des Opals zu be- 115 weisen; er komme dieser Kraft mit Sanftmut, mit herzlicher Verträglichkeit, mit guten Taten, mit innigster Ergebenheit in Gott zu Hilfe. Wenn sich dann die Kraft der Opale bei euren Nachkommen äußern, so sollen sie nach tausend Jahren vor einem weiseren Richter erscheinen, als ich es bin, und *sein* Urteil 120 hören.“ Damit entließ er sie.

In der Urfassung dieser Parabel und bei Boccaccio gibt es noch eine echte und zwei falsche Religionen. Lessings Nathan gibt keine Antwort auf die ihm gestellte Frage, welche von den drei Religionen die echte sei. Er weicht aus und sagt: „Da die Ringe 125 einander so ähnelten, daß niemand erkennen konnte, welcher der echte war, so bleibt die Frage unentschieden, welcher Sohn der echte Erbe des Vaters war. Das heißt: wir wissen nicht, welche von den drei Religionen die echte ist.“ Aber schon bei Boccaccio heißt es: „Jedes der Völker glaubt, daß es seine Erbschaft, sein 130 Gesetz und seine Gebote hat, damit es ihnen gehorche.“ Diesen

106 **der Verlust –e** loss
113 **kränken** offend
begünstigen favor
114 **lebe** *subj.* of command = let . . .
aufrichtig sincere
115 **streben** strive
116 **die Sanftmut** gentleness
herzliche . . . cordial toleration
117 **innigste . . .** most fervent submission
118 **äußern** express
121 **entlassen** dismiss
125 **aus-weichen i i** evade

letzten Hinweis hat Lessing entwickelt und damit der Parabel einen tieferen Sinn verliehen. Lessings Gestaltung der Parabel hat folgenden Sinn:

Vielleicht hat es einmal eine Zeit gegeben, wo Gott ein aus- 135 erwähltes Volk hatte, dem er sich vor allen andern Völkern offenbarte, weil er es mehr als alle andern liebte. Aber es kam eine Zeit, wo kein Volk mehr sagen konnte: bei uns ist die Wahrheit, unser Gott ist der echte Gott, uns allein hat er sich offenbart. Dieser Streit unter den Religionen um den Vorrang ist 140 sinnlos; denn lehren sie nicht alle dieselben Tugenden? und vor allen andern: die Tugend der Liebe zu den Mitmenschen? Dieselbe Religion kann daher echt oder falsch sein, je nachdem ihre Anhänger diese Liebe zu den Mitmenschen ausüben oder sie hassen und dadurch ihre Religion und ihren Gott verraten. 145 „An ihren Früchten sollt ihr sie erkennen." Hört auf zu zanken und einander anzuklagen; lebt nach den Vorschriften eurer Religion; dann wird sich herausstellen, daß ihr alle echte Ringe auf dem Finger tragt.

Lichtenbergs Wort ist in Lessings Geist geschrieben: „Ist es 150 nicht sonderbar, daß die Menschen so gerne für die Religion fechten, und so ungern nach ihren Vorschriften leben?"

132 **der Hinweis –e** hint, indication
132 **entwickeln** develop
133 **verleihen ie ie** lend
Gestaltung formulation
For the following sentences compare [97]
140 **der Vorrang** precedence, pre-eminence
143 **je nachdem** according to
144 **der Anhänger** adherent
147 **an-klagen** accuse
die Vorschrift prescription
148 **sich heraus-stellen** be shown
Lichtenberg's aphorism is found again in [35]
152 **fechten o o** fight

[85] Das verlassene Mägdlein

Eduard Mörike (1804–1875)

Written in 1829; included in the novel Maler Nolten *(1832). There are over sixty musical settings, but the poem is usually sung to a soldier's air from Tübingen.*

TITLE **Das verlassene Mägdlein** the forsaken maiden

1 **wann = wenn; krähen** crow
2 **Flammen** *gen.*
6 **es** See Appendix §3
8 **stürzen** fall, rush
10 **drein** into [it]
11 **die = diese**
13 **zünden** light
16 **ging'** (*imp. subj.*) would that . . .

[86] Von deutscher Sprache

Die deutsche Sprache gehört zu der westlichen Gruppe der germanischen Sprachen. Diese wieder sind Zweige des großen indogermanischen Sprachbaums. Zwei oder dreitausend Jahre vor Christi Geburt gab es vermutlich eine gemeinsame Sprache unter den Vorfahren der Griechen, Latiner, Germanen, Kelten, 5 Slaven, Iranier und anderer Völker. Diese gemeinsame Sprache nennen wir Indogermanisch. Aus dieser Ursprache haben sich dann die einzelnen Sprachen entwickelt: Griechisch, Lateinisch, Persisch, Urgermanisch.

Wir nehmen an, daß die germanischen Stämme vor der 10 Völkerwanderung eine mehr oder weniger einheitliche Sprache hatten, so daß sie einander verstehen konnten. Die Völkerwanderung hat diese Ursprache in Einzeldialekte aufgelöst; so entstanden die verschiedenen germanischen Sprachen: Gotisch, die nordgermanischen Sprachen (Isländisch, Norwegisch, 15 Schwedisch, Dänisch), Westgermanisch (Angelsächsisch, Flämisch, und die Dialekte, die später das Deutsche bildeten).

Some of the information for this article was derived from Leo Weisgerber's *Vom Weltbild der deutschen Sprache* (2. Halbband), Pädagogischer Verlag Schwann.

3 ***Indogermanic** or **Indo-European:*** a group of languages which includes nearly all European and some Asiatic languages

4 **vor . . .** before the birth of Christ; **vermutlich** presumably

5 **der Vorfahr –en** ancestor; **Latiner** Latins, ancestors of the Romans

6 **Iranier** Iranians or Aryans: ancient tribes which inhabited what is now Southern Russia, Turkestan, Iran and Afghanistan

7 **die Ursprasche** original language

11 **Völkerwanderung** migration of Germanic tribes to Southern and Western Europe. The irruption of the Mongolian Huns into Eastern Europe (375 A.D.) is usually regarded as the beginning of this movement, which extended into the sixth century.

13 **auf-lösen** dissolve

Entwicklung des Hochdeutschen

Den entscheidenden Einfluß auf die Entwicklung der deutschen Schriftsprache übte der Süden aus. Schon kurz nach der Völkerwanderung war Oberdeutschland (d.h. der Süden) sprachlich tätig. Die hochdeutsche oder zweite Lautverschiebung ging wohl von dem Alemannischen aus. Seit ca. 700 verbreitete sich die Kirchensprache des Südens nach Norden hin. Die Literatur des Mittelalters war hauptsächlich in süddeutschen Mundarten verfaßt. Aus verschiedenen Gründen entwickelte sich ein gemeinsames Deutsch aus dem ostmitteldeutschen Dialekt, den auch Martin Luther gesprochen hat. Seine Bibelübersetzung und seine andern Schriften waren von bedeutendem Einfluß auf die Entwicklung des Hochdeutschen als Schriftsprache.

Der Begriff „Hochdeutsch" ist für den Nichtdeutschen verwirrend. Hochdeutsch war ursprünglich die Sprache des Südens, während im Norden Nieder- oder Plattdeutsch gesprochen wurde. Aus den oben erwähnten Gründen wurde eine Mundart mit hochdeutschem Charakter zur Standard- oder Schriftsprache. Das Wort „Hochdeutsch" hat demnach zwei Bedeutungen:

1. Es bezeichnet die Sprache von Ober- und Mitteldeutschland im Gegensatz zu Nieder- oder Plattdeutsch.

2. Es bezeichnet die deutsche Schriftsprache im Gegensatz zu den Mundarten und der Umgangssprache.

TITLE **hochdeutsch** High German (The term is explained below.)
18 **entscheidend** decisive
19 **die Schriftsprache** written or literary or standard speech
21 **Lautverschiebung** There were two sound shifts in the Indo-European languages. The first involved a series of consonantal changes which occurred in the evolution from the parent Indo-European language to Germanic: p, t, k > f, th, h; bh, dh, gh > b, d, g; b, d, g > p, t, k. The second or High German sound shift occurred between the 5th and 8th centuries A.D., in the development from Germanic to High German: k > ch, t > tz or ss, p > f or pf.
22 ***Alemannic*** is the dialect spoken in South-West Germany, Alsace and Eastern Switzerland.
23 **nach . . . hin** toward
25 **die Mundart** dialect; **verfassen** compose
26 **Ostmitteldeutsch** a combination of Thuringian, Saxon, Lusatian, Silesian and High Prussian
32 **Nieder** low; **platt** flat
39 **die Umgangssprache** colloquial language; **das Hauptmerkmal –e** chief characteristic

Hauptmerkmale des Deutschen

Was die äußere Gestalt betrifft, so zeigt das Deutsche viel Verwandtschaft mit anderen modernen Sprachen. Deutsch flektiert mehr als Englisch, Französisch, Spanisch und Italienisch. Substantive, Adjektive, Pronomina werden dekliniert, Verben konjugiert. Aber die Verben sind nicht in verschiedene Konjugationen eingeteilt wie bei den romanischen Sprachen. Mit Ausnahme einer geringen Anzahl von starken (= alten) Verben, werden alle Verben nach einem einheitlichen Schema behandelt, wie im Englischen, mit dem das Deutsche die engste Verwandtschaft aufweist. 40 45

Wortstellung

Die Wortstellung ist im Deutschen ziemlich frei. Der Satz reiht sich um das Verb, das in einer normalen Aussage das zweite Element ist. An erster Stelle kommt das, was der Sprecher für besonders wichtig hält. Den folgenden Satz kann man z.B. auf vier verschiedene Weisen ausdrücken: 50

1. Er hat das vielleicht gesagt, aber er hat es gewiß nicht gemeint. 55
2. Das hat er vielleicht gesagt, aber er hat es gewiß nicht gemeint.
3. Vielleicht hat er das gesagt, aber gewiß hat er es nicht gemeint. 60
4. Gesagt hat er das vielleicht, aber gemeint hat er es gewiß nicht.

Jeder Satz, der ein Objekt hat, kann mit diesem Objekt eingeleitet werden, ohne daß man, wie im Englischen oder Französischen, das Passiv gebrauchen muß. Ein Beispiel bildet der obige Satz: „Den folgenden Satz kann man auf vier verschiedene 65

41 **flektieren** inflect
45 **romanisch** Romance (pertaining to the French, Spanish, Italian peoples)
50 **die Wortstellung** word order
51 **die Aussage** statement
66 **obig** above

Weisen ausdrücken." Auch der Satz: „Ein Beispiel bildet der obige Satz" ist ein Beispiel dafür.

Die Betonung liegt also am Anfang des Satzes, die Belehrung folgt im Nachfeld, im Zentrum steht der Kern des Satzes, das Verb. 70

Orthographie und Aussprache

Im Gegensatz zum Englischen oder Französischen sind Orthographie und Aussprache im Deutschen sehr leicht. Deutsch ist zwar nicht so phonetisch wie Spanisch; aber Orthographie und Aussprache bieten dem Lernenden keine Schwierigkeit. 75

Dynamik

Wir haben gesehen, daß im deutschen Satz das Verb vorherrscht. Mit Recht, denn das Deutsche ist eine dynamische Sprache, in der das Wirken und Werden, die Entwicklung, mehr als der statische Zustand betont werden. Hugo von Hofmannsthal schreibt: „Daß wir Deutschen das uns Umgebende als 80 ein Wirkendes—die *Wirklichkeit*—bezeichnen, die lateinischen Europäer als die *Dinglichkeit—la réalité,* das zeigt die fundamentale Verschiedenheit des Geistes, und daß jene und wir in ganz verschiedener Weise auf dieser Welt zu Hause sind."

In manchen deutschen Sätzen gibt es überhaupt kein Subjekt, 85 es sei denn das farblose „es": es klopft, es ruft, es rauscht, es dämmert. Substantive werden mit Vorliebe aus dem Verb gebil-

69 **Betonung** emphasis, stress; **Belehrung** information
70 **das Nachfeld** afterfield (area following the verb)
TITLE **Orthographie** spelling; **die Aussprache** pronunciation
TITLE **Dyna'mik** dynamism
78 **Wirken . . .** activity and becoming
79 ***Hugo von Hofmannsthal*** (1874–1929) Austrian poet, dramatist, essayist
80 **das uns . . .** that which surrounds us (See Appendix §1)
81 **lateinisch** i.e. the Romance peoples
82 **Dinglichkeit** thingness—i.e. reality
86 **es sei denn** unless it be; **es dämmert** twilight breaks
87 **mit Vorliebe** preferably

det: werfen—der Wurf, stehen—der Stand, greifen—der Griff, messen—das Maß. Jeder Infinitiv dient zugleich als Substantiv und bezeichnet dann einen Vorgang oder eine Tätigkeit: das Sein, das Werden, das Wandern, das Dasein, das Alleinsein, das In-sich-hineinschauen, das Aus-sich-herausgehen. 90

Anschaulichkeit

Neben der Dynamik wird das Deutsche durch starke Anschaulichkeit, Konkretheit, Gedrängtheit und Ausdrucksfähigkeit gekennzeichnet. Man kann im Deutschen sowohl die Tätigkeit als auch den Erfolg mit demselben Verb ausdrücken: Das kann man nicht wegdenken. Er hat sein Geld vertrunken. Das Publikum hat den Schauspieler ausgepfiffen. „Wir schwiegen einander an", schreibt Hans Fallada. Was meint er damit? Wohl: wir drückten unsere Gefühle für einander durch Schweigen aus. Der englische Dichter Coleridge übersetzte Schillers Worte „Ich klügle nicht" mit folgender Umschreibung: „I do not cheat my better soul with sophisms." Kürzer könnte man es im Englischen wohl nicht ausdrücken. 95 100

Das Besondere

Als drittes Merkmal des Deutschen ist die Präzision zu erwähnen, die durch das Betonen des Besonderen erzielt wird. Die Vorsilben hin und her, heraus, herein, hinaus, hinein, hinauf, herunter, usw; die unnötigen Wiederholungen: in das Schloß hinein, um den Berg herum, nach der Stadt zu—das alles ergibt eine Genauigkeit, die anderen Sprachen fehlt. Im Englischen gebraucht man das Verb „put on" für einen Hut, ein 105 110

90 **der Vorgang ⸚e** process
92 **In-sich . . .** introspection . . . extraversion
93 **Anschaulichkeit** vividness
94 **Gedrängtheit** compactness; **Ausdrucksfähigkeit** expressiveness
95 **kennzeichnen** characterize
97 **weg-denken** abolish by thinking; **vertrinken** drink up
98 **aus-pfeifen iff iff** whistle off the stage
102 **Umschreibung** paraphrase

Kleid, eine Schürze. Im Deutschen dagegen setzt man den Hut auf, zieht das Kleid an, bindet die Schürze oder die Krawatte um.

Zusammensetzungen

Was den Nichtdeutschen immer erstaunt und belustigt, sind die vielen meterlangen „Bandwörter", die ihm begegnen. Wir 115 haben oben das Wort „Ausdrucksfähigkeit" getroffen; andere Beispiele sind: Meinungsverschiedenheit, Entwicklungslehre, Lebensmittelpreise, Unabhängigkeitsgefühl. Im ersten Weltkrieg entstand das Wort „Schützengrabenvernichtungsautomobil"; heute sagt man „Tank" und erzielt dasselbe. Ein 120 Wort wie „Friedhofswärterwitwenundwaisenrentenempfangsbescheinigung" ist wohl die Erfindung eines Schalks; allein daß man so etwas überhaupt erfinden kann . . . Man darf aber vor diesen Riesenwörtern nicht erschrecken; sie sind oft nur drei oder vier Wörter in einem. Wenn man sie auseinanderzieht, so 125 leuchtet ihr Sinn oft ganz einfach ein.

Dazu kommen noch die vielen Vor- und Nachsilben, die eine umfangreiche Abstufung des Ausdrucks ermöglichen; z.B. bei dem Verb fallen: hin-, nieder-, ab-, aus-, herab-, um-, zusammen-, herunter-, hinunter-, heraus-, hinaus-, usw. 130

Wurzelgebundenheit

Die deutsche Wortbildung ist eng an die Wurzel gebunden. Es gibt große Wortfamilien, die aus derselben Wurzel stammen.

TITLE **Zusammensetzung** compound
114 **erstaunt . . .** astonishes and amuses
115 **das Bandwort** ribbon word
117 **Meinungsverschiedenheit . . .** difference of opinion, theory of evolution, cost of living, feeling of independence
119 **Schützen . . .** automobile for the destruction of defense trenches
120 **erzielen** attain a goal
121 **Friedhof . . .** a certificate entitling one to receive a pension designated for widows and orphans of cemetery custodians
122 **der Schalk ¨-e** wag, joker
126 **ein-leuchten** become clear
128 **umfangreiche . . .** extensive gradation
TITLE **Wurzelgebundenheit** being tied to the root

Im Wörterbuch der Brüder Grimm findet man fast neunhundert Zusammensetzungen zu Liebe, über fünfhundert zu Geist, über vierhundert zu Mensch, mehrere hundert zu Traum und Trauer. 135
Dieses Gebundensein an die Wurzel ist ein weiterer Ausdruck der Einfachheit und Konkretheit, die das Deutsche kennzeichnen. Auch der deutsche Purismus (d.h. die Abneigung gegen die Fremdwörter) ist ein Zeichen desselben Geistes. Während z.B. das Englische aus dem Französischen, Griechischen, 140
Lateinischen neue Wörter schöpft, bildet das Deutsche ähnliche Begriffe aus deutschen Stammwörten: circumstance = Umstand, uniqueness = Einmaligkeit, immortality = Unsterblichkeit, misogynist = Weiberfeind, insolvency = Zahlungsunfähigkeit, generous = freigebig, prejudice = Vorurteil, edify = erbauen. 145

Freiheit der Sprache

Die Regelung der deutschen Sprache wird von keiner Akademie durchgeführt. Der Sprachgebrauch schwankt von Land zu Land; nur die Schriftsprache ist allgemein. Der Sprachgeist entfaltet sich frei und ermöglicht eine lebendige Fortentwicklung. 150
Von der sprachlichen Freiheit wird besonders in der Wortbildung Gebrauch gemacht; auf diesem Gebiet ist der Deutsche gern schöpferisch. Aber auch Grammatik, Wortschatz, Stil, Aussprache werden fortwährend weiterentwickelt. Allerdings geht es nicht so radikal zu wie in Amerika; denn nicht der 155
Massenmensch bestimmt, wie man spricht oder sogar schreibt, sondern höchstens die Zeitung und der Rundfunk; und die sind weit „gebildeter" als bei uns.

133 **Wörterbuch** the great dictionary begun by the brothers Grimm in the early nineteenth century and finished in 1960
138 **der Purismus** purism; **Abneigung** dislike
147 **Regelung** regulation
148 **der Sprachgebrauch** linguistic usage
153 **schöpferisch** creative
156 **Massenmensch** mass man
157 **der Rundfunk** radio
158 **gebildet** cultured, highbrow

[87] Der Tag klingt ab

Friedrich Nietzsche (1844–1900)

Nietzsche was a poet and prose stylist of distinction, as well as an important philosopher. His verse is striking in its imagery and highly melodious.

Der Tag klingt ab, es gilbt sich Glück und Licht,
Mittag ist ferne.
Wie lange noch? Dann kommen Mond und Sterne
und Wind und Reif: nun säum' ich länger nicht,
der Frucht gleich, die ein Hauch vom Baume bricht. 5

[88] Ecce Homo

Friedrich Nietzsche

This poem is a brilliant psychological self portrait. The flame gives light, but consumes whatever it touches and is itself consumed.

Ja! Ich weiß, woher ich stamme!
Ungesättigt gleich der Flamme
Glühe und verzehr' ich mich.
Licht wird alles, was ich fasse,
Kohle alles, was ich lasse: 5
Flamme bin ich sicherlich!

1 **ab-klingen** die down; **sich gilben** turn yellow
4 **der Reif** hoarfrost; **säumen** tarry

TITLE behold the man (John 19:5)
2 **ungesättigt** unsatiated
3 **verzehren** consume
5 **Kohle** i.e. charcoal

[89] Also sprach Zarathustra

Friedrich Nietzsche

Vorrede

Also sprach Zarathustra *(1883–1892) is Nietzsche's best-known single work. It is regarded by many as a compendium of his thought. Certainly it develops many of his central ideas: (1) his rhapsodic affirmation of life, symbolized in the myth of eternal recurrence; (2) his vision of the superman as a higher stage of man's development; (3) his rejection of bourgeois, Christian, "nihilistic" ideals (happiness and material comfort, democratic and socialistic egalitarianism, humility and altruism, progress with moderation); (4) his pagan (Dionysian) conception of existence: a human order based on heroic, aristocratic values, emphasizing strength, pride, beauty, urbanity and grandeur; (5) above all, his challenge to all theistic religions with the provocative taunt that God is dead and man must henceforth shape his own destiny, that life has no meaning other than that we give it.*

The lucid style of this great prose poem makes it possible for students with little knowledge of German to read with understanding and appreciation.

Of the ten sections comprising the „Vorrede", four are reprinted here.

1

Als Zarathustra dreißig Jahre alt war, verließ er seine Heimat und den See seiner Heimat und ging in das Gebirge. Hier genoß er seines Geistes und seiner Einsamkeit und wurde dessen zehn Jahre nicht müde. Endlich aber verwandelte sich sein Herz,—und eines Morgens stand er mit der Morgenröte auf, trat vor die (5) Sonne hin und sprach zu ihr also:

TITLE ***Zarathustra*** is the German form of Zoroaster, the name of the ancient Persian prophet and religious reformer who lived before the 5th century B.C. Nietzsche's work owes nothing to the ancient prophet except the use of his picturesque name; **also** = **so**

2 **genießen** with the genitive is the older usage; now generally with the accusative

5 **eines Morgens** one morning (*gen.* of indefinite time)

„Du großes Gestirn! Was wäre dein Glück, wenn du nicht die hättest, welchen du leuchtest!

Zehn Jahre kamst du hier herauf zu meiner Höhle: du würdest deines Lichtes und dieses Weges satt geworden sein, ohne mich, meinen Adler und meine Schlange. 10

Aber wir warteten deiner an jedem Morgen, nahmen dir deinen Überfluß ab und segneten dich dafür.

Siehe! Ich bin meiner Weisheit überdrüssig, wie die Biene, die des Honigs zu viel gesammelt hat, ich bedarf der Hände, die sich ausstrecken. 15

Ich möchte verschenken und austeilen, bis die Weisen unter den Menschen wieder einmal ihrer Torheit und die Armen wieder einmal ihres Reichtums froh geworden sind.

Dazu muß ich in die Tiefe steigen: wie du des Abends tust, wenn du hinter das Meer gehst und noch der Unterwelt Licht bringst, du überreiches Gestirn! 20

Ich muß, gleich dir, *untergehen,* wie die Menschen es nennen, zu denen ich hinab will.

So segne mich denn, du ruhiges Auge, das ohne Neid auch ein allzugroßes Glück sehen kann! 25

Segne den Becher, welcher überfließen will, daß das Wasser golden aus ihm fließe und überallhin den Abglanz deiner Wonne trage!

Siehe! Dieser Becher will wieder leer werden, und Zarathustra will wieder Mensch werden.“ 30

—Also begann Zarathustras Untergang.

2

Zarathustra stieg allein das Gebirge abwärts und niemand begegnete ihm. Als er aber in die Wälder kam, stand auf einmal

11 **Adler und Schlange** symbols for pride and wisdom (as explained in §10 of the Vorrede)
12 **deiner** older usage (*gen.*) now: **auf dich**
14 **überdrüssig** surfeited
15 **bedürfen** (+ *gen.*) = **brauchen**
23 **unter-gehen** go down, set [of the sun], decline or perish
28 **der Abglanz** reflection
30 **siehe** behold (Biblical)

ein Greis vor ihm, der seine heilige Hütte verlassen hatte, um Wurzeln im Walde zu suchen. Und also sprach der Greis zu Zarathustra: 35

„Nicht fremd ist mir dieser Wanderer: vor manchem Jahre ging er hier vorbei. Zarathustra hieß er; aber er hat sich verwandelt. 40

Damals trugst du deine Asche zu Berge: willst du heute dein Feuer in die Täler tragen? Fürchtest du nicht des Brandstifters Strafen?

Ja, ich erkenne Zarathustra. Rein ist sein Auge, und an seinem Munde birgt sich kein Ekel. Geht er nicht daher wie ein Tänzer? 45

Verwandelt ist Zarathustra, zum Kind ward Zarathustra, ein Erwachter ist Zarathustra: was willst du nun bei den Schlafenden?

Wie im Meere lebtest du in der Einsamkeit, und das Meer trug dich. Wehe, du willst ans Land steigen? Wehe, du willst deinen Leib wieder selber schleppen?“ 50

Zarathustra antwortete: „Ich liebe die Menschen.“

„Warum“, sagte der Heilige, „ging ich doch in den Wald und die Einöde? War es nicht, weil ich die Menschen allzusehr liebte?

Jetzt liebe ich Gott: die Menschen liebe ich nicht. Der Mensch ist mir eine zu unvollkommene Sache. Liebe zum Menschen würde mich umbringen.“ 55

Zarathustra antwortete: „Was sprach ich von Liebe! Ich bringe den Menschen ein Geschenk.“

„Gib ihnen nichts“, sagte der Heilige. „Nimm ihnen lieber etwas ab und trage es mit ihnen—das wird ihnen am wohlsten tun: wenn es dir nur wohltut! 60

Und willst du ihnen geben, so gib nicht mehr als ein Almosen, und laß sie noch darum betteln!“

36 **der Greis –e** old man (symbol for the conventional Christian)
41 **Asche** his burned-out former enthusiasms: Schopenhauer and Wagner
42 **der Brandstifter** incendiary
45 **der Ekel** disgust; **der Tänzer** dancer (symbol of the buoyant, gay, light mind; the contrast is given in l. 54)
46 **ward = wurde**
53 **die Einöde** desert, wilderness
56 **um-bringen** destroy
59 **ab-nehmen** take away, share [a burden]
62 **das Almosen** alms

Wooden Church at Hahnenklee in the Harz Mountains
German National Tourist Office, New York

Mittenwald, Karwendel (Bayern)
German National Tourist Office, New York

Franziskanertor in Überlingen (Bodensee)
German National Tourist Office, New York

Neue Münsterschule in Bonn
German National Tourist Office, New York

„Nein", antwortete Zarathustra, „ich gebe kein Almosen. Dazu bin ich nicht arm genug." 65

Der Heilige lachte über Zarathustra und sprach also: „So sieh zu, daß sie deine Schätze annehmen! Sie sind mißtrauisch gegen die Einsiedler und glauben nicht, daß wir kommen, um zu schenken.

Unsre Schritte klingen ihnen zu einsam durch die Gassen. Und 70 wie wenn sie nachts in ihren Betten einen Mann gehen hören, lange bevor die Sonne aufsteht, so fragen sie sich wohl: wohin will der Dieb?

Gehe nicht zu den Menschen und bleibe im Walde! Gehe lieber noch zu den Tieren! Warum willst du nicht sein wie ich,—ein 75 Bär unter Bären, ein Vogel unter Vögeln?"

„Und was macht der Heilige im Walde?" fragte Zarathustra.

Der Heilige antwortete: „Ich mache Lieder und singe sie, und wenn ich Lieder mache, lache, weine und brumme ich: also lobe ich Gott. 80

Mit Singen, Weinen, Lachen und Brummen lobe ich den Gott, der mein Gott ist. Doch was bringst du uns zum Geschenke?"

Als Zarathustra diese Worte gehört hatte, grüßte er den Heiligen und sprach: „Was hätte ich euch zu geben! Aber laßt mich schnell davon, daß ich euch nichts nehme!"—Und so trennten sie 85 sich voneinander, der Greis und der Mann, lachend, gleichwie zwei Knaben lachen.

Als Zarathustra aber allein war, sprach er also zu seinem Herzen: Sollte es denn möglich sein! Dieser alte Heilige hat in seinem Walde noch nichts davon gehört, daß *Gott tot ist.*" 90

3

Als Zarathustra in die nächste Stadt kam, die an den Wäldern liegt, fand er daselbst viel Volk versammelt auf dem Markte: denn

68 **der Einsiedler** hermit
70 **die Gasse** lane (here = street)
79 **brummen** hum
85 **davon** i.e. away from here
86 **gleichwie** as
92 **daselbst** = **da**

es war verheißen worden, daß man einen Seiltänzer sehen solle. Und Zarathustra sprach also zum Volke:

Ich lehre euch den Übermenschen. Der Mensch ist etwas, das überwunden werden soll. Was habt ihr getan, ihn zu überwinden? 95

Alle Wesen bisher schufen etwas über sich hinaus: und ihr wollt die Ebbe dieser großen Flut sein und lieber noch zum Tiere zurückgehn, als den Menschen überwinden?

Was ist der Affe für den Menschen? Ein Gelächter oder eine schmerzliche Scham. Und ebendas soll der Mensch für den Übermenschen sein: ein Gelächter oder eine schmerzliche Scham. 100

Ihr habt den Weg vom Wurme zum Menschen gemacht, und vieles ist in euch noch Wurm. Einst wart ihr Affen, und auch jetzt noch ist der Mensch mehr Affe als irgendein Affe. 105

Wer aber der Weiseste von euch ist, der ist auch nur ein Zwiespalt und Zwitter von Pflanze und von Gespenst. Aber heiße ich euch zu Gespenstern oder Pflanzen werden?

Seht, ich lehre euch den Übermenschen!

Der Übermensch ist der Sinn der Erde. Euer Wille sage: der Übermensch sei der Sinn der Erde! 110

Ich beschwöre euch, meine Brüder, *bleibt der Erde treu* und glaubt denen nicht, welche euch von überirdischen Hoffnungen reden! Giftmischer sind es, ob sie es wissen oder nicht.

Verächter des Lebens sind es, Absterbende und selber Vergiftete, deren die Erde müde ist: so mögen sie dahinfahren! 115

Einst war der Frevel an Gott der größte Frevel, aber Gott starb, und damit starben auch diese Frevelhaften. An der Erde zu

93 **verheißen = versprechen; der Seiltänzer** tightrope walker; symbol of the *Übermensch* or at least of the superior man; for the tightrope walker is in the air (above the earth) and yet not in the sky; he is treading a dangerous course; he is crossing a sort of bridge; he is nimble and not clumsy like most of the men below who are watching his performance.
96 **überwinden a u** overcome
107 **der Zwiespalt –e** division, discord, cleavage; **der Zwitter** hybrid, cross; **das Gespenst –er** spectre, ghost; i.e. Geist, which, in relation to the physical side of man (Pflanze), is as "unreal" as a ghost
110 **sage** pres. subj. let [your will] say
114 **der Giftmischer** poison mixer
115 **der Verächter** despiser; **der Absterbende** moribund, decaying
116 **dahin-fahren** pass away
117 **der Frevel** crime, sacrilege; **frevelhaft** criminal

freveln, ist jetzt das Furchtbarste, und die Eingeweide des Unerforschlichen höher zu achten als den Sinn der Erde! 120

Einst blickte die Seele verächtlich auf den Leib: und damals war diese Verachtung das Höchste:—sie wollte ihn mager, gräßlich, verhungert. So dachte sie ihm und der Erde zu entschlüpfen.

O diese Seele war selber noch mager, gräßlich und verhungert: 125 und Grausamkeit war die Wollust dieser Seele!

Aber auch ihr noch, meine Brüder, sprecht mir: was kündet euer Leib von eurer Seele? Ist eure Seele nicht Armut und Schmutz und ein erbärmliches Behagen?

Wahrlich, ein schmutziger Strom ist der Mensch. Man muß 130 schon ein Meer sein, um einen schmutzigen Strom aufnehmen zu können, ohne unrein zu werden.

Seht, ich lehre euch den Übermenschen: der ist dies Meer, in ihm kann eure große Verachtung untergehn.

Was ist das Größte, das ihr erleben könnt? Das ist die Stunde 135 der großen Verachtung. Die Stunde, in der euch auch euer Glück zum Ekel wird und ebenso eure Vernunft and eure Tugend.

Die Stunde, wo ihr sagt: „Was liegt an meinem Glücke! Es ist Armut und Schmutz und ein erbärmliches Behagen. Aber mein Glück sollte das Dasein selber rechtfertigen!" 140

Die Stunde, wo ihr sagt: „Was liegt an meiner Vernunft! Begehrt sie nach Wissen wie der Löwe nach seiner Nahrung? Sie ist Armut und Schmutz und ein erbärmliches Behagen!"

Die Stunde, wo ihr sagt: „Was liegt an meiner Tugend! Noch hat sie mich nicht rasen gemacht. Wie müde bin ich meines 145 Guten und meines Bösen! Alles das ist Armut und Schmutz und ein erbärmliches Behagen!"

119 **die Eingeweide** intestines; **unerforschlich** unknowable
123 **gräßlich** horrible; **entschlüpfen** slip away from
126 **Grausamkeit** cruelty; **die Wollust** delight
127 **künden** report
128 **erbärmliches Behagen** pitiful comfort
138 **liegen an** matter
140 **rechtfertigen** justify
142 **begehren** desire
145 **rasen** rave, rage

Die Stunde, wo ihr sagt: „Was liegt an meiner Gerechtigkeit! Ich sehe nicht, daß ich Glut und Kohle wäre. Aber der Gerechte ist Glut und Kohle!" 150

Die Stunde, wo ihr sagt: „Was liegt an meinem Mitleiden! Ist nicht Mitleid das Kreuz, an das der genagelt wird, der die Menschen liebt? Aber mein Mitleiden ist keine Kreuzigung."

Spracht ihr schon so? Schriet ihr schon so? Ach, daß ich euch schon so schreien gehört hätte! 155

Nicht eure Sünde—eure Genügsamkeit schreit gen Himmel, euer Geiz selbst in eurer Sünde schreit gen Himmel!

Wo ist doch der Blitz, der euch mit seiner Zunge lecke? Wo ist der Wahnsinn, mit dem ihr geimpft werden müßtet?

Seht, ich lehre euch den Übermenschen: der ist dieser Blitz, der ist dieser Wahnsinn!— 160

Als Zarathustra so gesprochen hatte, schrie einer aus dem Volke: „Wir hörten nun genug von dem Seiltänzer; nun laßt uns ihn auch sehen!" Und alles Volk lachte über Zarathustra. Der Seiltänzer aber, welcher glaubte, daß das Wort ihm gälte, machte sich an sein Werk. 165

4

Zarathustra aber sahe das Volk an und wunderte sich. Dann sprach er also:

Der Mensch ist ein Seil, geknüpft zwischen Tier und Übermensch,—ein Seil über einem Abgrunde. 170

Ein gefährliches Hinüber, ein gefährliches Auf-dem-Wege, ein gefährliches Zurückblicken, ein gefährliches Schaudern und Stehenbleiben.

148 **Gerechtigkeit** righteousness
149 **die Glut** fire
156 **Genügsamkeit** complacency, moderation, frugality
157 **der Geiz** stinginess; **selbst** even; **gen** = **gegen**
158 **lecken** lick
159 **der Wahnsinn** madness; **impfen** inoculate
165 **gälte** (**gelten**) was meant for
167 **sahe** = **sah** (Biblical)
169 **das Seil –e** rope
171 **das Hinüber** [going] over
172 **schaudern** shudder

Was groß ist am Menschen, das ist, daß er eine Brücke und kein Zweck ist: was geliebt werden kann am Menschen, das ist, daß 175 er ein *Übergang* und ein *Untergang* ist.

Ich liebe die, welche nicht zu leben wissen, es sei denn als Untergehende, denn es sind die Hinübergehenden.

Ich liebe die großen Verachtenden, weil sie die großen Verehrenden sind und Pfeile der Sehnsucht nach dem andern Ufer. 180

Ich liebe die, welche nicht erst hinter den Sternen einen Grund suchen, unterzugehen und Opfer zu sein: sondern die sich der Erde opfern, daß die Erde einst des Übermenschen werde.

Ich liebe den, welcher lebt, damit er erkenne, und welcher erkennen will, damit einst der Übermensch lebe. Und so will er 185 seinen Untergang.

Ich liebe den, welcher arbeitet und erfindet, daß er dem Übermenschen das Haus baue und zu ihm Erde, Tier und Pflanze vorbereite: denn so will er seinen Untergang. Ich liebe den, welcher seine Tugend liebt: denn Tugend ist Wille zum Unter- 190 gang und ein Pfeil der Sehnsucht.

Ich liebe den, welcher nicht einen Tropfen Geist für sich zurückbehält, sondern ganz der Geist seiner Tugend sein will: so schreitet er als Geist über die Brücke.

Ich liebe den, welcher aus seiner Tugend seinen Hang und 195 sein Verhängnis macht: so will er um seiner Tugend willen noch leben und nicht mehr leben.

Ich liebe den, welcher nicht zu viele Tugenden haben will. Eine Tugend ist mehr Tugend als zwei, weil sie mehr Knoten ist, an den sich das Verhängnis hängt. 200

Ich liebe den, dessen Seele sich verschwendet, der nicht Dank

176 **der Übergang ⸚e** transition
177 **es sei denn** except
179 **verehren** revere
180 **die Sehnsucht** yearning
183 **des** i.e. the property *or* abode of . . .
195 **der Hang** inclination
196 **das Verhängnis** fate; **um . . . willen** for the sake of
196–7 i.e. live as long as he can serve life and be prepared to give up life when a higher end demands it
199 **der Knoten** knot
201 **verschwenden** squander

haben will und nicht zurückgibt: denn er schenkt immer und will sich nicht bewahren.

Ich liebe den, welcher sich schämt, wenn der Würfel zu seinem Glücke fällt, und der dann fragt: bin ich denn ein falscher Spieler?—denn er will zugrunde gehen. 205

Ich liebe den, welcher goldne Worte seinen Taten voraus wirft und immer noch mehr hält als er verspricht: denn er will seinen Untergang.

Ich liebe den, welcher die Zukünftigen rechtfertigt und die Vergangenen erlöst: denn er will an den Gegenwärtigen zugrunde gehen. 210

Ich liebe den, welcher seinen Gott züchtigt, weil er seinen Gott liebt: denn er muß am Zorne seines Gottes zugrunde gehen.

Ich liebe den, dessen Seele tief ist auch in der Verwundung, und der an einem kleinen Erlebnisse zugrunde gehen kann: so geht er gerne über die Brücke. 215

Ich liebe den, dessen Seele übervoll ist, so daß er sich selber vergißt, und alle Dinge in ihm sind: so werden alle Dinge sein Untergang. 220

Ich liebe den, der freien Geistes und freien Herzens ist: so ist sein Kopf nur das Eingeweide seines Herzens, sein Herz aber treibt ihn zum Untergang.

Ich liebe alle die, welche wie schwere Tropfen sind, einzeln fallend aus der dunklen Wolke, die über den Menschen hängt: sie verkündigen, daß der Blitz kommt, und gehn als Verkündiger zugrunde. 225

Seht, ich bin ein Verkündiger des Blitzes, und ein schwerer Tropfen aus der Wolke: dieser Blitz aber heißt Übermensch.—

203 **bewahren** preserve
204 **der Würfel** dice
206 **zugrunde gehen** perish
211 **erlösen** redeem
213 **züchtigen** chastise; **Gott** here = man's ideals
221 **freien Geistes** with a free mind
222 **Eingeweide** i.e. in a subordinate position. The intellect must serve the will.
226 **verkündigen** announce

[90] Ende eines Sommers

Günter Eich (1907–   )

Eich is one of the significant lyric poets who have emerged since World War II, although he had already published a volume of poems in 1930. He is the most influential writer of Hörspiele (radio plays) in Germany today. As a lyricist he is essentially a nature poet, but one who sees nature as a background for coping with the anxieties of modern man. The following poem is from the volume Botschaften des Regens *(1955).*

Wer möchte leben ohne den Trost der Bäume!
Wie gut, daß sie am Sterben teilhaben!
Die Pfirsiche sind geerntet, die Pflaumen färben sich,
während unter dem Brückenbogen die Zeit rauscht.

Dem Vogelzug vertraue ich meine Verzweiflung an. 5
Er mißt seinen Teil von Ewigkeit gelassen ab.
Seine Strecken
werden sichtbar im Blattwerk als dunkler Zwang,
die Bewegung der Flügel färbt die Früchte.

Es heißt Geduld haben. 10
Bald wird die Vogelschrift entsiegelt,
unter der Zunge ist der Pfennig zu schmecken.

2 **Sterben** [the process of] dying
4 **Zeit** here symbolized by the river flowing under the bridge
5 **der Vogelzug ⸚e** migration of birds
6 **ab-messen a e** measure off
8 **das Blattwerk** foliage
10 **es heißt** the point is
11 **die Vogelschrift** bird writing, i.e. the marks alluded to in line 8; **entsiegeln** unseal, reveal
12 It was the custom among the ancient Greeks to put an obolus [a small coin] under the tongue of the dead. This was the fee collected by Charon, who ferried the dead across the river Styx into Hades.

[91] Legende von den drei Pfändern der Liebe

Karl Heinrich Waggerl (1897–   )

Contemporary German literature has its share of sophistication; but it also has a surprising number of writers who think and write in an older tradition. The Austrian Waggerl is one of these. He has written novels of rural life, in the manner of Knut Hamsun, depicting man's struggle against nature. The following "legend" is from a collection of Kalendergeschichten, *a type of literature, often didactic in intent, that goes back to the Middle Ages and that has never died out in Germany.*

Da war ein armer Mann, ein Kesselschmied in einem Dorf, der hatte ein Mädchen, mit dem er bald Hochzeit halten wollte. Und das war gut; denn das Mädchen liebte ihn mehr als alles in der Welt. Weil es aber nun am Geld für die Heirat fehlte und weil der Jahre immer mehr wurden, darum suchte der Mann etwas von seiner Ware zusammen und wollte damit in die Fremde ziehen, um seine Kessel in den Dörfern zu verkaufen. „Ich will einen Handel aufmachen", sagte er, „warte auf mich."

Da weinte nun das Mädchen und bat ihn, zu bleiben. „Du wirst nicht wiederkommen", klagte es, „ach, du wirst mir untreu werden und nie wiederkommen!"

Allein der Mann tröstete seine Braut und schwor ihr die Treue mit vielen Worten und dachte doch nur an die Fremde, an das Wandern in der weiten Welt, als er schwor. „Ich will immer bei Tag in die Dörfer gehen", sagte er, „und nachts will ich auf dem Felde schlafen, an den Zäunen und unter den Bäumen, wie sollte ich dir die Treue nicht halten?"

Das Mädchen schwieg und verbarg seinen Kummer vor ihm.

TITLE **das Pfand ¨-er** pledge
1 **der Kesselschmied -e** coppersmith, tinker
5 **Jahre** *gen.*
7 **die Fremde** foreign parts
8 **Handel . . .** open a business
10 **klagen** lament
12 **allein = aber; trösten** comfort; **die Braut ¨-e** fiancée
16 **der Zaun ¨-e** fence
18 **der Kummer** grief

Aber als er auszog, gab es ihm drei Pfänder der Liebe mit auf den Weg: zum ersten ein Band aus dem Haar, zum zweiten den Ring von der Hand und zum dritten ein Messer, das war blank und scharf. „Nimm das", sagte die Braut. „Das Band soll mich finden, der Ring soll dich binden und das Messer . . ." 20

Ja, das Messer. Jedenfalls ging der Mann nun über Land und saß am ersten Tag auf dem Markt, handelte mit den Mägden und Frauen, und da war ihm schon wohl bei diesem Leben. Nachts aber schlief er im Heu auf dem Felde, wie er es versprochen hatte. 25

Nun geschah es, daß sich in der Dunkelheit eine fremde Frau an sein Lager gesellte. „Du gefällst mir", flüsterte sie, „du junger Kesselschmied!" Da freute sich der Mann, weil er nicht allein und verlassen in dieser Nacht auf dem Felde liegen mußte. Er küßte die fremde Frau und vergaß alles und zog sie an sich. 30

„Hast du kein Mädchen", fragte sie, „mußt du immer so wandern?" 35

„Nein", antwortete der Mann, „auf mich wartet niemand, ich gehe in die Welt!" Und vor Tag, als die Frau von ihm Abschied nahm, und als sie zu weinen anfing, da schenkte er ihr ein Band für das Haar zum Angebinde.

Am andern Tage kam er in eine Stadt, da war der Handel gut, und er schlug die Hälfte seiner Ware los. Nachts aber ging er dennoch hinaus und schlief an einem Zaun, wie er es versprochen hatte. Und da kam abermals eine Frau aus der Stadt an sein Lager, die sagte ihm süße Worte ins Ohr und schlief bei ihm. „Hast du kein Mädchen daheim", fragte sie leise, „bindet dich nichts?" 40 45

„Nein, keine Seele, ich gehe in die Welt! Aber du sollst nicht

20 **zum ersten** first
21 **blank** shining
26 **es war ihm wohl** he felt well
30 **sich gesellen (an)** join; **flüstern** whisper
32 **verlassen** forsaken
39 **das Angebinde** gift
40 **ander = folgend**
41 **los-schlagen** dispose of
43 **abermals = wieder**
44 **ihm** See Appendix §2

weinen, ich will dir ein Angebinde geben, einen Ring für deine Hand."

Und am dritten Tage war der Mann schon weit in der Ferne, 50 er tat sich tüchtig um, handelte und verkaufte sein ganzes Wandergut auf den Plätzen, und dann ging er zum letzten Mal unter die Bäume, um zu schlafen, wie er es versprochen hatte.

Aber auch in der dritten Nacht schlief er nicht allein, und sie schien ihm die kostbarste von allen zu sein, diese Frau in der 55 dritten Nacht. Die Frau schlang plötzlich die Arme um seinen Hals und küßte ihn und weinte bitterlich.

„Was ist dir", sagte der Mann, „warum weinst du so sehr?"

„Ach", sagte die Frau, „ich bin todtraurig. Sicher hast du ein Mädchen daheim, das dich so liebt wie ich und das vor Kummer 60 stirbt, wie ich sterben werde, wenn du mich verläßt!"

Da verlangte der Mann nur noch heißer nach dieser Frau und schwor seine Liebe vor ihr ab, für immer und bis über den Tod. Und am Ende der Nacht bat ihn die Frau um ein Zeichen, daß sie an ihn denken könnte. Aber er hatte nichts mehr, er fand 65 nur sein Messer in der Tasche, und das gab er ihr zuletzt, weil es blank und scharf war, ein hübsches Ding.

Nun war er aber seine Ware los geworden, und darum dachte er heimzukehren, auf dem Wege, den er ausgezogen war, und vielleicht wollte er nur neue Kessel und Pfannen holen, um dann 70 wieder fort zu gehen.

Und als er in der ersten Nacht an dem Zaune schlief, da kam niemand mehr zu ihm; aber er sah seinen Ring im Grase liegen, und darüber wunderte er sich sehr.

In der zweiten Nacht suchte er seinen alten Schlafplatz auf 75 dem Felde, da war das Haarband an einen hohen Halm geknüpft, und der Mann erschrak bis ins Herz hinein.

51 **sich um-tun** bestir oneself
52 **das Wandergut ⸚er** pedlar's wares; **der Platz ⸚e** square
55 **kostbar** precious, delightful
56 **schlingen a u** sling, throw
62 **verlangen** desire
63 **ab-schwören o o** abjure; here: affirm on oath
70 **die Pfanne** pan
76 **der Halm –e** blade of grass; **knüpfen** tie
77 **erschrak (erschrecken)** was frightened

In der letzten Nacht aber kam er endlich heim und fand das Haus dunkel und schwarz verhüllt. „Warum brennt kein Licht in meinem Hause?“ fragte der Mann. „Geh hinauf“, sagten die Leute. 80

Und als er in die Stube kam, da lag sein Mädchen auf der Bahre. Da wußte er, daß sie es war, die er dreimal geliebt und dreimal verraten hatte; und nun steckte sein Messer mitten in ihrer weißen Brust. 85

Ja. Und das ist die Geschichte von den drei Pfändern der Liebe.

[92] ins lesebuch für die oberstufe

Hans Magnus Enzensberger *(1929–)*

Enzensberger is one of the most original of the younger German poets. His diction is crisp, unconventional; his imagery powerful and fresh. He is very much the poète engagé, *a strong, sometimes stridently critical voice of the "Establishment." The following poem, from the volume entitled* Verteidigung der Wölfe, *foresees a return of the tyranny which Germany suffered during the Nazi era, because the many "good guys," by their indifference and connivance with evil, beg to be destroyed by the "bad guys." (Verteidigung der Wölfe gegen die Lämmer).*

Like other German avant-garde poets, Enzensberger uses some unconventional typographical and metrical innovations. The meter in this poem is close to rhythmical prose or free verse. Dactyls and spondees predominate.

lies keine oden, mein sohn, lies die fahrpläne:
sie sind genauer. roll die seekarten auf,
eh es zu spät ist. sei wachsam, sing nicht.

79 **verhüllen** cover, veil
83 **die Bahre** bier
84 **verraten ie a** betray

TITLE **Oberstufe** the highest class in the secondary school
1 **der Fahrplan ⸗e** railway schedule
2 **die Seekarte** sea chart

der tag kommt, wo sie wieder listen ans tor
schlagen und malen den neinsagern auf die brust 5
zinken. lern unerkannt gehn, lern mehr als ich:
das viertel wechseln, den paß, das gesicht.
versteh dich auf den kleinen verrat,
die tägliche schmutzige rettung. nützlich
sind die enzykliken zum feueranzünden, 10
die manifeste: butter einzuwickeln und salz
für die wehrlosen. wut und geduld sind nötig
in die lungen der macht zu blasen
den feinen tödlichen staub, gemahlen
von denen, die viel gelernt haben, 15
die genau sind, von dir.

[93] Albrecht Dürer

Walter Bauer

Das erste Blatt von Dürers Hand war eine Zeichnung des Dreizehnjährigen (1484). Der Lehrling in der Werkstatt des Vaters schrieb darauf: „Das habe ich vor dem Spiegel gemacht, als ich noch ein Kind war." Diese Zeichnung war die erste und noch unbeholfene Bewegung des Genius, und dieses Selbstbild- 5

4 **Listen** proscription lists of those who are to be taken to concentration camps as enemies of the state
5 **Neinsager** "no man," i.e. anyone who disagrees with government policy
6 **der Zinken** *or* **die Zinke** secret mark [in playing cards], i.e. an identification mark or brand mark; **unerkannt** unrecognized, incognito
7 **das Viertel** [residential] quarter; **der Paß ¨-e** passport
8 **sich verstehen auf** become expert at; **kleiner Verrat** small treason, i.e. cheating the government to save one's skin
10 **die Enzyklika** papal encyclical; **das Feueranzünden** lighting a fire
11 **ein-wickeln** wrap up
12 **wehrlos** defenseless

1 **Zeichnung** drawing
5 **unbeholfen** awkward

nis war das erste von vielen, die er bis zum Ende seines Lebens zeichnete und malte.

Als er zwanzig Jahre später während seines zweiten Aufenthaltes in Venedig das „Rosenkranzfest" malte, unterzeichnete er das Bild mit „Albertus Dürer Germanus". Er stand auf der Höhe des Ruhmes und wußte, daß er ein Meister war. Der Doge von Venedig besuchte ihn in seinem Atelier. Die Initialen seines Namens, mit denen er seine Arbeiten zeichnete, waren überall in Europa bekannt. 10

Dürer Germanus. Kein Maler seiner Zeit, und nicht nur seiner Zeit, kann mit soviel Recht ein deutscher Maler genannt werden. Die Fülle seines künstlerischen Werkes offenbart, wie kaum ein anderes, die Züge des deutschen Charakters in seiner Stärke und Schwäche: liebevolle und manchmal pedantische Genauigkeit, unerschöpfliche und grüblerische Phantasie, tiefe Frömmigkeit, Zartheit, Wärme und Kühnheit des Ausdrucks, die nie endende Suche nach sich selbst und die Suche nach dem Unendlichen. Aus seinem Werk tritt uns das Leben in Deutschland am Ende des 15. Jahrhunderts entgegen: seine Dörfer und Städte mit Bauern und Bürgern, Adligen und Fürsten. 15 20 25

Aber vor allem ist es ein Ausdruck der geistigen Strömungen jener Epoche, in der das Mittelalter endete und die Neuzeit mit sozialer und geistiger Unruhe anfing. Es war eine Zeit der Furcht vor dem Ende der Welt und der Hoffnung, eine Zeit der Entdeckungen neuer Länder und der Entdeckung des Menschen als einer Persönlichkeit. Krieg, Hunger und Pest peinigten die Länder. Das alles ging in Dürers Werk ein. Er war ein Mensch dieser Zeitenwende, tief religiös, ein treuer Sohn der katholi- 30

8 **der Aufenthalt –e** stay
9 **Vene'dig** Venice; **das Rosenkranzfest –e** festival of the Rosary (October 7).
11 ***Doge*** head of the Venetian Republic
12 **das Ate'lier –s** studio
17 **die Fülle** wealth, abundance; **offenbaren** reveal
18 **der Zug ¨–e** trait, feature, character
20 **unerschöpfliche . . .** inexhaustible and brooding imagination; **Frömmigkeit** piety
25 **der Adlige –n** nobleman; **der Fürst –en** prince
31 **peinigen** torment

schen Kirche bis zu seinem Tode und zugleich voller Teilnahme an Luthers Reformation. Er war gebildet, ein Freund der besten Geister seiner Zeit, und er schuf in seinen Holzschnitten und Kupferstichen Werke, die sofort volkstümlich wurden und volkstümlich geblieben sind. Er war ein Bürger, der die Ordnung liebte, und ein Herr, der mit dem Kaiser am Tisch saß und großzügig mit seinen Bildern zahlte. Er war ein unermüdlicher Arbeiter und ein leidenschaftlicher Sucher der Kunst und der Wahrheit, die für ihn eine religiöse Wahrheit war. Alles interessierte ihn, er nahm alles auf. In seinem Buche von den Proportionen suchte er das Geheimnis der Form zu fassen. Er schrieb seine Abhandlungen deutsch und war der erste, der die deutsche Sprache für wissenschaftliche Prosa benutzte. Er war ein Visionär mit unbestechlichen Augen und der Hand eines Meisters.

Albrecht Dürer wurde am 21. Mai 1471 in Nürnberg geboren. In der freien Reichsstadt trafen sich die Einflüsse von Flandern und Norditalien und gaben ihr einen kosmopolitischen Zug. Er hätte wie sein Vater Goldschmied werden sollen, aber er war dann Lehrling in der Werkstatt des Malers Wolgemut und wurde der Maler Albrecht Dürer. Von Nürnberg brach er zu langen Wanderungen in die Schweiz und in die fränkische Heimat und zu Reisen nach Holland und Italien auf und brachte nach Nürnberg Tagebücher, Zeichnungen und die unvergleichlichen

34 **die Teilnahme** sympathy
35 **gebildet** cultured
36 **Holzschnitten . . .** woodcuts and copper engravings
37 **volkstümlich** popular
40 **großzügig** generously, in the grand manner; **unermüdlich** tireless
44 **das Geheimnis –se** secret, mystery
45 **Abhandlung** treatise
47 **unbestechlich** incorruptible
49 **Nürnberg** city in Bavaria
50 **freien** i.e. a city that owed allegiance to the Emperor alone, not to any prince; **Flandern** Flanders in Belgium
52 **hätte werden sollen** was to have become
53 *Michael Wolgemut* (1434–1519)
54 **auf-brechen** set out
55 **fränkisch** Franconian (roughly the territory around the central and upper Main river)
57 **unvergleichlichen . . .** incomparable water colors

Aquarelle zurück, die in seiner Zeit ohne Vorbild sind und ohne Nachfolge blieben. In Nürnberg lebte er in kinderloser Ehe mit Agnes Frey; hier hatte er sein Haus und Freunde, und hier war 60 seine Werkstatt, ein Arbeitsraum, und eine Zelle der Meditation und der Phantasie.

Der Grund seines Wesens war die tiefe Unruhe eines Mannes, der den Frieden seiner leidenden Seele mit Gott suchte. In seinen religiösen Bildern, in den Folgen seiner Holzschnitte—den 65 „Passionen", dem „Marienleben", der „Apokalypse"—diente er Gott mit immer frischer Inspiration. „Ritter, Tod und Teufel" (1513) war ein Symbol des kämpferischen Geistes der Reformation, „Hieronymus im Gehäus" stellte den vollkommenen Frieden der Meditation dar. Die grübelnde „Melancolia" (1514) ist 70 eine Schwester der „Nacht" von Michelangelo in der Medici-Kapelle genannt worden. Diese Kupferstiche waren Bekenntnisse eines kämpfenden, suchenden Geistes und trugen seinen Namen durch Deutschland und Europa. In seinem Werk vereinigte er das Gotische des Mittelalters mit dem Klassizismus 75 der Renaissance, den er in Italien studierte. Von seinen Zeichnungen führt der Weg zu Rembrandt, der Dürers Werk kannte. In seinen letzten und großartigsten Bildern der „Vier Apostel" bekannte er sich zu dem Geist der Erneuerung in der Reformation. Während er sie malte, war der Bauernkrieg ausgebrochen. 80

Als Dürer 1528 starb, war aus der Wende der Zeit die Neuzeit geworden. Vieles zerbrach in den kommenden geistigen und sozialen Unruhen. Das mächtige Werk des Meisters Albrecht Dürer blieb.

58 **das Vorbild -er** model, precedent
59 **die Nachfolge** succession
61 **die Zelle** cell
63 **das Wesen** character, nature
67 **der Ritter** knight; **der Teufel** devil
69 **das Gehäus** room, study
70 **grübelnd** brooding
71 ***Medici*** the chapel of the Medicis in Rome
72 **das Bekenntnis -se** confession
78 **großartig** magnificent
79 **sich bekennen zu** accept; **Erneuerung** innovation, renewal
80 **der Bauernkrieg** the Peasant War (1524–1525)

[94] Eine alltägliche Verwirrung

Franz Kafka (1883–1924)

For two decades Kafka has been one of the most widely read contemporary writers because his crazy world mirrors the mood of the generation that grew up between the two world wars. This little tragi-comedy of errors is a representative sample, both in content and style, of Kafka's writing.

Ein alltäglicher Vorfall: sein Ertragen eine alltägliche Verwirrung. A hat mit B aus H ein wichtiges Geschäft abzuschließen. Er geht zur Vorbesprechung nach H, legt den Hin- und Herweg in je zehn Minuten zurück und rühmt sich zu Hause dieser besonderen Schnelligkeit. Am nächsten Tag geht er 5
wieder nach H, diesmal zum endgültigen Geschäftsabschluß. Da dieser voraussichtlich mehrere Stunden erfordern wird, geht A sehr früh morgens fort. Obwohl aber alle Nebenumstände, wenigstens nach As Meinung, völlig die gleichen sind wie am Vortag, braucht er diesmal zum Weg nach H zehn Stunden. Als 10
er dort ermüdet abends ankommt, sagt man ihm, daß B, ärgerlich wegen As Ausbleiben, vor einer halben Stunde zu A in sein Dorf gegangen sei und sie sich eigentlich unterwegs hätten treffen müssen. Man rät A zu warten. A aber, in Angst wegen des Geschäftes, macht sich sofort auf und eilt nach Hause. 15

Diesmal legt er den Weg, ohne besonders darauf zu achten,

TITLE an everyday confusion
1 **der Vorfall ¨-e** incident; **das Ertragen** consequence
3 **Vorbesprechung** preliminary conference; **hin und her** back and forth; **zurück'legen** cover
4 **sich rühmen** boast
6 **endgültig** final, for good
7 **voraussichtlich** presumably; **erfordern** require
8 **der Nebenumstand ¨-e** attendant circumstance
11 **ärgerlich** annoyed
12 **das Ausbleiben** absence
13 **hätten . . .** ought to have met
15 **sich auf-machen** set out

geradezu in einem Augenblick zurück. Zu Hause erfährt er, B sei doch schon gleich früh gekommen—gleich nach dem Weggang As; ja, er habe A im Haustor getroffen, ihn an das Geschäft erinnert, aber A habe gesagt, er hätte jetzt keine Zeit, er müsse jetzt eilig fort. 20

Trotz diesem unverständlichen Verhalten As sei aber B doch hier geblieben, um auf A zu warten. Er habe zwar schon oft gefragt, ob A nicht schon wieder zurück sei, befinde sich aber noch oben in As Zimmer. Glücklich darüber, B jetzt noch zu sprechen und ihm alles erklären zu können, läuft A die Treppe hinauf. Schon ist er fast oben, da stolpert er, erleidet eine Sehnenzerrung und, fast ohnmächtig vor Schmerz, unfähig sogar zu schreien, nur winselnd im Dunkel hört er, wie B—undeutlich ob in großer Ferne oder knapp neben ihm—wütend die Treppe hinunterstampft und endgültig verschwindet. 25 30

[95] Das Göttliche

Johann Wolfgang von Goethe (*1749–1832*)

This ode was written in 1783. It is a noble statement of the ideals which inspired German men of letters in the classical period, from Lessing to Hölderlin. The basic idea is that man is more than a natural phenomenon; he can raise himself above nature, with her indifference and cruelty, and act humanely, so that his conduct will bear testimony to the Divine in the Universe.

17 **geradezu′** actually
18 **doch** really (See Appendix §7); **gleich** very
22 **das Verhalten** behavior
24 **sich befinden** be
27 **stolpern** stumble; **erleiden itt itt** suffer
28 **Sehnenzerrung** sprain of a sinew; **ohnmächtig** fainting
29 **winseln** whimper
30 **knapp** close; **wütend** furious
31 **stampfen** stamp

TITLE **das Göttliche –n** divine

Edel sei der Mensch,
Hilfreich und gut!
Denn das allein
Unterscheidet ihn
Von allen Wesen, 5
Die wir kennen.

Heil den unbekannten
Höhern Wesen,
Die wir ahnen!
Ihnen gleiche der Mensch; 10
Sein Beispiel lehr' uns
Jene glauben.

Denn unfühlend
Ist die Natur:
Es leuchtet die Sonne 15
Über Bös' und Gute,
Und dem Verbrecher
Glänzen, wie dem Besten,
Der Mond und die Sterne.

Wind und Ströme, 20
Donner und Hagel
Rauschen ihren Weg
Und ergreifen,
Vorüber eilend,
Einen um den andern. 25

1 **sei** (*subj.*) let be
2 **hilfreich** helpful
7 **heil** hail
9 **ahnen** have a presentiment of
10 **gleiche** (*subj.*) let resemble
11 **lehr' = lehre** (*subj.*)
12 **jene = an jene**
15 **es** See Appendix §3
17 **der Verbrecher** criminal
21 **der Hagel** hail
22 **rauschen** roar
25 **um** after

Auch das Glück
Tappt unter die Menge,
Faßt bald des Knaben
Lockige Unschuld,
Bald auch den kahlen 30
Schuldigen Scheitel.

Nach ewigen, ehrnen,
Großen Gesetzen
Müssen wir alle
Unseres Daseins 35
Kreise vollenden.

Nur allein der Mensch
Vermag das Unmögliche:
Er unterscheidet,
Wählet und richtet; 40
Er kann dem Augenblick
Dauer verleihen.

Er allein darf
Den Guten lohnen,
Den Bösen strafen, 45
Heilen und retten,
Alles Irrende, Schweifende
Nützlich verbinden.

Und wir verehren
Die Unsterblichen, 50

26 **das Glück** fortune
27 **tappen** grope; **die Menge** crowd
29 **lockig** curly (**lockige Unschuld** is a transferred epithet)
30 **kahl** bald
31 **der Scheitel** crown (of the head)
32 **ehern** brazen—i.e. hard
40 **richten** judge
42 **Dauer . . .** lend permanence
44 **lohnen** reward
47 **schweifen** roam, go astray
49 **verehren** revere

Als wären sie Menschen,
Täten im großen,
Was der Beste im kleinen
Tut oder möchte.

Der edle Mensch 55
Sei hilfreich und gut!
Unermüdet schaff' er
Das Nützliche, Rechte,
Sei uns ein Vorbild
Jener geahnten Wesen! 60

[96] Humanität

Johann Gottfried Herder (1744–1803)

We have met Herder in § *2 as a poet. But he was essentially a philosopher of culture and a historian of ideas. No one was more influential in promoting the concept of* Humanität, *an ideal of secular culture with liberal tendencies, during the age of Goethe. He wrote a special series of letters on this theme, entitled* Briefe zur Beförderung der Humanität *(1793–1797). The following is an extract from one of these letters.*

1. Vollkommenheit einer Sache kann nichts sein, als daß das Ding sei, was es sein soll und kann.

2. Vollkommenheit eines einzelnen Menschen ist also, daß er im Continuum seiner Existenz er selbst sei und werde.

6. Sich allein kann kein Mensch leben, wenn er auch wollte. 5
Die Fertigkeiten, die er sich erwirbt, die Tugenden oder Laster, die er ausübt, kommen in einem kleineren oder größeren Kreise andern zu Leid oder zur Freude.

51 **als** as if
52 **täten . . .** did on a large scale

5 **sich** = **für sich**
6 **Fertigkeit** skill
8 **andern zu Leid** to the disadvantage of others

7. Die gegenseitig-wohltätigste Einwirkung eines Menschen auf den andern jedem Individuum zu verschaffen und zu erleichtern: nur dies kann der Zweck aller menschlichen Vereinigung sein. Was ihn stört, hindert oder aufhebt, ist unmenschlich. Lebe der Mensch kurz oder lange, in diesem oder jenem Stande; er soll seine Existenz genießen und das Beste davon andern mitteilen; dazu soll ihm die Gesellschaft, zu der er sich vereinigt hat, helfen. 10 15

21. Wie es unter den Tieren zerstörende und erhaltende Gattungen gibt, so unter den Menschen. Nur unter jenen und diesen sind die zerstörenden Leidenschaften die wenigern; sie können und müssen von den erhaltenden Neigungen unsrer Natur eingeschränkt und bezwungen, zwar nicht ausgetilgt, aber unter eine Regel gebracht werden. 20

22. Diese Regel ist Vernunft, bei Handlungen Billigkeit und Güte. Eine vernunftlose, blinde Macht ist zuletzt immer eine ohnmächtige Macht; entweder zerstört sie sich selbst, oder muß am Ende dem Verstande dienen. 25

23. Desgleichen ist der wahre Verstand immer auch mit Billigkeit und Güte verbunden; sie führt auf ihn, er führt auf sie; Verstand und Güte sind die beiden Pole, um deren Achse sich die Kugel der Humanität bewegt.

24. Wo sie einander entgegengesetzt scheinen, da ist's mit einer oder der andern nicht richtig; eben diese Divergenz aber macht Fehler sichtbar ... Jeder feinere Fehler gibt eine neue, höhere Regel der einen allumfassenden Güte und Wahrheit. 30

25. Alle Laster und Fehler unsres Geschlechts müssen also dem Ganzen endlich zum Besten gereichen. Alles Elend, das aus 35

12 **auf-heben** cancel out, eliminate
13 **der Stand ¨-e** social class
17 **jenen = Tieren; diesen = Menschen**
18 **wenigern** lesser
19 **erhaltenden** [life]-preserving
20 **aus-tilgen** annihilate
22 **Billigkeit** fairness
26 **dergleichen** similarly
31 **einer = Humanität; dem andern = Verstand**
33 **allumfassend** all-embracing
34 **das Geschlecht –er** [human] race
35 **zum Besten gereichen** work for the welfare

Vorurteilen, Trägheit und Unwissenheit entspringt, kann den Menschen seine Sphäre nur mehr kennen lehren; alle Ausschweifungen rechts und links stoßen am Ende auf seinen Mittelpunkt zurück.

29. Je reiner eine Religion war, desto mehr mußte und wollte sie die Humanität befördern. Dies ist der Prüfstein selbst der Mythologie der verschiedenen Religionen. 40

30. Die Religion Christi, die er selbst hatte, lehrte und übte, war die Humanität selbst. Christus kannte für sich keinen edleren Namen, als daß er sich den Menschensohn, d.i. einen Menschen nannte. 45

31. Je besser ein Staat ist, desto angelegentlicher und glücklicher wird in ihm die Humanität gepflegt; je inhumaner, desto unglücklicher und ärger.

32. Der Politik ist der Mensch ein Mittel; der Moral ist er Zweck. Beide Wissenschaften müssen eins werden, oder sie sind schädlich wider einander. 50

34. Ist der Staat, das was er sein soll, das Auge der allgemeinen Vernunft, das Ohr und Herz der allgemeinen Billigkeit und Güte: so wird er jede dieser Stimmen hören, und die Tätigkeit der Menschen nach ihren verschiedenen Neigungen, Empfindbarkeiten, Schwächen und Bedürfnissen aufwecken und ermuntern. 55

35. Es ist nur ein Bau, der fortgeführt werden soll; . . . wie physisch, so ist auch moralisch und politisch die Menschheit im ewigen Fortgange und Streben. 60

36. Die Perfektibilität ist also keine Täuschung; sie ist Mittel und Endzweck zur Ausbildung alles dessen, was der Charakter unsres Geschlechts an Humanität verlangt und gewährt.

Hebt eure Augen auf und seht. Allenthalben ist die Saat gesät; 65

37 **Sphäre** i.e. his true sphere
41 **der Prüfstein –e** touchstone
47 **angelegentlich** urgently
56 **Empfindbarkeit** sensibility
57 **das Bedürfnis –se** need
62 **Perfektabilität** perfectibility (the belief of the *Aufklärung* that man and society are capable of steady improvement; the doctrine of progress)
65 **allenthalben = überall**

hier verweset und keimt, dort wächst sie und reift zu einer neuen Aussaat. Dort liegt sie unter Schnee und Eise; getrost! das Eis schmilzt; der Schnee wärmt und deckt die Saat. Kein Übel, das der Menschheit begegnet, kann und soll ihr anders als ersprießlich werden. Es läge ja selbst an ihr, wenn es ihr nicht ersprießlich würde: denn auch Laster, Fehler und Schwachheiten der Menschen stehen als Naturgegebenheiten unter Regeln, und sind oder sie können berechnet werden. Das ist mein Credo. Speremus atque agamus. 70

[97] Die Erziehung des Menschengeschlechts

Gotthold Ephraim Lessing (1729–1781)

Die Erziehung des Menschengeschlechts *(1780) is perhaps the boldest, most radical single document of the German Enlightenment. It dares to suggest that the Christian world is approaching a stage of its development in which revelation will no longer be necessary because natural reason will supply the insights which until now revelation alone could give.*

To make this bold doctrine palatable to the orthodox and the timid, Lessing has recourse to an analogy from the education of children. Before his reason develops, the child must be told things on faith; but when he can discover these truths by using his intellect, the crutch is no longer necessary. Similarly, the human race in its childhood had to be taught moral precepts through faith. Now that it has about reached maturity, it should be able to apprehend these same moral precepts through reason alone.

The analogy between the education of the child and the human race is carried a step further. A child has to be taught to be "good" by offering him material rewards. When he grows up, the rewards become less tangible or are withheld altogether. So it was with the education of the human race. Lessing traces three stages of develop-

66 **verwesen** rot; **keimen** germinate
67 **die Aussaat** seed; **getrost** be comforted
69 **ersprießlich** useful, beneficial
70 **liegen an** depend on
72 **Naturgegebenheit** fact [literally: datum] of nature
73 **speremus . . .** let us hope and let us act

ment: (1) that of the Old Testament, in which man has to be promised a reward in this life; (2) that of the New Testament, in which the reward is deferred to the afterlife; and (3) the era about to dawn (the age of Enlightenment), when man will do good for its own sake.

1. Was die Erziehung bei dem einzelnen Menschen ist, ist die Offenbarung bei dem ganzen Menschengeschlecht.

4. Erziehung gibt dem Menschen nichts, was er nicht auch aus sich selbst haben könnte; sie gibt ihm das, was er aus sich selbst haben könnte, nur geschwinder und leichter. Also gibt (5) auch die Offenbarung dem Menschengeschlechte nichts, worauf die menschliche Vernunft, sich selbst überlassen, nicht auch kommen würde; sondern sie gab und gibt ihm die wichtigsten dieser Dinge nur früher.

5. Und so wie es in der Erziehung nicht gleichgültig ist, in (10) welcher Ordnung sie die Kräfte des Menschen entwickelt, wie sie dem Menschen nicht alles auf einmal beibringen kann; ebenso hat auch Gott bei seiner Offenbarung eine gewisse Ordnung, ein gewisses Maß halten müssen.

8. Da er einem jeden einzelnen Menschen sich nicht mehr (15) offenbaren konnte noch wollte, so wählte er sich ein einzelnes Volk zu seiner besondern Erziehung; und eben das ungeschliffenste, das verwildertste, um mit ihm ganz von vorne anfangen zu können.

9. Dies war das israelitische Volk, von welchen man gar nicht (20) einmal weiß, was es für einen Gottesdienst in Ägypten hatte. Denn an dem Gottesdienste der Ägypter durften so verachtete Sklaven nicht teilnehmen; und der Gott seiner Väter war ihm gänzlich unbekannt geworden.

11. Diesem rohen Volke also ließ sich Gott anfangs bloß als (25) den Gott seiner Väter ankündigen, um es nur erst mit der Idee

2 **Offenbarung** revelation
12 **bei-bringen** instruct
17 **ungeschliffen** unpolished, i.e. uncivilized
18 **verwildert** savage
21 **was es für** = **was für . . . es; Gottesdienst** divine service; here = religion
26 **erst** first of all

eines auch ihm zustehenden Gottes bekannt und vertraut zu machen.

16. Ein Volk aber, das so roh, so ungeschickt zu abgezognen Gedanken war, noch so völlig in seiner Kindheit war, was war es für einer moralischen Erziehung fähig? Keiner andern, als die dem Alter der Kindheit entspricht. Der Erziehung durch unmittelbare sinnliche Strafen und Belohnungen. 30

17. Noch konnte Gott seinem Volk keine andere Religion, kein anderes Gesetz geben, als eines, durch dessen Beobachtung oder Nichtbeobachtung es hier auf Erden glücklich oder unglücklich zu werden hoffte oder fürchtete. Denn weiter als auf dieses Leben gingen seine Blicke noch nicht. Es wußte von keiner Unsterblichkeit der Seele; es sehnte sich nach keinem künftigen Leben. 35 40

20. Während daß Gott sein erwähltes Volk durch alle Staffeln einer kindischen Erziehung führte, waren die andern Völker des Erdbodens bei dem Lichte der Vernunft ihren Weg fortgegangen. Die meisten derselben waren weit hinter dem erwählten Volke zurückgeblieben; nur einige waren ihm zuvorgekommen. Und auch das geschieht bei Kindern, die man für sich aufwachsen läßt; viele bleiben ganz roh, einige bilden sich zum Erstaunen selbst. 45

21. Wie aber diese glücklichern Einigen nichts gegen den Nutzen und die Notwendigkeit der Erziehung beweisen, so beweisen die wenigen heidnischen Völker, die selbst in der Erkenntnis Gottes vor dem erwählten Volke noch bis jetzt einen Vorsprung zu haben schienen, nichts gegen die Offenbarung. Das Kind der Erziehung fängt mit langsamen aber sichern Schritten an; es holt manches glücklicher organisierte Kind der Natur 50 55

27 **eines . . . = eines Gottes, der auch ihm zusteht** (belongs)
29 **ungeschickt** inept; **abgezogen = abstrakt**
41 **die Staffel** step, stage
42 **kindisch** childish, puerile, used here for **kindlich** children's
46 **für sich** by themselves
47 **einige** few
51 **heidnisch** heathen, pagan
55 **ein-holen** overtake

spät ein; aber es holt es doch ein, und ist alsdann nie wieder von ihm einzuholen.

34. Noch hatte das jüdische Volk in seinem Jehova mehr den mächtigsten als den weisesten aller Götter verehrt; noch hatte es ihn als einen eifrigen Gott mehr gefürchtet als geliebt... Doch nun war die Zeit da, daß diese, seine Begriffe erweitert, veredelt, berichtigt werden sollten. 60

51. Jedes Elementarbuch ist nur für ein gewisses Alter. Das ihm entwachsene Kind länger, als die Meinung gewesen, dabei zu verweilen, ist schädlich. Denn um dieses auf eine nur einigermaßen nützliche Art tun zu können, muß man mehr hineinlegen als darin liegt; mehr hineintragen als es fassen kann. Man muß der Anspielungen und Fingerzeige zu viel suchen und machen, die Allegorien zu genau ausschütteln, die Beispiele zu umständlich deuten, die Worte zu stark pressen. Das gibt dem Kinde einen kleinlichen, schiefen, spitzfindigen Verstand; das macht es geheimnisreich, abergläubisch, voll Verachtung gegen alles Faßliche und Leichte. 65 70

53. Ein besserer Pädagog muß kommen, und dem Kinde das erschöpfte Elementarbuch aus den Händen reißen.—Christus kam. 75

54. Der Teil des Menschengeschlechts, den Gott in *einen* Erziehungsplan hatte fassen wollen, war zu dem zweiten großen Schritte der Erziehung reif.

55. Das ist: dieser Teil des Menschengeschlechts war in der Ausübung seiner Vernunft so weit gekommen, daß er zu seinen moralischen Handlungen edlere, würdigere Bewegungsgründe 80

60 **eifrig = eifersüchtig** jealous
61 **erweitert . . .** extended, ennobled, corrected
64 **das ihm entwachsene** See Appendix §1; **Meinung** intention [of the experienced educator]
65 **verweilen** make stay, keep
67 **es** i.e. **das Kind**
68 **Anspielungen . . .** allusions and hints
71 **kleinlichen . . .** petty, crooked, oversubtle
72 **geheimnisreich . . .** secretive, superstitious
73 **faßlich** intelligible, concrete
78 **fassen = nehmen**
82 **der Bewegungsgrund ⸚e** motive (modern form: **Beweggrund**)

bedurfte und brauchen konnte, als zeitliche Belohnung und Strafe waren, die ihn bisher geleitet hatten. Das Kind wird Knabe. Leckerei und Spielwerk weicht der aufkeimenden Begierde, ebenso frei, ebenso glücklich zu werden, als es ein älteres Geschwister sieht. 85

57. Es war Zeit, daß ein andres *wahres* nach diesem Leben zu gewärtigendes Leben Einfluß auf seine Handlung gewönne.

58. Und so ward Christus der erste zuverlässige, praktische Lehrer der Unsterblichkeit der Seele. 90

64. Wenigstens ist es schon aus der Erfahrung klar, daß die neutestamentlichen Schriften, in welchen sich diese Lehren nach einiger Zeit aufbewahrt fanden, das zweite bessre Elementarbuch für das Menschengeschlecht abgegeben haben, und noch abgeben. 95

65. Sie haben seit siebenhundert Jahren den menschlichen Verstand mehr als alle anderen Bücher beschäftigt; mehr als alle anderen Bücher erleuchtet, sollte es auch nur durch das Licht sein, welches der menschliche Verstand selbst hineintrug.

67. Auch war es höchst nötig, daß jedes Volk dieses Buch eine Zeitlang für das *Non plus ultra* seiner Erkenntnis halten mußte. 100

72. So wie wir zur Lehre von der Einheit Gottes nunmehr des Alten Testaments entbehren können, so wie wir allmählich zur Lehre von der Unsterblichkeit der Seele auch des Neuen Testaments entbehren zu können anfangen: könnten in diesem nicht noch mehr dergleichen Wahrheiten vorgespiegelt werden, die wir als Offenbarung so lange anstaunen sollen, bis sie die Vernunft aus ihren andern ausgemachten Wahrheiten herleiten und mit ihnen verbinden lernen? 105

83 **zeitlich** temporal; i.e. on this earth
85 **Leckerei . . .** greediness and the play impulse yield before the burgeoning desire
87 **sieht = frei und glücklich werden sieht**
88 **zu gewärtigendes** to be encountered
95 **ab-geben** yield, provide
98 **sollte es auch** even if it were
101 **non plus ultra** ultimate
105 **diesem** i.e. in the New Testament
106 **vorspiegeln** usually to delude [by an optical illusion]; here = shown in a mirror before the expected time
108 **ausgemacht** established; **her-leiten** deduce

85. Sie wird kommen, sie wird gewiß kommen, die Zeit der Vollendung, da der Mensch Bewegungsgründe zu seinen Handlungen zu erborgen nicht nötig haben wird; da er das Gute tun wird, weil es das Gute ist, nicht weil willkürliche Belohnungen darauf gesetzt sind. 110

86. Sie wird gewiß kommen, die Zeit eines neuen ewigen Evangeliums, die uns selbst in den Elementarbüchern des Neuen Bundes versprochen wird. 115

87. Vielleicht, daß selbst gewisse Schwärmer des dreizehnten und vierzehnten Jahrhunderts einen Strahl dieses neuen ewigen Evangeliums aufgefangen hatten; und nur darin irrten, daß sie den Ausbruch desselben so nahe verkündigten. 120

88. Vielleicht war ihr dreifaches Alter der Welt keine so leere Grille; und gewiß hatten sie keine schlimmen Absichten, wenn sie lehrten, daß der Neue Bund ebensowohl antiquiriert werden müsse als es der Alte geworden. Es blieb auch bei ihnen immer die nämliche Ökonomie des nämlichen Gottes. Immer—sie meine Sprache sprechen zu lassen—der nämliche Plan der allgemeinen Erziehung des Menschengeschlechts. 125

89. Nur daß sie ihn übereilten; nur daß sie ihre Zeitgenossen, die noch kaum der Kindheit entwachsen waren, ohne Aufklärung, ohne Vorbereitung, mit eins zu Männern machen zu können glaubten, die ihres *dritten Zeitalters* würdig wären. 130

93. Nicht anders! Eben die Bahn, auf welcher das Geschlecht zu seiner Vollkommenheit gelangt, muß jeder einzelne Mensch (der früher, der später) erst durchlaufen haben. 135

113 **willkürlich** deliberate
116 **Evangeliums** allusion to Revelation 14:6
117 **der Bund ⸚e** covenant
118 **Schwärmer** visionaries; Joachim de Fiori (ca. 1130–1202), Italian theologian, divided history into three stages: that of the Father (Old Testament), the Son (New Testament) and the Holy Ghost, which was to begin ca. 1260.
123 **die Grille** whim
126 **nämliche = selbe; Ökonomie** housekeeping; i.e. behavior pattern
131 **mit eins** suddenly
135 **der . . . der** that one . . . that one

[98] Stellung des Menschen

Immanuel Kant (1724–1804)

This famous passage is found in the closing pages of the Kritik der praktischen Vernunft *(1788), Kant's great treatise on ethics. It represents one of the many attempts made by thinkers and poets to assess man's position in the cosmos. (Compare the statements in Psalm 8:4 ff.; Pascal's Pensée 72: Disproportion de l'homme; Hamlet's "What a piece of work is a man!" Act II.)*

Zwei Dinge erfüllen das Gemüt mit immer neuer und zunehmender Bewunderung und Ehrfurcht, je öfter und anhaltender sich das Nachdenken damit beschäftigt: der bestirnte Himmel über mir und das moralische Gesetz in mir. Beide darf ich nicht als in Dunkelheiten verhüllt, oder im Überschwenglichen, außer meinem Gesichtskreise suchen und bloß vermuten; ich sehe sie vor mir und verknüpfe sie unmittelbar mit dem Bewußtsein meiner Existenz. Das erste fängt von dem Platze an, den ich in der äußern Sinnenwelt einnehme und erweitert die Verknüpfung, darin ich stehe, ins unabsehlich Große mit Welten über Welten und Systemen von Systemen, überdem noch in grenzenlose Zeiten ihrer periodischen Bewegung, deren Anfang und Fortdauer. Das zweite fängt von meinem unsichtbaren Selbst, meiner Persönlichkeit, an und stellt mich in einer Welt dar, die wahre Unendlichkeit hat, aber nur dem Verstande spürbar ist, und mit welcher (dadurch aber auch zugleich mit allen jenen sichtbaren Welten) ich mich nicht wie dort in bloß zufälliger, sondern allgemeiner und notwendiger Verknüpfung erkenne. Der erstere

1 **das Gemüt –er** mind, spirit
3 **bestirnt** starry
5 **das Überschwengliche** the boundless
6 **der Gesichtskreis –e** sphere
10 **darin = worin; unabsehlich** unsurveyable, i.e. boundless
11 **überdem = überdies** besides [this]
12 **deren** their
16 **dadurch . . .** The thought is: Because my mental world affords me a necessary and general (not accidental) relationship to myself; therefore, I develop the same necessary relationship to the physical universe, too, through my intelligence.

Anblick einer zahllosen Weltenmenge vernichtet gleichsam meine Wichtigkeit, als eines tierischen Geschöpfs, das die Materie, 20 daraus es ward, dem Planeten (einem bloßen Punkt im Weltall) wieder zurückgeben muß, nachdem es eine kurze Zeit (man weiß nicht wie) mit Lebenskraft versehen gewesen. Der zweite erhebt dagegen meinen Wert, als einer Intelligenz, unendlich durch meine Persönlichkeit, in welcher das moralische Gesetz mir 25 ein von der Tierheit und selbst von der ganzen Sinnenwelt unabhängiges Leben offenbart, wenigstens soviel sich aus der zweckmäßigen Bestimmung meines Daseins durch dieses Gesetz, welche nicht auf Bedingungen und Grenzen dieses Lebens eingeschränkt ist, sondern ins Unendliche geht, abnehmen läßt. 30

[99] **Fünf Dinge**

Johann Wolfgang von Goethe

Goethe wrote a considerable body of didactic verse. He demonstrates conclusively how wrong it is to generalize and say that such verse must be dull or inartistic.

Was verkürzt mir die Zeit?
Tätigkeit!
Was macht sie unerträglich lang?
Müßiggang!
Was bringt in Schulden? 5
Harren und dulden!

19 **gleichsam** as it were
21 **daraus** = **woraus; ward** = **wurde**
25 ff. i.e. the moral law within me lifts me above all those creatures who live a life of the senses only
29 **welche** refers to **Bestimmung** (l. 22)

1 **verkürzen** shorten
3 **unerträglich** unbearably
4 **der Müßiggang** idleness
6 **harren** = **warten; dulden** endure

Was macht gewinnen?
  Nicht lange besinnen!
Was bringt zu Ehren?
  Sich wehren! 10

8 **besinnen a o** consider
10 **sich wehren** defend oneself

Questions

§ **2** **1.** Was ist unser Leben? **2.** Wo leben wir? **3.** Wie leben wir auf Erden? **4.** Wie messen wir unsere Tritte? **5.** Wo sind wir, ohne es zu wissen?

§ **4** **1.** Was ist Schilda? **2.** Wo liegt diese Stadt? **3.** Wie heißen die Einwohner dieser Stadt? **4.** Weswegen waren die Schildbürger früher berühmt? **5.** Was suchten viele Fürsten und Herren? **6.** Welche Folgen hatte das für die Stadt Schilda? **7.** Wo vermißten die Frauen ihre Männer? **8.** Was sahen die Männer endlich ein? **9.** Was also beschlossen die Männer? **10.** Welchen Ruf bekam die Stadt Schilda schließlich?

§ **5** **1.** Was wollten die Schildbürger bauen? **2.** Wo beschlossen die Schildbürger, ihr neues Rathaus zu bauen? **3.** Was mußten sie tun, ehe sie anfangen konnten zu bauen? **4.** Was taten sie mit den gefällten Bäumen? **5.** Warum schwitzten und ächzten und stöhnten sie? **6.** Was geschah, als sie den letzten Stamm auf die Schulter heben wollten? **7.** Wer war der klügste Mann unter den Schildbürgern? **8.** Was sagten sie zu dem Bürgermeister? **9.** Was für einen weisen Vorschlag machte der Bürgermeister? **10.** Wie nahmen die Schildbürger diesen Rat auf?

§ **6** **1.** Wann erst konnten die Schildbürger das Rathaus bauen? **2.** Wo fingen sie zu bauen an? **3.** Warum bekamen sie einen großen Schreck, als sie in das fertige Gebäude traten? **4.** Was hatten sie vergessen? **5.** Wen fragten sie um Rat? **6.** Was schlug er vor? **7.** Wann sollte diese Arbeit getan werden? **8.** Wer beteiligte sich an der Arbeit? **9.** Was für Gefäße benutzten sie dazu? **10.** Auf welche Weise benutzten sie diese Gefäße? **11.** Womit wollte ein besonders schlauer Schildbürger die Sonnenstrahlen einfangen? **12.** Warum waren die Schildbürger am Ende enttäuscht?

Pappenheimer Altar, c. 1495, Eichstätter Dom (Bayern)
German National Tourist Office, New York

Instrument Maker from the Harz Mountains
German National Tourist Office, New York

Köllental in Lower Hessen
German National Tourist Office, New York

Alsbach in Hessen
German National Tourist Office, New York

§ 10 **1.** Wo wanderte Till Eulenspiegel eines Tages? **2.** In was für einer Stimmung war er, wenn es bergab ging? **3.** In was für einer Stimmung war er, wenn es bergauf ging? **4.** Woran denkt er schon, wenn er bergab geht? **5.** Und woran denkt er, wenn er bergauf geht?

§ 11 **1.** Wo befand sich Eulenspiegel eines Tages? **2.** Wohin kam er? **3.** Wem begegnete er vor dem Tor? **4.** Was wünschten die beiden Männer einander? **5.** Was gab Till als Ziel seiner Wanderschaft an? **6.** Was für einen Beruf hatte der andere Mann? **7.** Was bot er Till an? **8.** Warum ließ er Till allein zur Bäckerei gehen? **9.** Wann wollte er zurück sein? **10.** Wie mußte Eulenspiegel gehen, um zur Bäckerei zu kommen? **11.** Wie ging Eulenspiegel in die Bäckerei hinein? **12.** Warum nahm er diesen Weg? **13.** Was tat er als erstes, nachdem er in der Bäckerei angelangt war? **14.** Worüber war der Bäcker bei seiner Rückkehr entsetzt? **15.** Wo fand er den neuen Gesellen? **16.** Wie weckte er ihn? **17.** Was wollte er von ihm wissen? **18.** Wie wollte der Bäcker Eulenspiegel bestrafen? **19.** Wozu entschloß er sich dann? **20.** Warum entschloß er sich dazu? **21.** Was für einen Lohn erhielt Eulenspiegel? **22.** Mit welchen Worten befahl der Bäcker Eulenspiegel zu gehen? **23.** Wie führte Till den Befehl aus? **24.** Wie ging er hinaus?

§ 15 **1.** Wer hat die Welt geschaffen? **2.** Wem wollte er die Lebenszeit bestimmen? **3.** Was fragte der Esel Gott? **4.** Was für Lasten muß der Esel in die Mühle schleppen? **5.** Worum bat er Gott? **6.** Wie viele Jahre schenkte ihm Gott? **7.** Welches Tier erschien nach dem Esel? **8.** Was fragte ihn Gott? **9.** Was bat der Hund Gott zu bedenken? **10.** Wie fand Gott die Worte des Hundes? **11.** Wie viele Jahre schenkte er ihm? **12.** Welches Tier kam nach dem Hund? **13.** Warum soll der Affe immer Gesichter schneiden? **14.** Was merkt der Affe, wenn er in den Apfel hineinbeißt? **15.** Was steckt oft hinter dem Spaß? **16.** Wie viele Jahre schenkte Gott dem Affen? **17.** Wer erschien schließlich vor Gott? **18.** Worum bat der Mensch Gott? **19.** Wie viele Jahre wollte

Gott ihm geben? **20.** Schien das dem Menschen eine lange Zeit? **21.** Worum also bat er Gott? **22.** Wie viele Jahre legte ihm Gott zu? **23.** War der Mensch damit zufrieden? **24.** Wie viele Jahre gab ihm Gott noch dazu? **25.** Wem gehörten die zwölf Jahre? **26.** Also wie viele Jahre lebt der Mensch? **27.** Welches sind seine menschlichen Jahre? **28.** Wie vergehen sie? **29.** Was wird ihm in den nächsten achtzehn Jahren auferlegt? **30.** Was ist sein Lohn? **31.** Welche Jahre machen den Schluß seines Lebens? **32.** Was ist er für die Kinder?

§ 16 **1.** Welche Aufgabe hatte der Erzähler? **2.** Was macht den Behörden Spaß? **3.** Warum können sie wohl befriedigt sein? **4.** Wie beschreibt sich der Erzähler? **5.** Was versteht er aber? **6.** Was macht ihm Freude? **7.** Wie drückt er sein Mitleid mit den Behörden aus? **8.** Was tut er, wenn er wütend ist? **9.** Was tut er, wenn er froh ist? **10.** Wie nehmen die Behörden die tägliche Statistik auf? **11.** Was rechnen sie aus? **12.** Was lieben sie besonders? **13.** Wie oft kommt die Geliebte über die Brücke? **14.** Was geschieht, wenn sie über die Brücke geht? **15.** Wo arbeitet sie? **16.** Wann fängt er wieder an zu zählen? **17.** Was ist dem Erzähler klar? **18.** Was soll die Geliebte nicht ahnen? **19.** Wovor hat ihn der Kollege gewarnt? **20.** Was hat der Oberstatistiker getan? **21.** Stimmte die Zahl der beiden? **22.** Wen hatte der Erzähler nicht gezählt? **23.** Was hat ihm der Oberstatistiker gesagt? **24.** Was hat er beantragt? **25.** Warum ist der Erzähler über diese Nachricht froh? **26.** Was wird er zwischen vier und acht tun?

§ 20 **1.** Wie machte der Mann seinen Weg durch die Vorstadt? **2.** Was fand er? **3.** Was für Augen hatte die Frau? **4.** Wie sah ihr Gesicht aus? **5.** Was sagte der Mann über das Holz? **6.** Warum durfte er nicht lachen? **7.** Was tat der Mann mit dem Holz? **8.** Was sah man im Licht des Ofens? **9.** Beschreiben Sie das Kind. **10.** Was war die Gesinnung des Mannes? **11.** Was sah die Mutter um den Kopf des Kindes? **12.** Was wollten die Männer im Hause? **13.** Wie viele Männer waren es? **14.** Was fiel einem am dritten Mann auf? **15.** Was bot dieser den andern an?

16. Wo rauchten die Männer die Zigaretten? **17.** Was hatte der eine Mann aus Holz geschnitzt? **18.** Warum zitterte der dritte Mann? **19.** Was gab der Zitternde der Frau? **20.** Wann verließen die drei Männer das Haus? **21.** Welche Bemerkung machte der Mann zu seiner Frau? **22.** Welcher Abend des Jahres war es?

§ 22 **1.** Von wem nahm der Sohn Abschied? **2.** Worum bat er seinen Vater? **3.** Was sagte hingegen die Stiefmutter zum Vater? **4.** Warum sagte sie das? **5.** Warum wollte der Vater beiden ihre Bitte gewähren? **6.** Wohin zog der Sohn? **7.** Was wußte der Vater nicht? **8.** Was gab der Vater dem Sohn mit? **9.** Wie befolgte der Jüngling diese Lehren? **10.** Wie kam er nach Hause?

§ 24 **1.** Wer waren Siegfrieds Eltern? **2.** Wo wurde er geboren? **3.** Wo wuchs er auf? **4.** Was lernte er bei dem Schmied Mime? **5.** Warum wollte Mime ihn loswerden? **6.** Wohin schickte ihn Mime? **7.** Was hoffte Mime? **8.** Welche Wirkung hatte das Blut des Drachen? **9.** Welche Stelle wurde vom Blute nicht berührt? **10.** Wohin kam Siegfried nach vielem Wandern? **11.** Wie empfing ihn Brünhild? **12.** Was schenkte sie ihm? **13.** Wo wohnten die Nibelungen? **14.** Woraus bestand der Schatz der Nibelungen? **15.** Wie lebten die zwei Königssöhne? **16.** Wie teilte Siegfried den Schatz? **17.** Wohin ließ er ihn bringen? **18.** Wer sollte ihn bewachen? **19.** Wie hieß die Hauptstadt des Burgunderreichs? **20.** Wer herrschte über die Burgunder? **21.** Warum war Siegfried an den Hof der Burgunder gekommen? **22.** Wie lange blieb er am Hofe? **23.** Wen besiegte er? **24.** Welcher Sieg wurde ihm zum Verhängnis? **25.** Warum konnte niemand Königin Brünhild zur Frau gewinnen? **26.** Wessen Hilfe suchte Gunther? **27.** Unter welcher Bedingung war Siegfried damit einverstanden? **28.** Welche List benutzte Siegfried? **29.** Wohin ging Siegfried mit seiner Braut? **30.** Worüber stritten die beiden Frauen? **31.** Welches Geheimnis enthüllte Kriemhild? **32.** Wer wurde zum Werkzeug von Brünhildens Rache? **33.** Wie hatte Kriemhild die verwundbare Stelle angedeutet? **34.** Bei welcher Gelegenheit führte Hagen die Rache aus? **35.** Wohin brachten sie Siegfrieds Leiche? **36.** Wo wurde sie aufgebahrt? **37.** Wann fingen die Wunden an zu bluten? **38.** Was wußte Kriemhild jetzt?

§ 28 **1.** Wie heißt Goethes Heimatstadt? **2.** Wann verließ er sie? **3.** Wohin zog er? **4.** Wer hatte ihn dorthin eingeladen? **5.** Was sollte er in Weimar tun? **6.** Wie lange blieb Goethe in Weimar? **7.** Aus was für einer Familie kam Goethe? **8.** Unter wessen Aufsicht wurde er erzogen? **9.** In was für einem Geiste wurde er erzogen? **10.** In welchem Alter fing er an zu dichten? **11.** In welchen Sprachen dichtete er? **12.** Aus welchen anderen Sprachen übersetzte er? **13.** Für welche Wissenschaft interessierte er sich? **14.** Welche Universitäten besuchte er? **15.** Was studierte er? **16.** Was aber interessierte ihn mehr? **17.** Wen lernte er in Straßburg kennen? **18.** Wo lebte er nach Abschluß seiner Studien? **19.** Was schuf Goethe in dieser Zeit auf literarischem Gebiet? **20.** In welcher anderen Hinsicht war diese Zeit für ihn bedeutungsvoll? **21.** Wie änderte sich Goethe in den ersten Jahren in Weimar? **22.** Was leitete Goethe in Weimar? **23.** Mit welchen Wissenschaften beschäftigte er sich? **24.** Wie haben ihn die Geologen geehrt? **25.** Wie betätigte er sich künstlerisch? **26.** Woran arbeitete er mit Schiller zusammen? **27.** Mit wem stand Goethe in Korrespondenz? **28.** Woraus besteht sein literarisches Werk? **29.** Wie heißt die große Ausgabe seiner Schriften und Briefe? **30.** Wer hat die „Chronik von Goethes Leben" zusammengestellt? **31.** Wann feierte man Goethes zweihundertsten Geburtstag? **32.** Wie ehrte die UNESCO den Dichter? **33.** Was fand in Aspen statt? **34.** Wie beteiligte sich Albert Schweitzer an der Ehrung Goethes?

§ 29 **1.** Wo findet man die Weisheit? **2.** Was ist das einzige Rettungsmittel gegen die Vorzüge eines andern? **3.** Was lernt sich leichter: herrschen oder regieren? **4.** Was ist für eine neue Wahrheit schädlich? **5.** Genügt es zu wissen und zu wollen? **6.** Was brauchen wir neben einem freien Geist? **7.** Wann ist Einbildungskraft fürchterlich? **8.** Worin zeigt sich Wahrheitsliebe? **9.** Was bildet alles Lebendige um sich her? **10.** Wann ist Unwissenheit besonders schrecklich? **11.** Nur wann weiß man eigentlich? **12.** Was wächst mit dem Wissen? **13.** Worauf kommt es dem tätigen Menschen an? **14.** Wer weiß nichts von seiner eigenen Sprache? **15.** Welche Menschen sind die gefährlichsten?

§ 32 **1.** Welche Sage erscheint früh in der europäischen Literatur? **2.** Mit welchem historischen Ereignis verschmolz diese Sage? **3.** An wen knüpfte sie sich? **4.** Wessen Opfer war Tell? **5.** Wozu verhalf er den Urkantonen der Schweiz? **6.** Wodurch hat die Tellsage Weltruhm erlangt? **7.** Wie faßt Schiller den Tell auf? **8.** Welcher Komponist hat den Tellstoff behandelt? **9.** Wozu baute Geßler die Festung? **10.** Was ließ Geßler am Platz bei der Linde aufrichten? **11.** Was befahl er? **12.** Wie nahm das Volk diesen Befehl auf? **13.** Warum wagte man nicht, Widerstand zu leisten? **14.** Wie wird Tell geschildert? **15.** Was fragte Geßler den Tell? **16.** Was war Tells Antwort? **17.** Wen ließ der Landvogt holen? **18.** Wie sollte Tell seine Kunst als Schütze beweisen? **19.** Warum wollte Tell diesem Gebot nicht folgen? **20.** Was tat Tell mit dem ersten Pfeil? **21.** Worum bat er Gott? **22.** Was versprach der Landvogt dem Tell? **23.** Welche Erklärung gab Tell darauf? **24.** Welche Strafe hatte der Landvogt für Tell angesetzt? **25.** Was geschah auf dem See? **26.** Was schlug der Diener in der Not vor? **27.** Was versprach der Landvogt diesmal? **28.** Was tat Tell, als das Schiff bei der Tellsplatte angelangt war? **29.** Wohin floh Tell? **30.** Wo versteckte er sich? **31.** Wie tötete er den Landvogt? **32.** Wie nahm das Volk die Tat auf? **33.** Wozu gab die Ermordung Geßlers Anlaß?

§ 34 **1.** Was hat man vor sich, wenn man ein Buch aufschlägt? **2.** Wozu werden sie? **3.** In was führen sie den Leser ein? **4.** Was enthüllen sie ihm? **5.** Was erwecken sie? **6.** Wohin vermögen sie den Leser zu versetzen? **7.** Was lehren sie ihn? **8.** Was können sie ihm wegnehmen? **9.** Was können sie in ihm aufregen? **10.** Was können sie aber auch in ihm entfalten? **11.** Wozu können sie ihn begeistern? **12.** Wie allein können diese Zeichen ein Ganzes bilden? **13.** Bleibt ihre Stellung immer dieselbe? **14.** Ändern sie sich selbst? **15.** Wer kann uns den Weg zu den Geheimnissen dieser Zeichen eröffnen?

§ 35 **1.** Wie kann man einen Aphorismus definieren? **2.** Was ist die Summe aller Weisheit? **3.** Ist das Leben selbst etwas? **4.** Was macht den Geber? **5.** Was müssen wir immer tun? **6.** Von welcher Tugend spricht man oft, von welcher selten? **7.** Wer sind die erbittertsten Feinde der Freiheit? **8.** Wann versteht man eine Kunst, wann das Schreiben? **9.** Was ist ein Weiser selten? **10.** Welches ist der größte Feind des Rechts? **11.** Was ist besser, als vieles halb zu wissen? **12.** Was kann man durch Leisten oder Dulden erreichen? **13.** Was ist der Liebe eigentümlich? **14.** Was tun die Menschen gern für die Religion, was ungern? **15.** Worin unterscheiden sich Steigen und Fallen?

§ 37 **1.** Was für ein Mythos ist aus der Faustlegende geworden? **2.** Wessen ist sich der gute Mensch wohl bewußt? **3.** Wissen wir viel vom historischen Faust? **4.** Was sagten ihm die Zeitgenossen nach? **5.** Wie beschrieben sie ihn? **6.** Welche Legende entstand nach seinem Verschwinden? **7.** In was für einer Zeit lebte Faust? **8.** Was war der Zeitgeist der Renaissance? **9.** Was ist der Standpunkt des Volksbuchs vom Dr. Faust? **10.** Was ist Fausts Sünde? **11.** Wer hat das Faustthema zum ersten Mal dichterisch behandelt? **12.** Was sind die Grundzüge des Faustmythos, wie wir sie in Marlowes Stück finden? **13.** Wer hat Marlowes Werk nach Deutschland eingeführt? **14.** Gibt es ein Faustdrama von Lessing? **15.** Wie lange hat Goethe an seinem „Faust" gearbeitet? **16.** Wann entstand der „Urfaust"? **17.** Wann wurde er veröffentlicht? **18.** Wann erschien das „Fragment"? **19.** Wann nahm Goethe die Arbeit am „Faust" wieder auf? **20.** Wann erschien der erste Teil der Tragödie? **21.** Auf wessen Drängen ging Goethe wieder an die Arbeit des „Faust"? **22.** Wann erschien endlich das ganze Gedicht? **23.** In welchem Versmaß ist es verfaßt? **24.** In welchem Stil ist es verfaßt? **25.** Welchen Einfluß hatte Goethes Beispiel auf die Nachwelt? **26.** Wer hat zuletzt das Faustthema in unserer Zeit behandelt? **27.** Welche zwei französischen Komponisten haben den Faust musikalisch behandelt? **28.** Wie definiert Spengler den faustischen Menschen? **29.** Was ist ein Mythos? **30.** Was ist an diesem Mythos einzigartig?

§ 39 **1.** Wie viele Nummern umfaßt das Köchelverzeichnis? **2.** Aus welchem Anlaß schrieb Mozart die meisten seiner Werke? **3.** Innerhalb welcher Zeit schrieb er all diese Werke? **4.** Wann und wo wurde Mozart geboren? **5.** Was war sein Vater? **6.** In welchem Alter lernte Mozart Klavier spielen? **7.** In welchem Alter und wo gab er seine ersten Konzerte? **8.** Was ist „Bastien und Bastienne"? **9.** Mit wieviel Jahren schrieb er es? **10.** Wann reiste er nach Italien? Mit wem? **11.** Warum reiste er dorthin? **12.** Für wen und wann schrieb er „Idomeneo"? **13.** Warum ging er nach Wien? **14.** Welcher Kaiser regierte dort zu dieser Zeit? **15.** Wie verdiente er seinen Lebensunterhalt in Wien? **16.** Was erkannte Haydn? **17.** Wer haßte Mozart? Warum? **18.** Was begriff er langsam? **19.** Was entstand 1785? **20.** Wer schrieb das Libretto zu dieser Oper? **21.** Welches Schicksal hatte sie? **22.** Worüber beklagte sich Haydn in einem Brief? **23.** Wo vollendete Mozart die Oper „Don Giovanni"? **24.** Wie wurde sie aufgenommen? **25.** Wozu ernannte ihn der Kaiser? **26.** Was für ein Gehalt erhielt er mit diesem Titel? **27.** Wohin reiste Mozart 1789? **28.** Wer war damals König von Preußen? **29.** Was bot dieser ihm an? **30.** Nahm Mozart das Angebot an? **31.** Wen heiratete er? **32.** Was heißt „Cosi fan tutte"? **33.** In wessen Auftrag schrieb er diese Oper? **34.** Was war ihr Schicksal? **35.** Welche Briefe zeigen uns Mozarts Armut? **36.** Unter welchen Umständen schrieb er die „Zauberflöte"? **37.** Warum schickte der Graf seinen Haushofmeister zu Mozart? **38.** Wie wurde die „Zauberflöte" aufgenommen? **39.** Was sagte Mozart seiner Frau über das Requiem? **40.** Wie nahm er Abschied von der Welt? **41.** Warum begleitete niemand den Sarg? **42.** Wie wurde er begraben? **43.** Was ließ er zurück?

§ 40 **1.** Welche Frage stellt dieses Gedicht? **2.** Wie hat sich der Mensch im Laufe der Jahrtausende entwickelt? **3.** Mit welchem Vorgang ist diese Entwicklung vergleichbar? **4.** Welchem Ziel strebt der Mensch fortwährend zu? **5.** Was fragt der Mensch? **6.** An wen richtet er diese Frage? **7.** In welchem Bild drückt der Dichter dies aus? **8.** Welche drei Auffassungen hat der Mensch von sich?

§ 41 **1.** Woher scheinen dem Dichter die fallenden Blätter zu kommen? **2.** Was für eine Gebärde sieht er in ihrem Fall? **3.** Was fällt in den Nächten? **4.** Wohin fällt die Erde? **5.** Wie fängt Gott den Fall auf?

§ 43 1. **1.** Wo liegt Deutschland? **2.** Was sagen Deutsche oft über Deutschland? **3.** Was meinen sie damit? **4.** Welches sind die politischen Nachbarn Deutschlands? **5.** Welche natürlichen Grenzen hat Deutschland? **6.** Welcher Staat ist Deutschlands Nachbar im Norden? **7.** Warum haben sich Deutschlands politische Grenzen im Osten oft verändert? **8.** Warum haben sich die Deutschen immer politisch unsicher gefühlt? **9.** Wozu führte die geographische Lage Deutschlands im Laufe der Geschichte? **10.** In welchem Sinn kann man Deutschland sogar als das Herz Europas bezeichnen? **11.** Warum konnte Deutschland sich nicht von der Außenwelt abschließen? **12.** Was ist daher für die deutsche Kultur kennzeichnend?

2. **13.** Wie viele verschiedene Landschaften zeigt uns eine physikalische Karte von Deutschland? **14.** Welches sind diese Landschaften? **15.** Was für einen Charakter und was für eine Ausdehnung hat der nördliche Teil? **16.** Welche Unterschiede bestehen zwischen dem östlichen und westlichen Teil der norddeutschen Tiefebene? **17.** Welcher Fluß bildet die Grenze zwischen diesen beiden Teilen? **18.** Was ist kennzeichnend für die Landschaftsform Mitteldeutschlands? **19.** Welche beiden Teile unterscheiden wir in Süddeutschland? **20.** In welcher Richtung fließen die meisten deutschen Ströme? **21.** Warum fließen sie in dieser Richtung? **22.** Wie heißen diese Flüsse? **23.** Wo entspringen sie? **24.** In welche Meere münden sie? **25.** Welches ist der bekannteste deutsche Strom? Warum? **26.** In welcher Richtung fließt die Donau? **27.** Wo entspringt sie? **28.** In welches Meer mündet sie? **29.** Durch welche Länder fließt sie auf ihrem Weg? **30.** Nennen Sie einige kleinere deutsche Flüsse! **31.** Wohin münden sie? **32.** Was unterscheidet die Weser von den anderen großen deutschen Flüssen? **33.** Wozu dienen die Kanäle? **34.** Was wird dadurch möglich? **35.** Was ist typisch für die ober-

rheinische Tiefebene? **36.** Welche Einflüsse sind für das Klima in Deutschland bestimmend? **37.** Was versteht man unter Meeresklima, was unter Kontinentalklima?

3. **38.** Was für ein Staat ist die Bundesrepublik? **39.** Wie kann man einen Bundesstaat definieren? **40.** Wie ist die Gewalt in einem Bundesstaat aufgeteilt? **41.** Wo wird die Verteilung der Gewalt dargelegt? **42.** Aus wie vielen Ländern besteht die Bundesrepublik? **43.** Welche besondere Stellung hat Westberlin im Bund? **44.** Welche Gebiete der Gesetzgebung stehen ausschließlich dem Bund zu? **45.** In wessen Gesetzgebung fallen Polizei und Erziehung? **46.** Wer hat das Recht der Gesetzgebung bei konkurrierenden Gesetzen? **47.** Wo liegt der Schwerpunkt der Gewalt? **48.** Wie verhalten sich Bundesrecht und Landesrecht zueinander? **49.** Wo liegt hauptsächlich die Macht der Länder? **50.** Wie heißen die drei Hauptgewalten? **51.** Von wem wird die gesetzgebende Gewalt ausgeübt? **52.** Wer führt die Gesetze aus? **53.** Welches sind die ausführenden Organe? **54.** Was ist die Aufgabe des Bundesverfassungsgerichtes?

4. **55.** Welches sind die Hauptorgane der Bundesrepublik? **56.** Zu welchem Zweck bildet sich die Bundesversammlung? **57.** Wie oft tritt sie zusammen? **58.** Woraus setzt sie sich zusammen? **59.** Welches ist das bedeutendste Organ des Bundes? **60.** Wie werden seine Abgeordneten gewählt? **61.** Für welche Dauer werden sie gewählt? **62.** Warum sind sie an keine Aufträge und Weisungen gebunden? **63.** Wem gegenüber sind sie verantwortlich? **64.** Welche Aufgaben hat der Bundestag? **65.** Welches ist die zweite gesetzgebende Körperschaft? **66.** Welche Interessen vertritt der Bundesrat? **67.** Wie werden die Mitglieder des Bundesrates bestimmt? **68.** Welches ist die Mindestzahl der Stimmen eines Bundeslandes? **69.** Wonach richtet sich die Zahl der Stimmen der einzelnen Bundesländer? **70.** Woran sind die Mitglieder des Bundesrates bei ihren Entscheidungen gebunden? **71.** Wer steht an der Spitze der Bundesrepublik? **72.** Wie wird er gewählt? **73.** Welches sind seine Aufgaben? **74.** Welcher Art ist seine Funktion? **75.** Welches ist

die vollziehende Gewalt des Staates? **76.** Worin bestehen ihre Aufgaben? **77.** Wer bestimmt die Richtlinien der nationalen Politik? **78.** Wann und wie kann der Bundeskanzler abberufen werden? **79.** Worin liegt der Vorzug dieser Regelung?

5. **80.** Wie nennt man die Verfassung der Bundesrepublik? **81.** Wie viele Artikel enthält die Verfassung? **82.** Womit befassen sich die ersten neunzehn Artikel? **83.** Was ist der Zweck der übrigen Artikel? **84.** Was sichern die Grundrechte dem Bürger zu? **85.** Was ist der Sinn des 19. Artikels des Grundgesetzes? **86.** Wie binden die Grundrechte den Staat? **87.** Kann der Bürger gegen den Staat Klage erheben? **88.** Wer entscheidet über Beschwerden gegen die Verfassung? **89.** Welches Thema behandelt Artikel 1? **90.** Welches Recht hat der Mensch in bezug auf seine Persönlichkeit? **91.** Welche Einschränkung erfährt dieses Recht? **92.** Wie behandelt das Gesetz Männer und Frauen? **93.** Auf welchen Gebieten sind die menschlichen Rechte in Artikel 3 gesichert? **94.** Welche Freiheiten werden in Artikel 4 gesichert? **95.** Darf der Staat den Bürger zum Kriegsdienst zwingen? **96.** Gibt es in Deutschland Meinungsfreiheit? **97.** Mit welchen Mitteln darf man die Meinung äußern? **98.** Gibt es in Deutschland eine Zensur? **99.** Wodurch werden diese Gesetze eingeschränkt? **100.** Wodurch wird die Freiheit der Lehre eingeschränkt? **101.** Wie soll der Bürger sein Eigentum gebrauchen?

§ 45 **1.** Was sagt das italienische Sprichwort? **2.** Für wen ist die Gefahr groß? **3.** Für wen ist sie am größten? **4.** Was findet man im Wörterbuch unter „stop“? **5.** Was sagt der französische Ausspruch? **6.** Wovor hat der Lehrer gewarnt? **7.** Warum klingt „stoppen“ falsch? **8.** Welche deutsche Übersetzung kommt dem Anfänger bekannt vor? **9.** Warum ist „aufhören“ falsch? **10.** Was behauptet dieser Satz? **11.** Welches ist das richtige Wort? **12.** Welche Einladung bekommt der Deutsche in Amerika? **13.** An wen denkt der Deutsche, wenn er von seiner „woman“ spricht? **14.** Wie sagt man „anxious“ auf deutsch? **15.** Wie soll man das Wörterbuch gebrauchen? **16.** Bei welchen Wörtern ist die Gefahr des Irregehens noch größer? **17.** Für wen ist das

Wort „genial" eine Falle? **18.** Was bedeutet das Wort „genial"? **19.** Wie heißt das englische Wort „genial" auf deutsch? **20.** Was bedeutet das Wort „pathetisch"? **21.** Was bedeutet die Redensart: „eine fatale Situation"? **22.** Was bedeutet das Wort „aktuell"? **23.** Was kann sogar bei Sachkundigen vorkommen? **24.** Worauf beruht die englische Redensart? **25.** Wo stand der Artikel über die Belagerung von Paris? **26.** Welche Redensart gebrauchte der deutsche Journalist? **27.** Was wußte der Franzose nicht? **28.** Wovon sprach die deutsche Zeitung? **29.** Worum handelte es sich für den Franzosen? **30.** Was schrieb der Engländer über den deutschen Kaiser? **31.** Was bedeutet das Wort „selbstbewußt"? **32.** Was war die Aufgabe des griechischen Pädagogen? **33.** Wovor sollte er das Kind beschützen? **34.** Was unterscheidet Paulus? **35.** Was bildet alles Lebendige? **36.** Was darf man den Wörtern nicht antun? **37.** Wann ist ein Student arm? **38.** Was ist er, wenn er langsam lernt? **39.** Wo kann man selten wörtlich übersetzen? **40.** Was soll man statt der Wörter übersetzen? **41.** Wovon sprach der Europäer mit dem Missionar? **42.** Um welchen Begriff handelte es sich? **43.** Wie übersetzte der Missionar den Ausdruck: Er hat uns erlöst? **44.** Welches Unglück hatten die Eingeborenen oft? **45.** Wie marschieren diese Sklaven in die Sklaverei? **46.** Was kommt manchmal vor? **47.** Wie wird der Sklave vom Eisen befreit? **48.** Welche Stelle aus dem „Faust" wird zitiert? **49.** Welchen üblichen Fehler macht Faust? **50.** Wie übersetzt Faust das Wort „logos"?

§ 50 **1.** Wem gehören große Menschen? **2.** Wie kann man die Lebensgeschichte Albert Schweitzers bezeichnen? **3.** Womit wird Schweitzers Name immer verbunden bleiben? **4.** Wo wurde er geboren? **5.** Welche Kunst zog ihn zuerst an? **6.** Welches Instrument spielte er schon als Kind? **7.** Wen konnte er vertreten? **8.** Was studierte er außer der Musik? **9.** Wozu? **10.** Was wurde aus dem Essay über Bach? **11.** Auf welchem Gebiet war er ein Fachmann? **12.** Was lag vor dem jungen Geistlichen? **13.** Was hatte er in Helene Breslau gefunden? **14.** Was änderte sein Leben und seine Pläne? **15.** In welchem Alter entschloß er sich, Medizin zu studieren? **16.** Wohin wollte er als Arzt gehen?

17. Wie lange studierte er Medizin? **18.** Wie wollte er das Krankenhaus bauen? **19.** Wie brachte er das Geld dafür zusammen? **20.** Wovon erzählen Schweitzers Bücher? **21.** Wogegen mußten er und seine Frau kämpfen? **22.** Woraus bestand das Krankenhaus? **23.** Welche Arbeit machte Joseph? **24.** Was wollten sie 1914 tun? **25.** Zu welchem Lande gehörte das Elsaß damals? **26.** Wann schrieb Schweitzer seine Bücher? **27.** Wovon handelten sie? **28.** Was war für Schweitzer die Grundlage menschlichen Handelns? **29.** Was tat Schweitzer im Lager? **30.** Wo lebte Schweitzer gleich nach dem ersten Weltkrieg? **31.** Wohin wollte er zurückgehen? **32.** Womit beschäftigte er sich in den Jahren zwischen 1920 und 1924? **33.** Warum begleitete ihn die Frau nicht nach Afrika? **34.** Wann kehrte er nach Afrika zurück? **35.** In welchem Zustand fand er Lambarene? **36.** Ließ er sich dadurch entmutigen? **37.** Wo baute er das zweite Krankenhaus? **38.** Welche Arbeit verrichtete er am neuen Bau? **39.** Von wem wurde er unterstützt? **40.** Wo war er, als der zweite Weltkrieg ausbrach? **41.** Wo ließ er Frau und Tochter zurück? **42.** Blieb die Frau dauernd in der Schweiz? **43.** Was für ein Leben führte der siebzigjährige Mann? **44.** Welchen Ort in Amerika besuchte Schweitzer im Jahre 1949? **45.** Bei welcher Gelegenheit? **46.** Was war ihm wichtiger als Ehrungen? **47.** Wie wurde er im Jahre 1953 geehrt? **48.** Welche Botschaft wird von ihm verwirklicht?

§ 54 **1.** Wo ist die deutsche Landschaft flach? **2.** Wo findet man die Halligen? **3.** Wovon hängt ihre Größe ab? **4.** Wodurch ist das Festland geschützt? **5.** Was geschieht, wenn das Meer stärker ist als die Dämme? **6.** Was bringt das Meer dem Fischer? **7.** Bis wohin ziehen die Fischer auf Fang? **8.** Womit sind die Dächer der Bauernhöfe gedeckt? **9.** Wann ist dieses Land still und schwermütig? **10.** Wann ist es besonders schön? **11.** Was für Pflanzen wachsen auf der Lüneburger Heide? **12.** Was für Tiere weiden dort? **13.** Was für Gräber findet man dort? **14.** Wie erscheinen die Hütten der Heidebauern? **15.** Welcher Fluß fließt im Westen Deutschlands? **16.** Was trägt er auf seinem Rücken? **17.** An welchen berühmten Domen fließt er vorüber? **18.** Was befindet sich sonst noch an seinen Ufern? **19.** Wovon singen die Lieder der Winzer? **20.** Welches sind die deutschen Mittelgebirge? **21.** Wie färben sich ihre Berge im Herbst? **22.** Was fließt im Tal? **23.** Was für Tiere trifft man in den Wäldern der Mittelgebirge? **24.** Was ist Mespelbrunn? Wo liegt es? **25.** Welche Städte gehören zu dieser Landschaft? **26.** Welches Gebirge bildet die deutsche Grenze im Süden? **27.** Welches ist einer der schönsten Seen der Alpen? **28.** Wie nennt man die Bauern, die dort leben? **29.** Wo weiden ihre Kühe im Sommer? **30.** Womit füttern sie die Kühe im Winter? **31.** Wie feiert der Alpbauer seine Feste? **32.** Welches sind die wichtigsten deutschen Mundarten? **33.** Mit welcher Sprache ist das Plattdeutsche verwandt? **34.** Was ist typisch für die Stadtmundart der Berliner?

§ 59 **1.** Wie lange lebte Beethoven? **2.** Worin drückt sich seine geistige Existenz aus? **3.** Soll der Mensch nur nach Brot hungern? **4.** Wie war sein äußeres Leben? **5.** War es immer so gewesen? **6.** Wie unterwarf er sich seinem Schicksal? **7.** Wie kann man seine Musik auffassen? **8.** Worüber siegt sie? **9.** Wo wurde Beethoven geboren? **10.** Was wollte der Vater aus dem Kind machen? **11.** Was begleitete seine Jugend? **12.** Für wen war er verantwortlich? **13.** Welcher große Komponist gab ihm ein paar Stunden? **14.** Wem spielte er in Bonn auf dem Klavier vor? **15.** Wen machte Haydn auf ihn aufmerksam? **16.** Wie reagierte der Kurfürst? **17.** Wie trat der junge Beethoven auf? **18.** Was nannte ihn Goethe? **19.** Wie kennzeichnete er ihn? **20.** Wie ging es ihm in Wien? **21.** Welches Gebrechen befiel ihn? **22.** Wie lebte er in den nächsten Jahren? **23.** Was erfuhr er danach? **24.** Wie war er in die Welt eingetreten? **25.** Für wen schrieb er das Heiligenstädter Testament? **26.** Wann wurde es gefunden? **27.** Was wußte er, als er dieses Dokument schrieb? **28.** Was war ihm die Kunst? **29.** Wie nahm er das Leiden an? **30.** Wie kann man die „Eroica“ bezeichnen? **31.** Welchen Wendepunkt bedeutet sie? **32.** Was wuchs in der Schwärze der Verzweiflung? **33.** Wie kann man seine musikalischen Werke auffassen? **34.** Worüber war er verzweifelt? **35.** Was enthält die Siebente Symphonie? **36.** Was ist sie? **37.** Was erreichte Beethoven in den letzten fünf Quartetten? **38.** Was bricht aus ihnen zuweilen hervor? **39.** Was hatte Beethoven gefunden? **40.** Was schreibt er über einen Satz seines Quartetts in F-Dur? **41.** Wen besuchte er im Winter 1826? **42.** Was suchte man durch Operationen zu beseitigen? **43.** In welchem Zustand war sein Zimmer? **44.** Wer war an seinem Totenbett? **45.** Was erleuchtete plötzlich das Zimmer?

§ 61 **1.** Wie lange war das Regiment im Dorf? **2.** Was bekam das Regiment in der Nacht? **3.** Um wieviel Uhr verließ das Regiment das Dorf? **4.** Wer blieb im Feld? **5.** Warum blieb sie da? **6.** Was tat der Soldat auf der Wache? **7.** Mit wem konnten sich die Sterne nicht vergleichen? **8.** Was dachte der Soldat gegen fünf Uhr? **9.** Wo stand der Musketier, nachdem es Tag geworden war? **10.** Was sagte ihm endlich ein Bauer? **11.** Wohin ging nun der Soldat? **12.** Was hätte er jetzt tun sollen? **13.** Was dachte sich der Musketier? **14.** Was könnte geschehen, wenn er ungerufen käme? **15.** Welchen weiteren Grund fand er zum Bleiben? **16.** Was für eine Stelle fand er im Dorf? **17.** Was für ein Unglück war ihm begegnet? **18.** Was für ein Junge war er? **19.** Warum paßte die Tochter des Müllers besonders für ihn? **20.** Wie lebte das junge Ehepaar zusammen? **21.** Welche Zeitspanne ging vorbei? **22.** Was geschah eines Tages, als er vom Felde nach Hause kam? **23.** Was sagte sie zu ihm? **24.** Wer war dagewesen? **25.** Wie war dem Vater und der Tochter zumute? **26.** Was sagte ihnen der Soldat? **27.** Was zog er an? **28.** Wohin ging er mit dem Gewehr auf der Schulter? **29.** Wer trat vor den Obersten des Bataillons? **30.** Was verlangte er von ihm? **31.** Wessen beschuldigte er den Obersten? **32.** Wohin lief die halbe Kompanie? **33.** Welcher Gefreite löste ihn endlich ab? **34.** Welchen Befehl gab ihm der Gefreite? **35.** Vor wem mußte er erscheinen? **36.** Wer begleitete ihn?

§ 62 **1.** Mit welchem englischen Wort ist das deutsche Wort „Reich" sinnverwandt? **2.** Was war früher der offizielle Name Deutschlands? **3.** Wie hieß Deutschland im Mittelalter? **4.** Welche Fiktion bestand zu jener Zeit? **5.** Was wurde Deutschland im Jahre

1918? **6.** Was geschah nach dem zweiten Weltkrieg? **7.** Kann man das Wort „Reich" mit „empire" übersetzen? **8.** Wie nannten die Nationalsozialisten ihr Regime? **9.** Welches war das erste deutsche Reich? **10.** Wie lange dauerte es? **11.** Wer gründete das zweite Reich? **12.** Wie lange dauerte es? **13.** Was erweckt die Redewendung „Das Dritte Reich" bei einem gebildeten Deutschen? **14.** Welche Sehnsucht drückt sie aus? **15.** Was für einen Sinn trägt der Begriff in sich? **16.** An welche anderen Begriffe erinnert das Wort „Reich"? **17.** In welcher Schrift verwendet Lessing den Begriff des dritten Reichs? **18.** Wie viele Stufen der geistigen Entwicklung hat die Menschheit bis jetzt durchgemacht? **19.** Welches ist die erste Stufe? **20.** Aus welchem Grunde soll der Mensch tugendhaft sein? **21.** Was verspricht ihm das neue Testament? **22.** Wie kann man den Gedanken des dritten Reichs kennzeichnen? **23.** Wie haben ihn die Nationalsozialisten ausgenutzt?

§ 63 **1.** Was sagt das Recht? **2.** Wann lobt man den Künstler erst recht? **3.** Was ist der Charakter der Menge? **4.** Was ist Enthaltsamkeit? **5.** Was soll ein Freund sein? **6.** Was verschweigt der Weise? **7.** Was zieht den Mann zum Weibe? Was im Weibe trotzt dem Mann? **8.** Wovor schützt die Liebe? **9.** Wann würden manche Leute sich über den Weltuntergang trösten? **10.** Was führt zur Höhe der Kunst? Was führt herunter? **11.** Wer braucht kein Beobachter zu sein? **12.** Was ist die Formel des Glücks für Nietzsche? **13.** Wo finden wir die Ruhe wieder, die uns durch die Furcht vor dem Unglück geraubt wurde? **14.** Welchen Nachteil hat ein Wohltäter? **15.** Was geschieht, wenn man die Fackel der Wahrheit durch ein Gedränge trägt? **16.** Warum ist ein Buch ein Spiegel? **17.** Was ist ein gefährlicherer Feind der Wahrheit als die Lüge? **18.** Was für eine Wunde ist das Gewissen? **19.** Wer ist die Karikatur von sich selbst? **20.** Was sieht der Ungebildete überall? **21.** Wer sieht die Regel? **22.** Was sieht der Gebildete?

§ 66 **1.** Was merkt man in Goethes Gedichten? **2.** Was fühlt man beim Lesen der „Iphigenie"? **3.** Was spürt man, wenn man Goethes

Briefe über das Straßburger Münster liest? **4.** Was fühlt man dagegen bei Schiller? **5.** Wo liegt diese dynamische Kraft? **6.** Wie viele Jahre seines kurzen Lebens verbrachte Schiller mit Schreiben? **7.** Wovon war kaum eines dieser Jahre frei? **8.** Wie verzehrte er sich selbst? **9.** Wie alt war er, als er starb? **10.** Wie viele Dramen hatte er geschaffen? **11.** Was schrieb er sonst? **12.** Was ließ er zurück? **13.** Wessen Schüler war Schiller? **14.** Was war für ihn die Bühne? **15.** Wie nannte ihn Jean Paul? **16.** Wann und wo wurde Schiller geboren? **17.** Was war sein Vater? **18.** Wozu zwang der Herzog von Württemberg seine Offiziere? **19.** Wo studierte der junge Schiller? **20.** Was schrieb er mit achtzehn Jahren? **21.** Was für ein Stück sind „Die Räuber“? **22.** Wo wurden „Die Räuber“ zuerst aufgeführt? **23.** Was verbot der Herzog Schiller? **24.** Was tat Schiller daraufhin? **25.** In was für ein Abenteuer warf er sich? **26.** Wo schrieb er „Kabale und Liebe“? **27.** Wo war er kurze Zeit angestellt? **28.** Was schenkten ihm die Körners? **29.** Was tat er, um aus der Not herauszukommen? **30.** Was für ein Ort war Weimar damals? **31.** Wen wollte er dort treffen? **32.** Wo war Goethe? **33.** Wen lernte er in Rudolstadt kennen? **34.** Wie war die erste Begegnung mit Goethe? **35.** Was wurde er durch Goethe? **36.** Was schenkte ihm der norddeutsche Prinz? **37.** Worum bat ihn der Verleger Cotta? **38.** Wen gewann Schiller für die Zeitschrift? **39.** Was entstand langsam? **40.** Was ist das unvergängliche Zeugnis dieser Freundschaft? **41.** Welche Trilogie schrieb Schiller in Weimar? **42.** Welches Stück schrieb er am Ende seiner Laufbahn? **43.** Was war aus der jugendlichen Rebellion der „Räuber“ geworden? **44.** Warum war Goethe nicht bei Schillers Beerdigung? **45.** Was für eine Seele hatte er in Schiller gekannt?

§ 68 **1.** In welchem Alter fängt die Schule für das Kind an? **2.** Wie lange besucht es die Volksschule? **3.** Welche Entscheidung müssen die Eltern nach vier Jahren treffen? **4.** Wie lange bleibt Grete in der Volksschule? **5.** Bei wem wird sie angestellt? **6.** Was lernt sie in der Berufsschule? **7.** Womit beendet sie ihre Lehrzeit? **8.** Wie lange dauert es, bevor sie Meisterin wird? **9.** Wofür muß sich Hans mit zehn Jahren entscheiden? **10.** Was sind die zwei Hauptarten der Höheren Schule? **11.** Welche Fächer hat man im Gymnasium? **12.** Wie viele Pflichtstunden in der Woche umfaßt der Lehrplan? **13.** Wie viele Jahre Latein und Griechisch hat man im Gymnasium? **14.** Wie viele Jahre lernt man Deutsch und Mathematik? **15.** Welche Fächer hat man sonst? **16.** Welche Fremdsprachen kann man wählen? **17.** Wie viele Stunden Hausarbeit hat der Schüler in der Woche? **18.** Auf welche Fächer wird in der Oberrealschule Gewicht gelegt? **19.** Welche neuen Wahlfächer kommen in der Oberrealschule hinzu? **20.** Bestehen alle Schüler das Schlußexamen am Ende des Schuljahrs? **21.** Was geschieht, wenn man sitzenbleibt? **22.** Welche Zensur in einem Hauptfach genügt schon zum Durchfallen? **23.** Welches Zeugnis genügt für gewisse Berufe? **24.** Nach wie vielen Klassen wird man zum Abitur zugelassen? **25.** Was hat das Denken des Schülers besonders geschärft? **26.** Was kann er unterscheiden? **27.** Wie wertet er die Schätze der Kultur und Bildung? **28.** Entspricht die deutsche Höhere Schule der amerikanischen High School? **29.** Was hat Hans durch das Abitur gezeigt? **30.** Wie viele Universitäten gibt es auf deutschem Boden? **31.** Wie viele Hörer haben sie im Durchschnitt? **32.** Welche Universität ist die älteste? **33.** Nennen Sie einige andere deutsche Universitäten. **34.** Studiert man Architektur an einer Universität? **35.** Was für Wissenschaft pflegt die Universität? **36.** Wo werden praktische Fächer betrieben? **37.** Welche Fakultäten umfaßt die Universität? **38.** Welche sonstigen Fakultäten sind kürzlich dazugekommen? **39.** Wie viele Wissensgebiete werden an einer Hochschule gelehrt? **40.** Wo bilden sich Lehrer für Volksschulen aus? **41.** Ist der akademische Standard an den verschiedenen Universitäten unterschiedlich? **42.** Kann man Unterricht für Anfänger haben? **43.** Aus welchen Gründen wählt der Student eine Universität? **44.** Wie viele Professoren gibt es für jedes Fach an einer Hochschule? **45.** Welche Titel haben seine Kollegen? **46.** Womit habilitiert sich der Privatdozent? **47.** Was bedeutet das laute Klopfen? **48.** Werden in einer Vorlesung von den Hörern Fragen gestellt? **49.** Welche kritischen Zeichen geben die Hörer während der Vorlesung von sich? **50.** Gibt es an der deutschen Hochschule einen ständigen Präsidenten? **51.** Was wird von den Professoren erwartet? **52.** Was heißt Lehrfreiheit? **53.** Was ist Lernfreiheit? **54.** Muß man bestimmte Vorlesungen besuchen? **55.** Wie stellt sich der Student seinen Stundenplan zusammen? **56.** Hat er einen offiziellen Berater? **57.** Welche Pflicht hat er? **58.** Wie viele Semester hat das Studienjahr? **59.** Wie lange dauert das Wintersemester? **60.** Und das Sommersemester? **61.** Was ist der Zweck der Vorlesungen? **62.** Gibt es am Schluß der Vorlesungen eine Prüfung? **63.** Was wird von dem Studenten in bezug auf seine Freiheit erwartet? **64.** Gibt es an der deutschen Hochschule Prüfungen? **65.** Wie lange dauert die Schlußprüfung? **66.** Wie lange hat der Student bis dahin? **67.** Was sind die zwei Arten von Prüfung? **68.** Womit beenden die meisten Studenten ihr Studium? **69.** Wozu berechtigt das Staatsexamen? **70.** Was für Stellen stehen im Staatsdienst offen? **71.** Kann man sogleich zu einer selbständigen Berufsausübung übergehen? **72.** Womit werden praktische Studien abgeschlossen? **73.** Welchen Grad gibt es außerdem bei diesen Studien? **74.** Kann eine Technische Hochschule den Doktorgrad verleihen? **75.** Greift die Universität in das Privatleben der Studierenden ein? **76.** Warum nicht? **77.** Wo wohnen die Studenten? **78.** Gibt es einen „campus“? **79.** Wo werden die meisten Vorlesungen gehalten? **80.** Was ist der Zweck der Wohnheime und Speiseräume? **81.** Gehören viele Studenten Verbindungen an? **82.** Was ist ihr Zweck? **83.** Welcher Studententypus bestimmt das heutige Leben an der deutschen Universität?

§ 69 **1.** Was tat der junge Bergmann? **2.** Was sagte er zu seiner Braut? **3.** Was wollten sie bauen, sobald sie Mann und Weib wurden? **4.** Was sollte in ihrem Nestlein wohnen? **5.** Wie drückte die Braut ihre große Liebe zum Bergmann aus? **6.** Wann meldete sich der Tod? **7.** Wo ging der Bergmann am folgenden Morgen vorbei? **8.** Womit wird die Bergmannskleidung verglichen? **9.** Wo klopfte er an? **10.** Woher kam er nie zurück? **11.** Was säumte sie für ihn zum Hochzeitstag? **12.** Was tat sie, als er nicht kam? **13.** Was wurde durch ein Erdbeben zerstört? **14.** Was geschah mit dem Jesuitenorden? **15.** Wer konnte Gibraltar nicht erobern?

16. Was taten die Türken? **17.** Wer ging ins Grab? **18.** Was eroberte Napoleon? **19.** Wer säte und schnitt? **20.** Was taten die Müller und was die Schmiede? **21.** Wo gruben die Bergleute nach den Metalladern? **22.** Was wollten die Bergleute 1809 tun? **23.** Was gruben sie aus dem Schutt und Vitriolwasser aus? **24.** Was war mit dem Jüngling geschehen? **25.** Was konnte man noch völlig erkennen? **26.** Wie sah er aus? **27.** Wen wollte kein Mensch kennen? **28.** Wer war schon lange tot? **29.** Wer kam schließlich? **30.** Wie kam sie an den Platz? **31.** Wen erkannte sie? **32.** Wo sank sie nieder? **33.** Wie lange hatte sie um ihren Verlobten getrauert? **34.** Wohin ging er acht Tage vor der Hochzeit? **35.** Wovon wurden die Gemüter der Umstehenden ergriffen? **36.** In welcher Gestalt sahen sie die Braut? **37.** Was erwachte nach fünfzig Jahren noch einmal? **38.** Wohin ließ sie ihn tragen? **39.** Was sollte auf dem Kirchhof gerüstet werden? **40.** Wer holte ihn am nächsten Tag? **41.** Was legte sie ihm um? **42.** Was wird die Erde zum zweitenmal nicht behalten?

§ 71 **1.** Wann würde das Wasser besonders gut schmecken? **2.** Wie kann man jemandem die Backen streicheln? **3.** Wer hat in der Liebe wenige Nebenbuhler? **4.** Wann ist dem Menschen das Leben nicht viel wert? **5.** Wer darf nicht zum Fenster hinaussehen? **6.** Wann herrscht man? **7.** Was soll der Weise verachten und was nicht? Findet man Ehre und Ruhm zusammen? **8.** Was ist Faulheit? **9.** Und was ist Dummheit? **10.** Was nimmt schon durch die Dauer allein ab? **11.** Was deutet Hitze in Religionssachen an? **12.** Wie kann ein Unverschämter aussehen? **13.** Wonach ist die Nachfrage gering? **14.** Wann allein „will" man etwas? **15.** Was sagt das Gedächtnis manchmal? **16.** Was sagt der Stolz dagegen? **17.** Wer gibt endlich nach? **18.** Was bedeuten Liebe und Freundschaft den meisten Menschen?

§ 72 **1.** Wann und wo wurde Lessing geboren? **2.** Aus was für einer Familie kam er? **3.** Was gab sie ihm? **4.** Welche Schule besuchte er? **5.** Welche Universität besuchte er? **6.** Mit wem schloß er Freundschaft? **7.** Was eröffneten sie ihm? **8.** Wie hieß sein erstes Stück? **9.** Was tat er in Berlin? **10.** Was lernte er von Voltaire? **11.** Gegen wen kämpfte er sein Leben lang? **12.** Was besaß seine Feder? **13.** Wie kann man seine Prosa bezeichnen? **14.** Welchen Kampf mußte er allein führen? **15.** Was griff er in den Literaturbriefen an? **16.** Wen erhob er zum Vorbild für das deutsche Theater? **17.** Was wurde aus dem Theoretiker? **18.** Was war Lessing während des Siebenjährigen Krieges? **19.** Was war die literarische Frucht dieser Zeit? **20.** Warum wollte er die Stelle des Leiters der Königlichen Bibliothek in Berlin haben? **21.** Wen wählte Friedrich der Große? **22.** Was versuchte Lessing im „Laokoon" zu definieren? **23.** Wohin ging er als Dramaturg? **24.** Was stellte er in der „Hamburgischen Dramaturgie" fest? **25.** Was geschah nach zwei Jahren? **26.** Was wurde Lessing in Wolfenbüttel? **27.** Was ist „Emilia Galotti"? **28.** Warum mußte Lessing den Buchstaben hassen? **29.** Was griff er im „Anti-Goeze" an? **30.** Welche Folge hatte diese Schrift? **31.** Was erfuhr er in diesen Jahren? **32.** Was geschah mit seinem Sohn und seiner Frau? **33.** Wozu machte er die Bühne? **34.** Was sprach er im „Nathan" aus? **35.** Wofür ist dieses Stück ein Beispiel? **36.** Wofür war Lessing ein Kämpfer? **37.** Was machte seine Menschlichkeit reifer und menschlicher? **38.** Wie war er als Mann und als Schriftsteller? **39.** Was für ein Beispiel gab er?

§ 74 **1.** Wofür sind die Deutschen bekannt? **2.** Worin kommt dieser Trieb zum System besonders zur Geltung? **3.** Wie preist der Verleger den „Sprachbrockhaus" an? **4.** Ist das leere Prahlerei? **5.** Was ist bei jedem Wort angegeben? **6.** Welches sind Beispiele für den abhängigen Fall bei Verben und Adjektiven? **7.** Was bringt dieses wunderbare Wörterbuch außerdem? **8.** Was sieht man im „Sprachbrockhaus" in Bild H12? **9.** Was ist auf dem Dach des Hauses? **10.** Wo können wir ermitteln, wie die Hauptteile einer Lokomotive heißen? **11.** Was zeigt Bild H28 anschaulich? **12.** Werden nur konkrete Gegenstände so anschaulich dargestellt? **13.** Was findet man in Bild G39? **14.** Was wird in Bild S78 dargestellt? **15.** Wie kann man die Verslehre auf der Übersichtstabelle bezeichnen? **16.** Womit befassen sich 28 solcher Übersichstabellen? **17.** Was behandeln andere Übersichtstabellen? **18.** Welche verschiedenen Zusammensetzungen gibt es von dem Wort „stecken"? **19.** Was heißt „the bridge" einer Geige auf deutsch? **20.** Wie kann man das Verb „steigen" zusammensetzen? **21.** Wo werden die Eigenschaften konkret dargestellt? **22.** Welches Buch steht an erster Stelle der Familie Brockhaus? **23.** Was ist der „Große Brockhaus"? **24.** Welchem berühmten Lexikon entspricht der „Große Brockhaus"? **25.** Wie heißen der „Sohn" und der „Enkel" des „Großen Brockhaus"? **26.** Was ist kürzlich erschienen?

§ 76 **1.** Was für eine Rolle spielt das deutsche Volkslied im deutschen Kulturleben? **2.** Was lohnt sich daher? **3.** Was wissen wir aus dem bitteren Kampf der mittelalterlichen Kirche gegen das Volkslied? **4.** Sind aus dieser Zeit Volkslieder erhalten? **5.** Was erschien im 15. Jahrhundert? **6.** Was erwachte im späteren 18. Jahrhundert? **7.** Was erschien in England im Jahre 1765? **8.** Auf wen wirkte Percys Sammlung? **9.** Welches Wort hat Herder geprägt? **10.** Was für ein Sammler wurde Herder? **11.** Was gab er heraus? **12.** Auf wen ging sein Enthusiasmus über? **13.** Was ist seitdem nie erloschen? **14.** Wer sammelte und dichtete Volkslieder? **15.** Nennen Sie die berühmten Sammlungen. **16.** Wer war dem Geiste der Romantik feindlich gesinnt? **17.** Was dichtete man anstelle von Volksliedern? **18.** Was erwachte um die Jahrhundertwende? **19.** Was war für das Volkslied nicht günstig? **20.** Durch was wurde es ersetzt? **21.** Wann war für Herder ein Lied ein Volkslied? **22.** Was hat die Romantik enger aufgefaßt? **23.** Was ist für Grimm und Uhland ein Volkslied? **24.** Wie verhält sich der moderne Forscher dem mystischen Begriff vom anonymen „Volk" gegenüber? **25.** Was glaubt der Gelehrte John Meier? **26.** Wann wird für ihn ein Lied zum Volkslied? **27.** Welche Rolle spielt also das Volk? **28.** Was unterscheidet der Forscher Hans Naumann? **29.** Was herrscht trotz der Verschiedenheit der Meinungen? **30.** Wie muß das Volkslied dem Volke zugänglich sein? **31.** Wem muß es entsprechen? **32.** Was gehört zu seinem Wesen? **33.** Wie müssen die strophische und rhythmische Form und die Melodie sein? **34.** Welches sind die Themen, die das Volkslied bevorzugt? **35.** Welche Themen werden von der Volksballade behandelt? **36.** Was gehört zu den ältesten Formen geschichtlicher Überlieferung? **37.** Was gestaltet es? **38.** Welches sind die stilistischen Merkmale des Volksliedes? **39.** Was ist für das Volkslied charakteristisch? **40.** Was wird statt epischer Schilderung gebraucht? **41.** Worauf geht das Sprunghafte im Volkslied zurück? **42.** Was wurde miteinander verschmolzen? **43.** Was unterliegt solchen Veränderungen in geringerem Maße als der Text?

§ 80 **1.** Wo liegt das kleine Dorf Winkelsteg? **2.** In welchem Zustand lebt die Familie des Bertold? **3.** Was ist der Bertold geworden? **4.** Kann er vom Holzen leben? **5.** Was will er für die Familie haben? **6.** Was tut er deshalb? **7.** Was ist der Bertold vormals gewesen? **8.** Was hat ihn zum Verbrecher gemacht? **9.** Was für ein Tag ist es gewesen? **10.** Was fällt draußen auf den alten Schnee? **11.** Wo wartet der Bertold? **12.** Worauf wartet er? **13.** Wo muß sie die Milch erbetteln? **14.** Was ist mit den Ziegen geschehen? **15.** Wohin will Bertold, wenn die Lili zurückkommt? **16.** Warum will er jetzt auf die Jagd gehen? **17.** Wer kommt nicht, als es dunkel wird? **18.** Wie wird der Schneefall? **19.** Wonach schreien die Kinder? **20.** Was tut die Mutter? **21.** Wie ist die Stimme der Kranken? **22.** Wessen Ohr kann sie nicht erreichen? **23.** Was wächst in Bertolds Seele? **24.** Was steigt um so höher in ihm? **25.** Was für ein Mädchen ist die Lili? **26.** Was kennt sie zwar? **27.** Was verdeckt der Schnee? **28.** Warum verläßt der Mann das Haus? **29.** Was muß er stundenlang tun? **30.** Was tut ihm der Wind an? **31.** Was muß er anstrengen? **32.** Wie tröstet sich die Familie, als die Lili nicht heimkommt? **33.** Was wird aus dieser Hoffnung? **34.** Was erfährt er von dem Klausner? **35.** Worum bittet er die anderen Holzer? **36.** Wo haben sie endlich das Mädchen gefunden? **37.** Wo hatte sich das Kind verkrochen? **38.** Was kam zu dem Mädchen? **39.** Wie blickten die Rehe das Mädchen an? **40.** Was ist das Dickicht für sie? **41.** Wo saß die Waldlilie am folgenden Tage? **42.** Wovon lebte sie? **43.** Worum hatte sie die Tiere gebeten? **44.** Was fingen die Tiere plötzlich an? **45.** Woher kam das Geräusch? **46.** Was hat der Bertold gehört? **47.** Was hat er mit seiner Büchse gemacht?

§ 83 **1.** Wo saß der Erzähler eines Abends? **2.** Wer setzte sich neben ihn? **3.** Was fragte ihn der Mann? **4.** Was schien dem Erzähler hier am Platze? **5.** Wonach erkundigte er sich bei dem Mann? **6.** Welchen Anschein wollte er bei dem Mann erwecken? **7.** Was zeigte ihm der Mann? **8.** War die Lokomotive neu? **9.** Wann wurde ihm die Lokomotive ins Haus geliefert? **10.** Was hätte er dieser Tatsache entnehmen sollen? **11.** Warum konnte er sie nicht ins Haus nehmen? **12.** Wo ließ er sie also unterbringen? **13.** Was hatte er schon früher einmal in der Garage untergebracht? **14.** Wer besuchte ihn kurz darauf? **15.** Was für ein Mensch ist dieser Vetter? **16.** Womit begann der Erzähler das Gespräch? **17.** Wie erklärte der Vetter die Herbstdüfte? **18.** Was hatte der Vetter mitgebracht? **19.** Wonach schmeckte der Kognak? **20.** Wie bewies der Vetter, daß der Kognak gut sein müßte? **21.** Wozu ging er in die Garage? **22.** Wie wirkte die Lokomotive auf ihn? **23.** Was fragte er zaghaft? **24.** Wen hatte der Erzähler ins Krankenhaus gefahren? **25.** War die Geschichte mit den Zwillingen wahr? **26.** Welcher Versuchung kann der Erzähler nicht widerstehen? **27.** Was war für ihn offensichtlich? **28.** Was tat der Vetter schließlich? **29.** Was las der Erzähler in der Zeitung? **30.** Was wurde ihm jetzt klar? **31.** Wie behandelte er den Verkäufer, als er ihn das nächste Mal sah? **32.** Was wollte der Mann ihm diesmal verkaufen? **33.** Warum kaufte er den Kran nicht?

§ 86 **1.** Wozu gehört die deutsche Sprache? **2.** Zu welchem Sprachbaum gehören die germanischen Sprachen? **3.** Was gab es vermutlich in uralter Zeit? **4.** Wie nennen wir diese gemeinsame Sprache? **5.** Woraus haben sich die einzelnen Sprachen entwickelt? **6.** Was hatten die germanischen Stämme vor der Völkerwanderung? **7.** Was hat die Völkerwanderung aufgelöst? **8.** Was enstand so? **9.** Worauf übte der Süden den entscheidenden Einfluß aus? **10.** Was ging von dem Alemannischen aus? **11.** Was verbreitete sich seit ca. 700 nach Norden hin? **12.** Welche Literatur war hauptsächlich in süddeutschen Mundarten verfaßt? **13.** Welchen Dialekt hat Luther gesprochen? **14.** Welchen Einfluß hatte Luthers Bibelübersetzung? **15.** Was ist der Begriff

„Hochdeutsch" für den Nichtdeutschen? **16.** Was war ursprünglich die Sprache des Südens? **17.** Was wurde im Norden gesprochen? **18.** Welche wurde die deutsche Schriftsprache? **19.** Womit zeigt das Deutsche viel Verwandtschaft? **20.** Was wird dekliniert? **21.** Was wird konjugiert? **22.** Bei welchen Sprachen sind die Verben in verschiedene Konjugationen eingeteilt? **23.** Wie werden die meisten Verben behandelt? **24.** Mit welcher Sprache weist das Deutsche die engste Verwandtschaft auf? **25.** Wie ist die Wortstellung im Deutschen? **26.** Was ist das Verb in einer normalen Aussage? **27.** Was kommt an erster Stelle? **28.** Womit kann ein Satz, der ein Objekt hat, eingeleitet werden? **29.** Wo liegt die Betonung? **30.** Was steht im Nachfeld? **31.** Was steht im Zentrum? **32.** Was ist im Deutschen sehr leicht? **33.** Welche Sprache ist noch phonetischer als die deutsche? **34.** Was bietet dem Lernenden keine Schwierigkeit? **35.** Was haben wir gesehen? **36.** Was für eine Sprache ist das Deutsche? **37.** Was wird im deutschen Satz besonders betont? **38.** Wie bezeichnen die Deutschen das sie Umgebende? **39.** Wie die lateinischen Europäer? **40.** Was zeigt dies? **41.** Was gibt es in manchen Sätzen überhaupt nicht? **42.** Was kann in solchen Sätzen als Subjekt stehen? **43.** Woraus werden Substantive mit Vorliebe gebildet? **44.** Wozu dient jeder Infinitiv? **45.** Was bezeichnet er dann? **46.** Wodurch wird das Deutsche neben der Dynamik noch gekennzeichnet? **47.** Was kann man mit demselben Verb ausdrücken? **48.** Was meint Fallada mit dem Satz „Wir schwiegen einander an"? **49.** Wodurch wird die Präzision im Deutschen erzielt? **50.** Was ergeben die angeführten Vorsilben und Wiederholungen? **51.** Wozu gebraucht man im Englischen das Verb „put on"? **52.** Wie drückt man dagegen im Deutschen die einzelnen Tätigkeiten aus? **53.** Was erstaunt und belustigt den Nichtdeutschen? **54.** Was für ein Beispiel für diese „Bandwörter" haben wir schon angetroffen? **55.** Welche Beispiele gibt es noch hierfür? **56.** Wovor soll man nicht erschrecken? **57.** Wie kann man ihren Sinn oft ganz einfach erfassen? **58.** Was ermöglichen die vielen Vor- und Nachsilben? **59.** Woran ist die deutsche Wortbildung eng gebunden? **60.** Was stammt aus derselben Wurzel? **61.** Wie viele Zusammensetzungen des Wortes „Liebe“ findet man bei den Brüdern Grimm? **62.** Was ist diese Gebundenheit an die Wurzel? **63.** Wie nennt man die Abneigung gegen Fremdwörter? **64.** Aus welchen Sprachen schöpft das Englische neue Wörter? **65.** Woraus bildet das Deutsche ähnliche Begriffe? **66.** Wird die Regelung der deutschen Sprache von einer Akademie durchgeführt? **67.** Welche Sprache ist allgemein? **68.** Wie entwickelt sich der Sprachgeist? **69.** Auf welchem Gebiet wird von der sprachlichen Freiheit besonders Gebrauch gemacht? **70.** Was wird fortwährend weiterentwickelt? **71.** Wer bestimmt nicht, wie man spricht und schreibt? **72.** Wie sind in Deutschland Zeitung und Rundfunk?

§ 91 **1.** Welchen Beruf hatte der arme Mann? **2.** Mit wem wollte er bald Hochzeit halten? **3.** Woran fehlte es? **4.** Was suchte der Mann zusammen? **5.** Wohin wollte er ziehen? **6.** Wo wollte er seine Kessel verkaufen? **7.** Worum bat ihn das Mädchen? **8.** Was fürchtete sie? **9.** Was schwor ihr der Mann? **10.** Woran dachte er nur? **11.** Wo wollte er nachts schlafen? **12.** Was verbarg das Mädchen vor ihm? **13.** Was gab sie ihm mit auf den Weg? **14.** Was waren die drei Pfänder, die sie ihm mitgab? **15.** Mit wem verhandelte er am ersten Tag auf dem Markt? **16.** Wo schlief er in der Nacht? **17.** Wer kam an sein Lager? **18.** Worüber freute er sich? **19.** Was fragte sie ihn? **20.** Was antwortete er? **21.** Was schenkte er ihr zum Abschied? **22.** Wohin kam er am anderen Tag? **23.** Wie war der Handel dort? **24.** Wo schlief er in dieser Nacht? **25.** Was sagte ihm die Frau aus der Stadt? **26.** Was gab er ihr zum Andenken? **27.** Was verkaufte er am dritten Tag? **28.** Schlief er in dieser Nacht allein? **29.** Was würde die Frau tun, wenn er sie verließe? **30.** Worum bat sie ihn? **31.** Was fand er in seiner Tasche? **32.** Wie war das Messer? **33.** Warum wollte er heimkehren? **34.** Was fand er auf dem Rückweg in der ersten Nacht? **35.** Was suchte er in der zweiten Nacht? **36.** Was fand er dort? **37.** Wann kam er endlich heim? **38.** Wie fand er das Haus? **39.** Was sagten die Leute? **40.** Wer lag in seiner Stube auf der Bahre? **41.** Was wußte er nun?

§ 93 **1.** Wie alt war Dürer, als er sein erstes Selbstbildnis zeichnete? **2.** Was schrieb er auf die Zeichnung? **3.** War dies sein einziges Selbstbildnis? **4.** Wann und wo malte er das „Rosenkranzfest"? **5.** Was wußte er damals? **6.** Wer besuchte ihn in seinem Atelier? **7.** Was war überall in Europa bekannt? **8.** Wie wird Dürer mit Recht genannt? **9.** Was offenbart die Fülle seines künstlerischen Werkes? **10.** Was tritt uns aus seinem Werk entgegen? **11.** Was endete in jener Epoche? **12.** Was für eine Zeit war es? **13.** Was taten Krieg, Hunger und Pest? **14.** Was für ein Mensch war er? **15.** Wer waren seine Freunde? **16.** Was wurde und blieb volkstümlich? **17.** Was liebte er? **18.** Mit wem saß er am Tisch? **19.** Was war die Wahrheit für ihn? **20.** Was interessierte ihn? **21.** Was suchte er in seinem Buch zu fassen? **22.** In welcher Sprache schrieb er seine Abhandlungen? **23.** Wofür benutzte er als erster die deutsche Sprache? **24.** Wann wurde Dürer geboren? **25.** Welche Einflüsse trafen sich in Nürnberg? **26.** Was war sein Vater? **27.** Wessen Lehrling war Dürer? **28.** Wohin wanderte er? **29.** Was brachte er von seinen Wanderungen mit? **30.** Wie war seine Ehe? **31.** Was war der Grund seines Wesens? **32.** Wem diente er in seinen religiösen Bildern? **33.** Was für ein Symbol war sein Bild „Ritter, Tod und Teufel"? **34.** Was stellte er in dem Bild „Hieronymus im Gehäus" dar? **35.** Was trug seinen Namen durch Deutschland und Europa? **36.** Was vereinigte er in seinem Werk? **37.** Kannte Rembrandt Dürers Werk? **38.** Welche waren seine letzten Bilder? **39.** Zu welchem Geiste bekannte er sich damit? **40.** Was geschah, während er sie malte? **41.** Wann starb Dürer? **42.** Was war aus der Wende der Zeit geworden?

§ 94 **1.** Was wollte A mit B abschließen? **2.** Wozu geht er nach H? **3.** In welcher Zeit legt er den Hin- und Herweg zurück? **4.** Wessen rühmt er sich zu Hause? **5.** Wozu geht er am nächsten Tag wieder nach H? **6.** Warum geht er schon früh morgens fort? **7.** Wie sind diesmal die Umstände? **8.** Wie lange braucht er diesmal für den Weg? **9.** Wie kommt er abends an? **10.** Wann war B weggegangen? **11.** Was hätte eigentlich geschehen müssen? **12.** Was rät man A? **13.** Was tut er aber? **14.** Wie legt er diesmal den Weg zurück? **15.** Was erfährt er zu Hause? **16.** Wo habe B den A getroffen? **17.** Was hatte A gesagt? **18.** Warum war B hier geblieben? **19.** Wo befand er sich? **20.** Worüber war A glücklich? **21.** Was geschah, als er schon fast die Treppe hinaufgelaufen war? **22.** Was erlitt er? **23.** Wozu war er vor Schmerz unfähig? **24.** Was hörte er im Dunkeln?

§ 98 **1.** Wie wirken die zwei Dinge auf das Gemüt? **2.** Was sind diese zwei Dinge? **3.** Wo soll man diese zwei Dinge nicht suchen? **4.** Womit kann man sie unmittelbar verknüpfen? **5.** Wo fängt das erste an? **6.** In welche zwei Dimensionen wächst dieses erste Ding hinein? **7.** Wo fängt das zweite Ding an? **8.** In was für eine Welt führt es uns? **9.** Was ist der Unterschied der zwei Erlebnisse für meine Persönlichkeit? **10.** Wie wirkt das erste auf mein Ich? **11.** Warum fühle ich mich als Tier klein? **12.** Wie wirkt das moralische Gesetz auf mich? **13.** In welchem Verhältnis zur Sinnenwelt stehe ich als moralisches Wesen? **14.** Was kennzeichnet das moralische Gesetz?

Appendix

§ 1 **The Extended Adjective.** German uses a long adjectival phrase where in English we would use a clause or series of clauses. English examples of this construction are: 1. the long awaited announcement; 2. a well-known and often repeated assertion; 3. the as yet undetermined extent of the damage; 4. I had come home to a bawling splashing, link-lighted, umbrella-struggling, hackney coach-jostling, patten-clinking, muddy, miserable world (Charles Dickens: *Sketches by Boz*); 5. O lost, and by the wind grieved, ghost, come back again (Thomas Wolfe: *Look Homeward Angel*); 6. "A sudden-at-the-moment-though-from-lingering-illness-often-previously-expectorated-demise," Lenehan said (James Joyce: *Ulysses*). This construction usually ends with a present or past participle before the noun. *Examples:*

die dem Menschen gesetzten Grenzen (§ 37)

Mit dem Chor des „Liedes an die Freude" wendet der Einsame sich an die von Menschen bewohnte Welt. (§ 59)

irgendeines ihr noch anhägenden gemeinschädlichen Vorurteils (§ 79)

das ihm entwachsene Kind (§ 97)

§ 2 **The Indirect Possessive.** German often uses the definite article and the dative of a personal pronoun instead of the possessive adjective. An English example is: He looked me in the eye (= He looked into my eye). *Examples:*

Du, du liegst mir im Herzen. (§ 7)

Er hatte ihr versprochen, dem Helden im Kampfe zur Seite zu stehen. (§ 24)

Er liegt mir vor den Füßen. (§ 38)

Das kommt mir nicht aus dem Sinn. (§ 46)

. . . streut' er ins Aug ihm Sand (§ 55)

ohne jemandem den Bart zu versengen (§ 63)

Schon mit der Morgensonne verengt der Abschied mir das Herz. (§ 65)

Es ist möglich, jemandem die Backen so zu streicheln . . . (§ 71)
die Rehe, die ihm des Weges kommen (§ 80)
Der Wind bläst ihm Augen und Mund voll Schnee. (§ 80)
Sie sagte ihm süße Worte ins Ohr. (§ 91)

§ 3 **The Representative Subject.** In English this rhetorical device is introduced by the word "there": There was once a man (= A man once was). In German the word is "es," with both singular and plural verbs. *Examples:*

Es dringen Blüten aus jedem Zweig. (§ 13)
Es ist nichts fürchterlicher als Einbildungskraft ohne Geschmack. (§ 29)
Er antwortete, es sei ihm ein Unglück begegnet. (§ 61)
Es schlug mein Herz, geschwind zu Pferde! (§ 65)
Es reden und träumen die Menschen viel. (§ 67)
Es kann schon eine Sechs zum Durchfallen genügen. (§ 68)
Es herrschen Lehr- und Lernfreiheit. (§ 68)
Es sitzt ein Vogel auf dem Leim. (§ 70)
Es jagt die Schwalbe weglang auf und nieder. (§ 75)
Es springen die Funken. (§ 85)
Es leuchtet die Sonne über Bös' und Gute. (§ 95)

§ 4 **The Causative Verb.** In English it is "have" with a passive infinitive: I had a suit made (= be made). In French it is "faire" with the active infinitive. In German it is "lassen" with the active infinitive: Ich ließ mir einen Anzug machen. (I let a suit make for myself.) *Examples:*

Laß dich wenig reizen. (§ 22)
Er ließ den Hort in eine Höhle bringen. (§ 24)
Der Landvogt ließ diese holen. (§ 32)
Sag, ich laß' sie grüßen. (§ 47)
Endlich ließ sie ihn in ihr Stüblein tragen. (§ 69)

§ 5 **"Ja"** has various meanings besides "yes": indeed, to be sure, for, as you know, of course, why don't you?, but. *Examples:*

Du weißt ja wie gut ich dir bin. (= for) (§ 7)
Man kann ja im Herzen stets lachen und scherzen. (= for) (§ 36)

uns fehlt ja nichts (§ 44)
Ich höre ja (Don't I hear?) (§ 84)

§ 6 **The Inverted Condition.** German often uses the inverted verb-subject (without "wenn") to express a condition. An English example is: Had I known it . . . *Examples:*

Weiß ich, womit du dich beschäftigst . . . (§ 29)
Und sperrt man mich ein im finsteren Kerker . . . (§ 36)
Ich weiß noch nicht: bin ich ein Falke . . . (§ 40)
Hör' ich das Mühlrad gehen . . . (§ 51)
Denn beschließt er im Grabe den müden Lauf . . . (§ 67)
Sprächen sie über einen Mann . . . (§ 77)

§ 7 **"Doch"** means yet, however, but, nevertheless, in any case, do, don't you?, really. *Examples:*

Du hast mir doch gesagt, ich solle durch das Schaufenster in den Laden gehen. (= but) (§ 11)

Und weil mich doch der Kater frißt (= in any case) (§ 70)

Es war doch so schön. (= really) (§ 78)

Er sei doch schon gleich früh gekommen. (= really, of course) (§ 94)

Vocabulary

The vocabulary is virtually complete, except for words which are explained in the notes at the bottom of each page.

Information on declension is given as follows: For strong nouns the plural only is indicated (**der Fall ¨–e**); for weak nouns the genitive singular is given (**der Junge –n**). Since nearly all feminines are weak, the plural is given only for those which are strong (**die Hand ¨–e**). No plural is given for masculine or neuter nouns endings in *-el, -en, -er,* nor for dimunitives in *-chen* or *-lein.*

Weak verbs are given in the infinitive form, strong and irregular verbs exactly as they occur in the text (**abfuhr, lief fort, äße, würde**).

Separable verbs are separated by a hyphen (**ab-lösen**).

Adverbs are often given in the adjectival form.

— A —

ab off, away
der Abend –e evening; **am —** in the evening
das Abendbrot evening meal
das Abendessen evening meal
der Abendkursus evening course
das Abendland West
abends in the evening
der Abendsonnenschein evening sunshine
die Abendzeit evening
aber but, however
abgeschlossen (schließen) terminated
abgeschnitten (schneiden) cut off
der Abgrund ¨–e abyss
der Ablauf ¨–e course
ab-liegen a e lie off
ab-lösen relieve, succeed
ab-messen a e measure off
der Abschied –e leave, farewell
die Abschiedsstunde time of departure
abschließen o o close, complete, end, conclude
der Abschluß ¨–e close, termination
die Abschweifung divergence
die Abschlußprüfung final examination
abseits (+ gen.) aside
die Absicht intention
abwärts down[ward]
ach alas, ah
die Achse axis
achten (auf) heed
Adieu good bye
der Adler eagle
der Advokat′ –en lawyer
der Affe –n monkey
(das) Ägypten Egypt
ahnen have an inkling

ähneln resemble
ähnlich similar, like
ahnungslos unsuspecting
allein alone, but
vor allem above all
allerdings to be sure
allerlei all kinds of
alles everything
allgemein general, universal; **im —en** on the whole
die Allgemeinheit community
allmählich gradual
allumfassend all-embracing
allzu all too
allzusehr far too much
als when, as, than
als wenn as if
also thus, so, accordingly, therefore
alt old
der Altar′ ⸚e altar
der Alte –n old man
das Alter age
das Altern aging
das Amt ⸚er office
an at, near, on, to
die Analy′se analysis
an-blicken look at
ander other
anders different
die Änderung change
der Anfang ⸚e beginning
an-fangen i a begin
anfangs in the beginning
der Anfänger – beginner
anfänglich at first
an-fertigen make
anfing (an-fangen) began
die Anforderung demand
an-geben a e indicate
angeboten (bieten) offered
angehören belong
angekommen (kommen) arrived
die Angelegenheit affair, concern
das Angelsächsische Anglo-Saxon
angenehm pleasant, acceptable
die Angst ⸚e anxiety, fear
an-halten ie a endure
anhängend adherent
an-hören listen to
an-nehmen nahm genommen assume
an-kommen kam gekommen arrive; **— auf** depend, matter
der Anlaß ⸚e occasion
anonym′ anonymous
an-schaffen procure
an-schauen look at
der Anschein appearance
an-sehen a e look at
die Ansicht view
antworten answer
an-vertrauen to confide in
die Anzahl number
an-zeigen report
sich an-ziehen zog gezogen dress
der Anzug ⸚e suit
der Apfel ⸚ apple
der Apfelschuß ⸚e apple shot
der Apothe′ker – druggist
der Araber Arab
die Arbeit work
arbeiten work
das Arbeitszimmer study
arg bad
der Ärger annoyance
ärgern annoy
arm poor
die Armut poverty
die Art way, manner, kind; **auf eine —** in a way
der Arzt ⸚e physician

der Atem breath
atmen breathe
auch also, too, even
auf on, at, toward
auf-bewahren preserve
auf-führen perform
die Aufführung performance
die Aufgabe task, assignment
aufgebrochen (brechen) broken up
aufgegangen (gehen) gone up, risen
aufhob (heben) raised
auf-hören stop
auf-machen open
aufmerksam attentive; — **machen (auf)** call attention
auf-nehmen nahm genommen receive, absorb
auf-richten set up, erect
aufrichtig upright, sincere
der Aufsatz ⸚e essay, article
der Aufstand ⸚e uprising
auf-steigen ie ie climb
auf-stellen set up
auf-suchen seek out
auf-teilen divide
auf und nieder up and down
die Aufzählung enumeration
das Auge –s –n eye
der Augenblick –e moment
aus out of, from
aus-breiten spread
der Ausbruch ⸚e eruption, advent
der Ausdruck ⸚e expression
aus-drücken express
auseinander-ziehen zog gezogen pull apart
aus-führen carry out, execute
aus-füllen fill out
die Ausgabe edition
ausgebrochen (brechen) broken out
ausgetrunken (trinken) emptied
aushielt (halten) endured
die Auskunft ⸚e information
ausländisch foreign
aus-marschieren march out
die Ausnahme exception
aus-rechnen calculate
aus-ruhen rest
ausschließen o o exclude
ausschließlich exclusive
aus-schütteln shake out
aus-sehen a e look, appear
das Aussehen appearance
außer outside of, beside, except for
äußer external
das Äußere exterior
außerdem besides
aus-setzen determine
aus-sterben a o die out
aus-strecken stretch out
aus-streuen scatter
aus-teilen distribute
aus-tilgen annihilate, destroy
aus-üben practice, carry out, exercise
die Auswanderung emigration
aus-weichen avoid, escape
auszog (ziehen) set out
autonom′ autonomous

— B —

der Bach ⸚e brook
backen backte gebacken bake
der Bäcker baker
die Bäckerei bakery
baden bathe
die Bahn path, railroad

bald(e) soon
das Band –̈er ribbon
der Band –̈e volume
das Bändchen little volume
bange fearful
die Bank –̈e bench
barmherzig merciful
die Baro′nin –nen baroness
der Bart –̈e beard
bat (bitten) asked, requested, begged
das Bataillon′ –e battalion
der Bau building (under construction)
bauen build, cultivate
der Bauer –s –n peasant, farmer
die Bäuerin peasant woman, farmer's wife
das Baujahr –e year of construction
die Baukunst architecture
der Baum –̈e tree
das Bäumchen little tree
baumlos treeless
der Beam′te –n official, civil servant
bearbeiten work over, adopt
der Becher beaker, cup
bedauern pity
bedecken cover
bedeuten mean, signify
bedeutend significant
die Bedeutung meaning
bedrücken oppress
bedürfen (+ gen.) need
beeinflussen influence
beenden terminate
die Beere berry
befahl (befehlen) commanded
sich befassen deal
der Befehl –e command
befehlen a o command
befestigen fasten
sich befinden a u be found, be
befreien liberate
befreunden befriend
befreundet friendly
befriedigen satisfy
befriedigt contented
befördern further
befühlen feel
begabt gifted
begegnen (+ dat.) meet, happen
die Begegnung meeting
beginnen a o begin
der Begleitbrief –e accompanying letter
begleiten accompany
der Begleiter companion, escort
beglücken make happy
begraben u a bury
begreifen iff iff grasp, understand
begrenzen limit
der Begriff –e concept, conception
begriff (begreifen) grasped
begrüßen greet, welcome
behalten ie a keep, retain
behandeln treat
behaupten assert, claim
beherrschen master, transcend
die Behörde authority
behüten protect
bei with, at, by, near, at the home of
beide both
das Bein –e leg
beinahe almost

beiseite at the side of
das Beispiel –e example
beißen i i bite
bekam (bekommen) got, received
bekämpfen challenge, oppose
bekannt well known, familiar
der Bekannte –n acquaintance
sich beklagen complain
bekommen bekam bekommen get, receive
belehren instruct, inform
belehrend instructive
[das] Belgien Belgium
beliebt popular, beloved
bellen bark
die Belohnung reward
bemalen paint, color
bemerken remark
die Bemerkung remark
das Bemühen effort
sich bemühen (um) be concerned
bemüht sein strive
benachbart neighboring
benannt (benennen) named
benutzen use
beobachten observe
die Beobachtung observance
beraten ie a advise
berechnen calculate
die Berechnung calculation
der or **das Bereich –e** realm
bereit ready
bereiten prepare
bereits already
die Bereitschaft readiness
bereitwillig ready
der Berg –e mountain
bergauf uphill
die Bergpredigt Sermon on the Mount
bereuen repent
der Bericht –e report, account
berichten report
berufen ie u call, appoint
beruflich professional
beruhen rest
berühmt famous
berühren touch
besaß (besitzen) possessed
beschäftigen occupy
die Beschäftigung occupation
bescheiden modest
beschließen o o conclude, pass, resolve
beschreiben ie ie describe
beschuldigen accuse
besiegen conquer
beschwören beseech, implore
der Besitz –e possession
besitzen besaß besessen possess
der Besitzer owner
besonder special
besonders especially
besser better
bestehen bestand bestanden exist, consist, withstand, win, pass
bestellen order
am besten best
bestimmen (zu) appoint, determine, destine
bestimmend determining
bestimmt definite, certain
bestrafen punish
der Besuch –e visit
besuchen visit, attend
beten pray
betonen emphasize
betreten a e enter into

betreuen look after
er betritt he enters
das Bett –es –en bed
betteln beg
sich beugen bow
die Bevölkerung population
bewachen watch over, guard
bewegen move, stir
die Bewegung movement, emotion
der Beweis –e proof
beweisen ie ie prove
bewohnen inhabit
bewundern admire
bewußt conscious
das Bewußtsein consciousness
bezahlen pay for
bezeichnen designate, characterize
bezwingen a u control
die Bibelübersetzung translation of the Bible
die Bibliothek′ library
der Bibliothekar′ –e librarian
biegen o o bend
die Biene bee
das Bier –e beer
bieten o o offer
das Bild –er picture, image
bilden form, shape
sich bilden be formed
der Bildungsgrad –e level of education
billig cheap
binden a u bind, tie
birgt (bergen) hides
die Birne pear
bis to, up to, until; **— an** up to
der Bischof ⸚e bishop
bisher till now
du bist you are
bitten at et ask, request
blaßblau pale blue
das Blatt ⸚er leaf, sheet
das Blattwerk foliage
blau blue
der Blechofen ⸚ tin stove
bleiben ie ie remain
der Blick –e look, glance, eye
blicken look
blieb (bleiben) remained
der Blitz –e lightning, flash
blitzen flash
bloß merely
blühen bloom
die Blume flower
das Blumengesicht –er flower face
das Blut blood
bluten bleed
die Blüte blossom
bluten bleed
blutig bloody
der Boden ⸚ soil
die Bohne bean
der or das Bonbon –s candy
auf Borg on credit
borgen borrow, loan
böse evil
das Böse evil
bot an (bieten) offered
die Bota′nik botany
der Bote –n messenger
die Botschaft message, mission
brach (brechen) broke
brachten (bringen) brought
brachte zusammen (bringen) brought together
brach zusammen (brechen) collapsed

der Brauch ⸚e custom
brauchen need
braun brown
brav nice, well behaved
brechen a o break, pluck, pierce
breit broad, wide
brennen brannte gebrannt burn
brennend burning
das Brett –er board
bricht heraus (brechen) breaks out
bricht herein (brechen) breaks in
der Brief –e letter
der Briefwechsel exchange of letters
bringen brachte gebracht bring
das Brot –e bread
die Brücke bridge
der Brückenbogen – arch of a bridge
der Bruder ⸚ brother
brummen grumble
der Brunnen fountain, well
die Brust ⸚e breast
das Buch ⸚er book
der Buchhandel book trade
der Buchstabe –n letter
die Bühne stage
der Bund ⸚e confederation
der Bundesrat ⸚e federal council
die Bundesrepublik′ federal republic
der Bundesrichter supreme court judge
der Bundestag –e federal diet or parliament
bunt colored
der Bürger citizen, middle class person, bourgeois
bürgerlich middle class, bourgeois
der Bürgermeister mayor
das Büro′ –s office
der Busch ⸚e bush
die Butter butter

— C —

der Charak′ter –e character
der Chef –s chief
die Chemie′ chemistry
christlich Christian

— D —

da there, then, thereupon, therefore, when, since
dabei′ in doing so
das Dach ⸚er roof
dachte (denken) thought
dadurch′ through this, thereby
dafür′ in return
dage′gen on the other hand
ist dagewesen has been there
daheim′ at home
daher′ from there, therefore, along
dahin-fahren pass away
damals then
die Dame lady
damit′ with it, thereby, in order that
dämo′nisch daemonic
danach′ then, after that, accordingly
[das] Dänemark Denmark
dänisch Danish
der Dank thanks
dankbar grateful

danken (+ dat.) thank
dann then
daran' at it
darauf' on it, thereupon, then
darauf'-setzen put on it
daraus' out of it *or* that
dar-stellen represent, depict, show
die Darstellung representation
darü'ber over it, about it, because of this
darum' therefore
darun'ter among them
das Dasein existence
daß that
dassel'be the same
die Dauer duration
dauern last, endure
davon' of it, from there, away
davon'ging (gehen) went away
dazu' thereto, to this, in addition, to it, for it
die Decke cover, blanket, ceiling
definie'ren define
dein thy, thine
demnach accordingly
denen to those, to whom *or* which
denkbar thinkable
denken dachte gedacht think
das Denken thinking
denn for, then
dennoch nevertheless
der (*dem.*) he, that man
deren whose, their
dergleichen such
deshalb therefore
dessen whose
desto [so much] the
deuten interpret
deutlich clear
deutsch German; **auf —** in German
der Deutsche –n German
[das] **Deutschland** Germany
d.h. = das heißt that is
d.i. = das ist
dicht dense
dichten write, compose
der Dichter creative writer, poet
dichterisch poetical, literary
die Dichtung literary work, writing, poetry, fiction, literature
dick thick
der Dieb –e thief
diejenigen those
dienen serve
der Diener servant
dieser this, the latter
diesmal this time
diesseits (+ *gen.*) on this side
das Ding –e thing
das Diplom' –e diploma
doch yet, however, nevertheless, do, don't you? (Appendix §7)
der Dom –e cathedral
die Donau Danube
der Donner thunder
doppelt double
das Dorf ¨–er village
die Dorfkirche village church
das Dorfwirtshaus ¨–er village inn
dort there
draußen outside
drehen turn
dreifach threefold
dreißig thirty
drin = darin' therein, in it
dringen a u penetrate

drinnen inside
drüben over there
drucken print
drücken press
drum = darum′ therefore
der Duft ⸚e fragrance
dulden bear, endure, tolerate
dumm stupid
die Dummheit stupidity
dunkel dark
das Dunkel darkness
dunkeln grow dark
dünn thin
durchbrach (brechen) broke through
der Durchfall failure
durch-führen carry out
durchgefallen failed
der Durchschnitt –e average
dürfen durfte gedurft be permitted
der Durst thirst
dursten thirst
durstig thirsty
düster gloomy

— E —

die Ebbe low tide
eben just, simply, even, level
die Ebene plain, plateau
eben das just that
echt genuine
die Ecke corner
edel noble
eh(e) before
die Ehe marriage
das Ehepaar –e married couple
die Ehre honor
der Ehrentitel title of honor
ehrenvoll honorable
die Ehrfurcht reverence
ehrlich honest
die Ehrung honor
die Eiche oak tree
eigen own
eigentlich real, in reality
eilen hasten
eilig in a hurry
der Eimer pail
einan′der one another
einbändig one-volume
der Eindruck ⸚e impression
einfach simple
einfarbig monochrome
der Einfluß ⸚e influence
ein-führen introduce
die Einführung introduction
eingeladen (laden) invited
die Einheit unity
einheitlich uniform
einige some, a few
einigermaßen to a certain extent, somewhat
einjährig one year
ein-laden u a invite
die Einladung invitation
ein-leiten introduce
einmal one time; **auf —** suddenly
einsam lonely
die Einsamkeit loneliness, solitude
ein-schlafen ie a fall asleep
ein-schränken limit
ein-setzen set
der Einsiedler hermit
ein-teilen divide
ein-treten a e enter
die Einwanderung immigration
ein-wickeln wrap up

die Einwirkung influence
der Einwohner inhabitant
einzeln individual, single
einzig single, sole
das Eis ice
das Eisen iron
eisern iron
das Elend misery
elend miserable
der Elternbeirat parent-teacher association
empfangen i a receive
empfinden a u feel
die Empfindung feeling, sensation
empfing (empfangen) received
empor up[ward]
das Ende –s –n end
endlich final
der Endzweck –e final goal
eng close, tight, narrow
der Engel angel
der Enkel grandchild
enorm′ enormous
entbehren do without
entdecken discover, reveal
die Entdeckung discovery, revelation
entfalten develop
entfernt distant
entfloh (fliehen) fled
enthalten ie a contain
entlang along
die Entlassung dismissal
sich entledigen rid oneself
sich entscheiden ie ie decide
die Entscheidung decision
sich entschließen o o resolve
entschuldigen excuse
entsiegeln unseal, reveal
entsprechen a o correspond
entspringen a u arise from
entstehen entstand entstanden arise, come into being, originate
enttäuschen disappoint
entwachsen u a outgrow
entweder . . . oder either . . . or
entwickeln develop
das Epos (pl. **Epen**) epic poem
erborgen borrow
das Erdbeben earthquake
der Erdboden earth
die Erde earth; **auf —n** on earth
das Erdreich –e kingdom of earth
das Ereignis –se event
erfahren u a experience, learn
die Erfindung invention
der Erfolg –e success
erfolglos unsuccessful
erfolgreich successful
erfrieren o o freeze to death
erfuhr (erfahren) experienced
erfüllen fill, fulfill
ergeben a e yield
das Ergebnis –se result
ergreifen iff iff seize, grip, move
erhalten ie a get, receive, maintain, preserve
erheben o o elevate
erhielt (erhalten) received
erhoben (erheben) elevated
erhöhen elevate
sich erholen recover
erinnern (an + *acc.*) remind
sich erinnern (an + *acc.*) remember
erkannte (erkennen) recognized

erkennbar recognizable
erkennen recognize
die Erkenntnis –se knowledge
erklären explain, declare
die Erklärung explanation
sich erkundigen inquire
erlangen attain
erleben experience
das Erlebnis –se experience
erleichtern facilitate
erlernen learn
erleuchten illuminate
ermöglichen make possible
die Ermordung assassination
ermüdet tired out
ermuntern encourage
ernannt (ernennen) appointed
die Ernennung nomination, appointment
ernst earnest, serious
ernten harvest
eröffnen open
erreichen reach, attain
die Erreichung attainment
der Ersatz replacement, substitute
erscheinen ie ie appear
die Erscheinung phenomenon
erschien (erscheinen) appeared
erschlug (erschlagen) slew
erschöpft exhausted
erschrecken erschrak erschrocken be frightened
ersetzen replace
erst first, only, not until; **zum —enmal** for the first time
das Erstaunen astonishment
erstaunen astonish
erstaunlich astonishing
sich erstrecken stretch, extend
die Erstürmung storming
erwachen awaken
erwählt chosen
erwähnen mention
erwärmen warm
erwarten await, expect
erwecken awaken
erwerben a o acquire
erzählen tell, narrate
der Erzieher educator
erzielen attain, gain
erzogen (erziehen) raised, educated
der Esel donkey
das Essen food, meal
etwa such as, say, about, possibly, perhaps
etwas something, some
die Etymologie′ etymology
euch you, to you
europä′isch European
das Evange′lium –s –ien Gospel
ewig eternal
die Ewigkeit eternity
ewiglich eternally
das Exa′men examination

— F —

die Fabrik′ factory
das Fach ⁻̈er subject
der Fachmann ⁻̈er or **Fachleute** expert
fähig capable
fahren u a ride, go
das Fahrrad ⁻̈er bicycle
fährt fort (fahren) continues
der Fall ⁻̈e case
fallen ie a fall
falsch false, wrong

fand (finden) found
der Fang ⸚e catch, hunting, fishing
färben color
farbenreich colorful
farblos colorless
faschis′tisch Fascist
fassen grasp
die Fassung version
fast almost
der Fasttag –e fast day
die Faust ⸚e fist
faul lazy
die Feder pen
fehlen (an + *dat.*) be lacking
der Fehler mistake
die Feier celebration
feiern celebrate
der Feind –e enemy
feindlich hostile
die Feindschaft enmity
feindselig hostile
das Feld –er field
die Felsenplatte plateau of rock
das Fenster window
fern distant, far
die Ferne distance
fertig finished
das Fest –e festival, holiday
fest solid
das Festessen holiday dinner
fest-stehen stand gestanden be fixed
der Festtag –e holiday
die Festung fortress
das Feuer fire
das Feueranzünden lighting a fire
feuern fire
feurig fiery
die Fichte pine *or* fir tree
fiel (fallen) fell, was killed (in war)
fiel auf (fallen) was surprising
fiel weg (fallen) was dropped, disappeared
die Fiktion′ fiction
der Finanz′mann ⸚er financier
finden a u find
fing (fangen) caught
fing an (fangen) began
finster dark
die Finsternis –se darkness
die Firma (pl. **Firmen**) firm
der Fischer fisherman
flach flat
die Flamme flame
die Flasche bottle
flattern flutter
das Fleisch meat
fleißig diligent, zealous
die Fliege fly
fliegen o o fly
fliehen o o flee
fließen o o flow
floh (fliehen) fled
floß (fließen) flowed
die Flucht flight
der Flügel wing
der Flügelschlag beating of wings
der Flugversuch –e attempt at flight
der Fluß ⸚e river
flüstern whisper
die Flut flood, high tide
die Folge sequence, series
folgen (+ *dat.*) follow
folgend following
fordern require, demand

die Formel formula
formelhaft formula-like, stereotyped
die Forschung research
fort away, forth, on
die Fortentwicklung continuous development
der Fortgang progression
fortging (gehen) went away
fort-leben live on
der Fortschritt –e progress
fort-setzen continue
die Fortsetzung continuation
fortwährend continuous
die Frage question; **eine — stellen** ask a question
fragen ask
[das] Frankreich France
der Franzo'se –n Frenchman
franzö'sisch French
die Frau woman, wife, Mrs.
frech insolent
die Freiheit freedom
der Freiheitskampf ⸚e struggle for freedom
freiwillig voluntary
fremd foreign
der Fremde –n stranger, foreigner
die Fremdsprache foreign language
die Freude joy
freudig joyful
freudvoll joyful
sich freuen (+ *gen.*) rejoice
der Freund –e friend
freundlich friendly
die Freundlichkeit friendliness
die Freundschaft friendship
der Friede –ns –n peace
friedlich peaceful
frieren o o freeze, be cold
frisch fresh, brisk
die Frische freshness
frißt (fressen) eats (of animals)
froh happy, glad
fröhlich cheerful
fromm pious, good
die Frucht ⸚e fruit
früh early
früher former
der Frühling –e spring
das Frühlingswetter spring weather
fühlen feel
fuhr (fahren) rode, went
führen lead, carry on
der Führer leader
die Fülle abundance
das Füllen filling
füllen fill
fünfstellig with five digits
der Funke –ns –n spark
für for
die Furcht fear
furchtbar fearful, terrible
fürchten fear
sich fürchten (vor + *dat.*) be afraid
der Fürst –en prince
die Fürstin –nen princess
der Fuß ⸚e foot
der Fußboden ⸚ floor

— G —

gab (geben) gave; **es—** there was
der Gang ⸚e walk, tread; **im —e** underway
ganz whole, all [of], quite wholly

das Ganze whole
gar indeed, actually
gar nicht not at all
der Garten ⸚ garden
das Gartenhaus ⸚er summer house
der Gast ⸚e guest
die Gattung species
gebar (gebären) gave birth
das Gebäude – building
geben a e give
gebeten (bitten) requested
das Gebiet –e field, territory, area
das Gebirge – mountains
geboren born
das Gebot –e command, commandment
gebracht (bringen) brought
der Gebrauch ⸚e use
gebrauchen use
gebrochen (brechen) broken
gebunden (binden) tied, restricted
die Geburt birth
der Geburtstag –e birthday
das Gebüsch –e bushes
gedacht (denken) thought
der Gedanke –ns –n thought
gedankenvoll thoughtful
das Gedicht –e poem
die Geduld patience
geduldig patient
die Gefahr danger
gefährlich dangerous
der Gefährte –n companion
gefallen ie a please
das Gefühl –e feeling
die Gefühlswelt emotional world
gefunden (finden) found
gegeben (geben) given
gegen against
der Gegensatz ⸚e contrast
gegenseitig mutual
der Gegenstand ⸚e subject, object
das Gegenteil –e opposite; **im —** on the contrary
die Gegenwart present
gegenwärtig present
der Gegner opponent
geheim secret, mysterious
das Gehirn –e brain
gehen ging gegangen go
gehorchen obey
gehören (+ *dat.*) belong
der Gehorsam obedience
geht zu goes on
der Geist –er spirit, mind, ghost
der Geisterseher ghost seer
geistig spiritual, intellectual, mental
das Gelächter laughter, laughing stock
geladen (laden) invited
gelang (gelingen) succeeded
gelangen (zu) attain
gelb yellow
das Geld –er money
gelegen (liegen) stationed
die Gelegenheit opportunity
der Gelehrte –n scholar
die Geliebte beloved, sweetheart
gelingen a u succeed
gelten a o be worth, pass for
gemäß commensurate
gemein common
gemeinschädlich generally harmful

gemeinsam common
das Gemüse vegetables
genannt (nennen) named
genau exact
die Genauigkeit exactness, precision
das Genie′ –s genius
genießen o o enjoy
genommen (nehmen) taken
genoß (genießen) enjoyed
genug enough
genügen suffice
der Genuß ⸚e enjoyment
das Gepäck –e baggage
gerade straight, just [then]
geradeaus′ straight ahead
geradewegs straight
gerecht just
gering slight
die Geringschätzung slighting, contempt
gern(e) gladly
der Gesang ⸚e song
geschaffen (schaffen) created
das Geschäft –e business, store, business deal
der Geschäftsabschluß close of a business deal
der Geschäftsmann –leute business man
geschehen a e happen
das Geschehen happenings, events
das Geschenk –e gift
die Geschichte story, history
geschichtlich historical
geschlagen (schlagen) struck
das Geschlecht –er sex, race
geschwind swift
die Geschwindigkeit speed
geschworen (schwören) sworn
der Gesell –en companion, employee
die Gesellschaft society, company, party
gesellschaftlich social
gesessen (sitzen) sat
das Gesetz –e law
gesetzlich legal
das Gesicht –er face
die Gesinnung frame of mind
das Gespräch –e conversation
gesprochen (sprechen) spoken
die Gestalt –en figure, form
gestanden (stehen) stood
gestern yesterday
das Gestirn –e constellation, star
gestorben (sterben) died
gesund healthy
getan (tun) done
getragen (tragen) worn
getroffen (treffen) met, hit
getrunken (trinken) drunk
gewähren grant, guarantee
die Gewalt force, power, violence
gewaltig forceful, powerful
die Gewalttat deed of violence
gewann (gewinnen) won
gewesen (sein) been
das Gewicht –e weight
gewillt willing
gewinnen a o win, gain
gewiß certain, sure
das Gewitter storm
die Gewohnheit habit, custom
gewöhnlich usual
geworfen (werfen) thrown
gezwungen (zwingen) forced, compelled

gib (geben) give
gibt gives; **es —** there is *or* are
ging (gehen) went
ging auf (gehen) opened
ging aus (gehen) proceeded
ging fort (gehen) went away
ging über (gehen) went over
der Glanz shine, splendor
glänzen shine
glänzend splendid
der Glasmacher glass maker
der Glaube –ns belief, faith
glauben (+ *dat.*) believe
gleich like, equal, same
gleichbedeutend synonymous
gleichberechtigt endowed with equal rights
gleichen (+ *dat.*) resemble
gleichgültig indifferent
gleich-setzen equate
gleichzeitig at the same time
das Glück luck, happiness
glücklich lucky, happy
glühen glow
der Goldschmied –e goldsmith
gotisch Gothic
der Gott ⸚er god
der Götterglaube –ns belief in the gods
der Gottesdienst –e divine service
göttlich divine
das Grab ⸚er grave
der Graf –en count
grau gray
greifen iff iff seize, grasp
der Greis –e old man
greis very old, ancient
die Grenze border, limit
griechisch Greek
der Griff –e grip, handle, trick
griff an (greifen) attacked
griff nach (greifen) took hold of
groß big, large, great
[das] **Großbritannien** Great Britain
die Größe greatness, size
die Großstadt ⸚e metropolis
der Großvater ⸚ grandfather
grübelnd brooding
gruben (graben) dug
grün green
der Grund ⸚e ground, reason, basis; **auf —** on the basis
gründen establish
der Gründer founder
grundfalsch totally wrong
das Grundgesetz –e basic law
gründlich thoroughly
das Grundrecht –e basic rights
grüßen greet
das Gut ⸚er goods
die Güte kindness

— H —

das Haarband ⸚er hair ribbon
haben have
der Hahn ⸚e rooster
halb half
half (helfen) helped
die Hälfte half
der Halm –e blade [of grass]
der Hals ⸚e neck
hält (halten) holds
halten ie a hold; **— für** take for, consider
hämmern hammer
die Hand ⸚e hand
der Handel ⸚ deal
handeln trade, act

der Handkuß –̈e hand kiss

die Handlung behavior

das Handwerk –e trade, craft

hart hard

hassen hate

hatten (haben) had

der Hauch –e breath

häufig frequent

das Haupt –̈er head, chief

die Hauptart main type

der Hauptfluß –̈e main river

das Hauptmerkmal –e chief characteristic

das Hauptorgan –e chief organ

hauptsächlich chiefly

der Hauptsitz –e main locale

das Haus –̈er house; **nach –e** home[ward]

der Haushalt housekeeping

die Haut –̈e skin

die Hautkrankheit skin disease

heben o o raise, lift

[das] **Hebräisch** Hebrew

heftig violent, vehement

heilen heal

heilig holy

der Heilige –n saint

die Heiligkeit sanctity

das Heilmittel remedy

die Heilung cure

heim home

die Heimat native city, homeland

die Heimatstadt –̈e native city

heim-kehren return home

heimlich secretly

der Heimweg –e way home

die Heirat marriage

heiraten marry

heiß hot, passionate

heißen ie ei be called, bid; **das heißt** that is

heiter merry, cheerful

der Held –en hero

die Heldentat deed of heroism

helfen a o help

der Helfer helper

hell bright

der Hemdsärmel shirt sleeve

hemmen hem, hinder

her hither

herbei′ along, hither

herab′-schütten pour down

heran′ on

heran′-wachsen u a develop

heran′-kommen kam gekommen arrive

heraus′ out

der Heraus′geber editor

heraus′genommen (nehmen) taken out, excepted

heraus′kam (kommen) came out

der Herbst –e autumn

der Herd –e hearth, stove

her-kommen come from

die Herkunft origin

hernie′der down

der Herr –n –en Lord, master, Mr.

die Herrin –nen mistress

herrlich splendid, glorious, wonderful

die Herrschaft dominance, command, domination

herrschen dominate, prevail, rule, reign

her-stellen manufacture

herum′saßen (sitzen) sat around

herun′ter down

hervor′ out, forth

hervor′-heben o o emphasize
hervor′-rufen ie u provoke
das Herz –ens –en heart
der Herzensgrund bottom of the heart
herzlich cordially
das Herzogtum ⸚er duchy
das Heu hay
heute today; **— abend** tonight; **— nacht** last night
heutig of today, today's
hielt (halten) held, gave; **— für** considered
hier here
hierauf′ upon this, after this
hierzu′ to this
hieß (heißen) was called, was named
die Hilfe help, aid
hilft fort (helfen) helps on
der Himmel sky, heaven
himmelhoch as high as heaven
das Himmelreich –e kingdom of heaven
himmlisch heavenly
hin there, thither, away
hinab′ down
hinauf′ up
hinauf′-tragen u a carry up
hinaus′ out
hinaus′-sehen a e look out
sich hinaus′-wagen venture out
hinaus′-werfen a o throw out
hindern hinder
hindurch′ through
hinein′ in [there]
hingelegt laid down
sich hin-setzen sit down
hinter behind
hinterließ′ (lassen) left behind, bequeathed
hinun′ter down
hin-ziehen zog gezogen move along
die Hitze heat
hob (heben) raised, lifted
hob empor raised up
hoch oben high up
das Hochland highland
höchst most
höchstens at most
die Hochzeit marriage, wedding
der Hof ⸚e yard, farm, Court
hoffen hope
die Hoffnung hope
die Hoffnungslosigkeit hopelessness
die Höflichkeit courtesy
hoh = hoch
die Höhe height; **in die —** into the air
der Höhepunkt –e climax
höher higher
die Höhle cave
hold lovely
holen fetch
das Holz wood, forest
der Hörer listener, student
hören hear
die Hornhaut skin of horn
hübsch pretty, attractive
der Humor′ humor
der Hund –e dog
hundertmal a hundred times
hungern hunger, starve
der Hut ⸚e hat
die Hütte hut

— I —

das Ich ego
ihnen to them

immer always; — **mehr** more and more; — **wieder** over and over
in in, into
indem while
indes′sen meanwhile
der Inhalt –e content
inmit′ten in the midst
das Innere interior
innerhalb inside
die Insel island
interessant′ interesting
das Interes′se interest
sich interessie′ren (für) be interested (in)
irdisch earthly
irgend ein some, any
irgendwo somewhere
irren err
das Irrsal –e error
der Irrtum ⸚er error
isländisch Icelandic
ißt (essen) eats
italie′nisch Italian

— J —

ja yes, for, as you know, of course (Appendix §5)
die Jacke jacket
jagen chase, hunt, dash
das Jahr –e year
jahrelang for years
das Jahrhun′dert –e century
jährlich annual
das Jahrtau′send –e millennium
jawohl′ yes indeed
je ever, each
je . . . desto the . . . the
jedenfalls in any case
jeder each
jedesmal each time
jedoch′ however
jemals ever
jemand someone
je nach [each] according
jener that
jenseits (+ *gen.*) beyond, on the other side
jetzt now
der Jodler yodel
der Jude –n Jew
die Jugend youth
jugendlich youthful
jung young
der Junge –n boy
der Jüngling –e youth
[das] Jütland Jutland

— K —

der Kaiser emperor
kalt cold
kam (kommen) came
der Kamerad′ –en comrade
der Kamm ⸚e comb
kämmen comb
die Kammermusik chamber music
der Kampf ⸚e struggle, warfare, fight, battle
kämpfen fight
kämpferisch militant
das Kampflied –er fighting *or* war song
der Kanal′ ⸚e canal
kannte (kennen) knew
die Karte map, ticket
die Kartof′fel potato
kaufen buy
der Kaufmann –leute merchant
kaum scarcely
kein no
keiner no one, none

kennen kannte gekannt know
kennen lernen become acquainted
kennzeich'nen characterize
der Kern –e core, kernel
der Kessel kettle, boiler
die Kette chain
das Kind –er child
kinderlos childless
die Kindheit childhood
das Kino –s movie theatre
die Kirche church
der Kirchgang church attendance
der Kirchhof ⸚e churchyard
die Klage lament
klagen lament, sue
klar clear
klären clear
die Klarheit clarity
das Klavier' –e piano
das Kleid –er dress
kleiden dress; **sich —** dress
klein small
klettern climb
das Klima –te climate
klingen a u ring, sound
klingend ringing
klopfen knock, clap
klug clever, prudent
die Klugheit cleverness, prudence
der Knabe –n boy
der Knecht –e servant, slave
das Knie –e knee
knochig bony
knüpfen tie
der Koch ⸚e cook
kochen cook
der Köcher quiver
die Kohle coal, charcoal
der Kolle'ge –n colleague
kommen kam gekommen come
kommend coming
komponie'ren compose
der König –e king
die Königin –nen queen
königlich royal
der Königssohn ⸚e prince
können konnte gekonnt be able
könnte (*imp. subj.*) could
konzentrie'ren concentrate
der Kopf ⸚e head
der Korbball ⸚e basketball
der Korin'ther Corinthian
der Körper body
körperlich physical
kostbar precious
die Kosten (pl.) expenses; **auf eigene —** at one's own expense
kosten cost
die Kraft ⸚e strength, force, energy, resource
kräftig vigorous
kraftlos weak
kraftvoll energetic
krähen crow
krank sick, ill
der Kranke –n patient
kränken offend
das Krankenhaus ⸚er hospital
die Krankenschwester nurse
die Krankheit illness, disease
die Krawat'te necktie
die Kreatur' creature
der Kreis –e circle
das Kreuz –e cross
die Kreuzigung crucifixion
der Krieg –e war

kriegen get
der Krieger warrior
der Kriegsfuß war footing
die Krone crown
der Kuchen cake
die Kugel bullet, sphere
die Kuh ⸚e cow
kühl cool
die Kühle coolness
kühn bold
die Kühnheit boldness
die Kultur′ culture, civilization
der Kummer grief
künftig future
die Kunst ⸚e art
die Kunstentwicklung development of art
der Kunstgegenstand ⸚e art object
die Kunstgeschichte art history
kunstkritisch dealing with art criticism
der Künstler artist
künstlerisch artistic
der Kunststil –e art style
kurz short, in short
die Kürze brevity
der Kuß ⸚e kiss

— L —

lächeln smile
lachen laugh
der Laden ⸚ store
laden u a load, invite
lag (liegen) was situated
die Lage situation
läge (*imp. subj.* of **liegen**) lay
das Lager bed, couch
lamentie′ren lament
das Land ⸚er land, country, state; **auf dem —** in the country
das Länderparlament –e state parliament
die Landschaft landscape
die Landstraße highway
lang long
lange for a long time
die Länge length
langsam slow
las (lesen) read
lassen ie a let, allow, leave
die Last burden
das Laster vice
das Latein′ Latin
das Latei′nische Latin
der Lauf ⸚e course
laufen ie au run
laut loud
lauten sound
lautlos noiseless
leben live
das Leben life
lebend living, alive
leben′dig living
die Lebensgeschichte life history
die Lebenshöhe peak of life
das Lebensjahr –e year of life
leer empty
die Leere emptiness, void
legen lay; **sich —** lie down
die Lehre teaching, doctrine
lehren teach
der Lehrling –e apprentice
die Lehrtätigkeit teaching
der Leib –er body
leicht easy
das Leid sorrow, suffering
das Leiden suffering

leid tun feel sorry
das Leiden suffering
leiden litt gelitten suffer, endure
die Leidenschaft passion
leidvoll sorrowful
die Leihbibliothek lending library
leise soft, gentle
leisten offer, achieve
leiten lead, guide
der Leiter director, manager
lenken steer
die Lepra leprosy
lernen learn
das Lesebuch ⸚er reader
lesen a e read
letzt last
leuchten shine, illumine
die Leute people
das Licht –er light
licht bright
der Lichtstrahl –s –en ray of light
das Lid –er [eye]lid
die Liebe love
lieben love
lieber rather
die Liebesklage lament of love
das Liebeslied –er love song
liebevoll loving
lieblich lovely
der Liebling –e favorite, darling
die Liebste beloved
am liebsten best of all
das Lied –er song
das Liedchen little song
lief (laufen) ran
liefern supply, deliver
die Lieferung delivery
lief fort (laufen) ran away
liegen a e be situated
lies (lesen) read
ließ (lassen) let, allowed, left
ließ zurück (lassen) left behind
liest (lesen) reads
die Linde lime *or* linden tree
die Linke left hand
links to the left
die List stratagem, trick, ruse
die Liste list, catalogue
der Literar′historiker literary historian
die Literatur′geschichte literary history
das Lob praise
loben praise
das Loch ⸚er hole
der Löffel spoon
der Lohn reward
los loose, rid
losbrach (brechen) broke loose
los-kommen get away
die Lösung solution
der Löwe –n lion
die Luft ⸚e air, breeze
die Lüge lie
die Lunge lung
die Lust ⸚e pleasure, desire, joy
lustig merry

— M —

machen make, do
die Macht ⸚e power, might
mächtig mighty
das Mädchen girl
mag (mögen) like, likes, may, can
die Magd ⸚e [house] maid
der Magen stomach

mager skinny
mahlen mahlte gemahlen grind
das Mailied May song
der Main river in Germany
der Maitag –e May day
majestä'tisch majestic
das Mal –e time
malen paint
der Maler painter
die Malerei' painting
man one
mancher many a
manchmal sometimes
der Mangel ¨ lack
das Manifest –e manifesto
der Mann ¨er man, husband
das Mannesalter manhood
männlich manly
der Mantel ¨ coat, cloak
die Manteltasche overcoat pocket
das Märchen fairy tale
das Märchenland ¨er fairy land
die Mark mark (ca. 25 cents)
der Markt ¨e marketplace
marschie'ren march
der Maskenball ¨e masquerade
das Maß –e measure
das Massengrab ¨er mass grave
mäßig moderate
der Matro'se –n sailor, mariner
die Mauer [stone] wall
die Maus ¨e mouse
das Meer –e sea
das Mehl flour
mehr more
mehrere several
mehrfarbig polychrome
die Meile mile
mein my, mine
meinen mean, intend, think
die Meinung opinion
meist most
das meiste most
meistens mostly
der Meister master
meisterhaft masterly
das Meisterstück –e masterpiece
der Mensch –en human being, person, man
das Menschengeschlecht human race
die Menschheit humanity
menschlich human
die Menschlichkeit humanity
merken note, mark, notice
das Merkmal –e sign, characteristic
messen a e measure
das Messer knife
die Metall'ader metal vein
die Meta'pher metaphor
die Milch milk
der Milchtopf ¨e milk pot
mild gentle
mildern modulate
minder less
mindestens at least
mischen mix
der Mißrauch abuse
mißhandeln abuse
mißtrauisch distrustful
mit (+ *dat.*) with
mit-bringen brachte gebracht bring along
miteinan'der with another
mit-geben give along
mitgebracht (bringen) brought along
das Mitglied –er member
das Mitleid sympathy

der Mitmensch –en fellow man
der Mittag noon
die Mitte middle, center
mit-teilen communicate, impart
das Mittelalter Middle Ages
mittelalterlich medieval
(**das**) **Mitteleuropa** Central Europe
die Mittellage central position
mittler middle, central
mitten in in the midst of
mit-wirken cooperate
die Möbel (pl.) furniture
möge (*pres. subj.*) might, should
mögen mochte gemocht may, like, wish, can
möglich possible
möglichst as much as possible
der Monat –e month
das Mönchtum monasticism
der Mond –e moon
der Mondenschein moonlight
das Moor –e moor
der Mörder murderer
der Morgen morning
das Morgenland Orient
die Morgenröte dawn
morgens in the morning
morgenschön fair as the morning
müde tired
die Müdigkeit tiredness
die Mühe effort, trouble, pains
die Mühle mill
der Müller miller
der Mund ¨–er mouth
die Mundart dialect
die Mündung mouth (of a river)
munter lively
der Musketier′ –e musketeer
müssen mußte gemußt have to
müßten (*imp. subj.*) had to
der Mut courage, spirit
der Mutterarm –e mother's arm

— N —

na well
nach (+ *dat.*) to, toward, according to
nachbarlich neighboring, neighborly
nachdem after
der Nachkomme –n descendant
der Nachmittag –e afternoon
nachmittags in the afternoon
nach-sehen look after
nächst nearest, next
die Nacht ¨–e night
nächtlich nocturnal
nachts at night
die Nachwelt posterity
nach-ziehen zog gezogen follow
nackt naked
der Nagel ¨– nail
nageln nail
nah(**e**) near
die Nähe vicinity
nähen sew
näher nearer
sich nähern approach
nahm (**nehmen**) took
nahm an (**nehmen**) accepted
nahm auf (**nehmen**) received
nahm teil (**nehmen**) participated
nähren nourish, feed
die Nahrung nourishment
der Name –ns –n name
nämlich namely, for
nannte (**nennen**) named
die Nase nose

naß wet, moist
die Natur′ nature
natür′lich natural
die Natur′wissenschaft natural science
der Nebel mist
das Nebelkleid –er cloak of mist
neben near
nehmen nahm genommen take
der Neid envy
nein no
nennen nannte genannt name
das Nestlein little nest
neu new
neulich recently
die Neuzeit modern age
nicht not
nichts nothing; **— sonst** nothing else
nicken nod
nie never
nieder low, base
das Niederdeutsche Low German
die Niederlande Netherlands
sich nieder-lassen ließ gelassen settle down
niemals never
niemand no one
nimmermehr never
nimmt (nehmen) takes
nirgends nowhere
noch still, yet
noch einmal again
nochmal again
noch nicht not yet
der Norden north
nördlich northern
die Not ¨–e need, distress
nötig necessary
notwendig necessary
die Notwendigkeit necessity
die Nummer number
nun now, well
nunmehr now
nur only
die Nuß ¨–e nut
der Nutzen usefulness
nützlich useful

— O —

ob whether, if
oben above
ober upper
obgleich′ although
obwohl′ although
der Ofen ¨– stove
offen open
der Offizier′ –e officer
öffnen open
die Öffnung opening
oft often
öfter more often
ohne (+ *acc.*) without; **—— zu** without –ing
ohnmächtig impotent, helpless
das Ohr –s –en ear
das Öl –e oil
die Oper opera
der Opernsänger opera singer
das Opfer sacrifice, victim
die Ordnung order
der Organisa′tor –s –′en organiser
der Orgelbau organ building
die Ornamen′tik ornamentation
der Ort –e place
der Osten east
Ostern (pl.) Easter
[das] Österreich Austria

östlich eastern
der Ozean′ –e ocean

— P —

das Paar –e pair, couple
ein paar a few
paarweise in pairs
der Page –n page
das Papier′ –e paper
pausenlos pauseless
pedan′tisch pedantic
peinlich painful, embarrassing
die Pest pestilence, plague
pfeifen iff iff whistle
der Pfeil –e arrow
der Pfennig –e penny (1/100th of a Mark)
das Pferd –e horse
der Pfirsich –e peach
pflanzen plant
die Pflanzung planting
das Pflaster pavement
die Pflaume plum
pflegen cultivate, care for, nourish
die Pflicht duty
der Pflug ⸚e plow
der Plan ⸚e plan
der Platz ⸚e place, square
plötzlich suddenly
[das] Polen Poland
die Politik policy
poli′tisch political
die Politisie′rung becoming politically minded
die Polizei′ police
der Posten post, position, station
präsentie′ren present
der Prediger preacher
die Predigt sermon
der Preis –e price
preußisch Prussian
die Prosa prose
prüfen test
die Prüfung test, examination
das Publikum public

— Q —

die Quan′tentheorie′ quantum theory
der Quartier′meister quartermaster
der Quell –s –en source
die Quelle source

— R —

der Rahmen frame(work), scope
die Rache revenge
rasch swift
die Rasse race
der Rat ⸚e advice, council
raten ie a advise
der Ratgeber counselor
das Rätsel riddle
rauben rob
der Räuber robber
rauchen smoke
der Raum ⸚e room, space
rauschen roar, murmur, rush, rustle
das Recht –e right, justice; (pl.) jurisprudence; **— haben** be right; **mit —** rightly
recht right, satisfactory
die Rechte right hand
rechts to the right
reden talk
rege lively
die Regel rule

regelmäßig regular
die Regelung regulation
der Regen rain
die Regierung government
die Regierungskrise governmental crisis
das Reh –e deer
das Reich –e kingdom, commonwealth
reich (an + *dat.***)** rich
reichen reach, give, hand
der Reichtum ⸚er wealth
reif ripe, mature
die Reife maturity
reifen ripen
die Reihe series
sich reihen arrange oneself
rein pure
die Reinheit purity
reinigen purify
die Reinigung purification
die Reise journey
reisen travel
reiten ritt geritten ride [an animal]
der Reiz –e stimulus, charm
rennen rannte gerannt run
retten (vor + *dat.***)** save
der Retter savior
die Rettung rescue
der Rhönhirt –en shepherd from the Rhön district
der Richter judge
richtig correct
die Richtung direction
rief (rufen) called, cried
der Riese –n giant
ringsum round about
riß (reißen) snatched
ritt (reiten) rode
ritterlich chivalrous
roch (riechen) smelled
der Rock ⸚e coat
roh raw, rude
die Rolle role
rollen roll
der Roman′ –e novel
römisch Roman
die Rose rose
rot red
der Rücken back
die Rückkehr return
der Ruf –e call
rufen ie u call
die Ruh(e) rest, peace
ruhen rest
ruhig calm
rühmen praise
rund round, about
[das] Rußland Russia

— S —

die Saat seed
die Sache thing
[das] Sachsen Saxony
der Sack ⸚e sack
säen sow
die Sage legend, sage
sagen say, tell
sagenhaft legendary
sah (sehen) saw, looked
sah an (sehen) looked at
sah's = sah es
sah aus (sehen) looked
salben annoint
der Same –ns –n seed
sammeln collect, gather
der Sammler collector
die Sammlung collection
sandig sandy

sanft gentle
sangen (singen) sang
der Sänger singer
saß (sitzen) sat
satt satiated
der Sattel saddle
der Satz ⸚e sentence
sauber clean, neat
sauer sour, bitter
der Säufer boozer
saugt ein sucks in
der Schaden ⸚ injury, damage
schaden harm
schädlich harmful
das Schaf –e sheep
der Schäfer shepherd
schaffen procure
schaffen u a create
die Scham shame
schändlich shameful
scharf sharp
die Schärfe sharpness
schärfen sharpen
der Schatten shadow
der Schatz ⸚e treasure, sweetheart
schätzen value, esteem, treasure
schauen look, see
das Schauen seeing
der Schaum foam
das Schauspiel –e play
der Schauspieler actor
die Schauspielkunst acting
die Scheibe window pane, slice
der Schein –e shine, light
scheinen ie ie shine, seem
schicken send
schien (scheinen) seemed
schießt nieder shoots down
der Schiffer boatman
schildern describe
die Schlacht battle
schlachten slaughter
der Schlaf sleep
schlafen ie a sleep
das Schlafzimmer bedroom
der Schlag ⸚e blow
die Schlange snake, serpent
schlau sly, cunning
schlecht bad
schleichen i i creep, slink
schleppen pull, drag
schlich (schleichen) crept
schlief (schlafen) slept
schlief ein (schlafen) fell asleep
schließen o o close, make, form
schließlich finally
schlimm bad
das Schloß ⸚er lock, castle
schloß (schließen) closed
schloß auf (schließen) unlocked
schloß ein (schließen) locked in
schlug (schlagen) beat
das Schlüsselein little key
schmecken taste
schmeicheln flatter
der Schmerz –es –en pain
schmerzlich painful
der Schmied –e smith
die Schmiedekunst smith's art
schmilzt (schmelzen) melts
schmücken decorate
der Schmutz dirt
schmutzig dirty
der Schnee snow
der Schneesturm ⸚e snow storm
schneiden schnitt geschnitten cut
schnell quick
die Schnelligkeit speed
schnitzen carve

schon already
schön beautiful, handsome
das Schöne the beautiful
die Schönheit beauty
schöpfen draw
schottisch Scottish
schrecklich terrible, frightful
der Schrei –e cry
das Schreiben writing
schreien ie ie cry, shriek
schreiten itt itt stride, go, step
schrieb (schreiben) wrote
die Schrift writing, treatise
der Schritt –e step
schritt (schreiten) stepped, strode
schuf (schaffen) created
der Schuh –e shoe
die Schuld guilt, debt
schuldig guilty
die Schule school
der Schüler pupil
der Schultag –e school day
die Schulter shoulder
der Schultyp –s –en school type
die Schürze apron
der Schütze –n marksman
schützen (vor + *dat.*) protect
schwach weak
die Schwäche weakness
die Schwägerin –nen sister-in-law
die Schwalbe swallow
der Schwan ¨–e swan
schwand (schwinden) vanished
schwanken waver, fluctuate, totter
schwarz black
die Schwärze blackness
schwarzseiden of black silk
schweigen ie ie be silent
schweigend silent
schweinern piggish
die Schweiz Switzerland
schweizerisch Swiss
schwer heavy, hard
schwermütig melancholy
das Schwert –er sword
die Schwester sister
schwieg (schweigen) was silent
die Schwiegertochter ¨– daughter-in-law
der Schwiegervater ¨– father-in-law
schwierig difficult
die Schwierigkeit difficulty
schwingen a u swing
schwor (schwören) swore
der See –s –n lake
die Seele soul
der Segen blessing
segnen bless
sehen a e see
sich sehnen yearn
sehr very, very much
ihr seid you are
die Seife soap
sein war gewesen be
seitdem since, since then
die Seite side, page
selber / **selbst** [him, her, it] self, themselves, even
selbständig independent
die Selbständigkeit independence
das Selbstbildnis –se self portrait
selbstgebacken home baked
selten rare, seldom

seltsam strange
setzen set, put
sicherlich surely
sichern guarantee
die Sicherung security
sichtbar visible
siebzig seventy
der Sieg –e victory
siegen triumph
sieh (sehen) see; **— dir an** look at; **— zu** see to it
siehe behold
du siehst you see
er sieht he sees
sieht vor (sehen) provides
sind (sein) are
singen a u sing
der Sinn –e sense, mind, meaning
die Sitte custom
sittlich moral, ethical
der Sitz –e seat
sitzen saß gesessen sit
die Sklaverei′ slavery
der Slawe –n Slav
slawisch Slavic
so so, then, thus
sobald′ as soon as
das Sofa –s sofa
sofort′ at once
sogar′ even, actually
sogenannt so called
sogleich′ at once
der Sohn ⸚e son
solan′ge as long as
solcher such
solda′tisch soldierly
sollen be obliged, be supposed
sonderbar strange
sondern but
die Sonne sun
sonnen sun
die Sonnenherrlichkeit sunny splendor
das Sonnenlicht sunlight
der Sonnenschein sunshine
der Sonntag –e Sunday
sonntags on Sundays
sonst otherwise
die Sorge care, anxiety
sorgen care
sorglos carefree
soweit′ insofar as
sowohl′ as well
spannen stretch
die Spannung tension
sparen save, spare
spät late
spätrömisch late Roman
spazieren-gehen go for a walk
der Speer –e spear
das Speerwerfen javelin throwing
die Speise food
die Speisekarte menu
der Speiseraum ⸚e dining hall
der Spiegel mirror
sich spiegeln be reflected
das Spiel –e play, game
der Spieltisch –e gambling table
die Spitze peak
sprach (sprechen) spoke
spach aus (sprechen) expressed, uttered
der Sprachbaum ⸚e linguistic tree
die Sprache speech, language
sprachlich linguistic

sprachlos speechless
die **Sprachwissenschaft** science of linguistics
der **Sprachwissenschaftler** linguistic scholar
sprang (**springen**) burst
der **Sprecher** speaker
spricht (**sprechen**) speaks
das **Sprichwort** ⸚er proverb
das **Springen** jumping
springen a u jump, leap
der **Staat** –es –en state
staatlich governmental
die **Staatlichkeit** statehood
der **Staatsdienst** state service
die **Staatsform** form of government
der **Staatsmann** ⸚er statesman
die **Stadt** ⸚e city
das **Städtlein** town
der **Stamm** ⸚e tree trunk, tribe
stammen stem, be descended
der **Stand** ⸚e stand, position
stand (**stehen**) stood
der **Standpunkt** –e point of view
die **Stange** pole
starb (**sterben**) died
stark strong
die **Stärke** strength
statt (+ *gen.*) instead of
der **Staub** dust
der **Stecken** stick
stecken put, stick, be, lie
stehen stand gestanden stand
steigen ie ie rise, climb
das **Steigen** rise, rising
der **Stein** –e stone
die **Stelle** place, position, post, passage
stellen place, set
die **Stellung** position
sterben a o die
der **Sterbende** –n dying man
der **Sterbetag** –e day of death
der **Stern** –e star
das **Sternlein** little star
das **Steuerruder** rudder
stieg auf (**steigen**) arose
stießen (**stoßen**) thrust
der **Stil** –e style
die **Stilgeschichte** history of style
die **Stille** silence, quiet
die **Stimme** voice
stimmen agree, tally
stirbt (**sterben**) dies
der **Stock** ⸚e stick, cane
der **Stoff** –e material
stolz (**auf** + *acc.*) proud
die **Störung** disturbance
stoßen ie o push, thrust
die **Strafe** punishment, fine
strafen punish
der **Strahl** –s –en ray, beam
strahlen shine, beam
die **Straße** street, highway
streben strive
die **Strecke** stretch
der **Streifen** line
der **Streit** –e quarrel, conflict, controversy
streng strict, stern
stritten (**streiten**) quarreled
strohbedeckt covered with straw
der **Strom** ⸚e stream, river
stromauf′ upstream
die **Strömung** current
die **Stube** room, living room
das **Stück** –e piece, play

das Studium –ien study
die Stufe step, stage
stumm mute, dumb, silent
die Stunde hour
stundenlang for hours
der Stundenplan ⸚e schedule
der Sturm ⸚e storm
sturmbewegt storm tossed
stützen support
das Substantiv –e noun
suchen seek
der Sucher seeker
der Süden south
südlich southern
südostwärts southeastward
die Summe sum
die Suppe soup
süß sweet
der Systema′tiker systematizer

— T —

der Tabak tobacco
die Tafel board, table
der Tag –e day
das Tagebuch ⸚er diary
das Tageslicht daylight
die Tageszeitung daily paper
das Tagewerk –e daily work
täglich daily
das Tal ⸚er valley, dale
der Taler old coin worth 3 marks
der Tannenbaum ⸚e fir *or* pine tree
der Tanz ⸚e dance
tappen grope one's way
die Tasche pocket
die Taschenausgabe pocket edition
die Tat deed
tat (tun) did
tätig active
die Tätigkeit activity
die Tatsache fact
tatsächlich actual[ly]
die Taubheit deafness
taugen be useful, be fit
die Täuschung illusion
tausend thousand
tausendjährig millennial
der Teil –e part
teilen divide
teil-haben share
der Teller plate
teuer dear, precious, expensive
der Teufel devil
der Thea′terbau theatre construction
das Thema (pl. **Themen**) theme
tief deep
die Tiefe depth
die Tiefebene plain, lowland
das Tier –e animal
die Tiermedizin′ veterinary science
das Tintenfaß ⸚er inkwell
der Tisch –e table
der Titel title
der Tod death
tödlich mortal, deadly
todtraurig mortally sad
der Ton ⸚e tone
tönen sound, ring out
der Topf ⸚e pot
das Tor –e gate
die Torheit folly
tot dead
der Tote –n dead man
töten kill
das Totenkleid –er shroud

traf (treffen) hit; **— sich** met
tragen u a bear, carry
der Träger bearer
die Trägheit sloth
die Tragik tragedy
die Tragö'die tragedy
trägt (tragen) carries
die Träne tear
der Trank ⸚e drink
trat(treten) stepped
trat auf (treten) appeared
trauen trust
die Trauer sadness, mourning
trauern mourn
träumen dream
traurig sad
die Traurigkeit sadness
treffen traf getroffen meet
treiben ie ie drive, carry on, impel, practice
trennen separate
die Trennung separation
die Treppe stairway
treu faithful, loyal
die Treue loyalty; **— halten** keep faith
treulich faithfully
treulos faithless
der Trieb –e impulse, instinct
trieb (treiben) drove
trinken a u drink
der Trinker alcoholic
das Trinkgeld –er tip
der Tritt –e kick
tritt (treten) treads, steps
tritt auf (treten) appears
tritt entgegen (treten) meets
trocken dry
der Tropfen drop
der Trost consolation, comfort
trotz (+ *gen.*) in spite of
trotzdem' in spite of the fact
trug (tragen) carried, bore
die Tschechoslowakei' Czechoslovakia
tüchtig vigorous, efficient
die Tugend virtue
der Turm ⸚e tower
die Tyrannei' tyranny

— U —

das Übel evil
über over, above, concerning, about
überall everywhere
übereilen precipitate
überfließen o o overflow
der Überfluß ⸚e overflow, superfluity
überfluten flood
die Überfüllung congestion
der Übergang ⸚e transition, transfer
übergeben a e hand over
überhaupt' at all, on the whole
überirdisch superterrestial
überlassen ie a abandon
überlaut too loudly
die Überlieferung tradition
überm = über dem
der Übermut arrogance
übernachten spend the night
übernahm (nehmen) took over
übernimmt (nehmen) takes over
überreich excessively rich
überschatten overshadow
überschreiten itt itt cross
übersetzen translate
die Übersetzung translation
über-wechseln switch over

die Überzeugung conviction
üblich customary
übrig remaining; — **bleiben** remain
die Übung exercise, practice
das Ufer shore, bank
das Uhrwerk –e clockwork
um + *acc.* around, concerning, about, for
um . . . willen (+ *gen.*) for the sake of
um . . . zu in order to
umfassen comprise, include
umflattern flutter about
umher′ about, round about
umher-gehen ging gegangen walk about
um-legen put about
um-schauen look about
umsonst′ in vain
umständlich elaborate
der Umstehende –n bystander, witness
unabhängig independent
die Unabhängigkeit independence
unbarmherzig merciless
unbekannt unknown
unbeliebt unpopular
unbeschreiblich indescribable
unbestraft unpunished
undenkbar unthinkable
undeutlich unclear
die Unehre dishonor
unendlich infinite
das Unendliche –n infinite
unentrinnbar inescapable
unerkannt incognito
unermüdet tirelessly
unerwartet unexpected
unfähig incapable
unfreundlich unfriendly
unfühlend unfeeling
[das] **Ungarn** Hungary
ungebrochen (**brechen**) unbroken
ungefähr approximately, about
ungehindert unchecked
ungemein uncommon
ungern unwillingly
ungerufen (**rufen**) uncalled
die Ungewißheit uncertainty
ungewöhnlich uncommon
ungezählt uncounted
das Unglück accident, misfortune
unirdisch unearthly
unmenschlich inhuman
unmittelbar direct, immediate
unnötig unnecessary
unrecht haben be wrong
die Unruhe restlessness
unschädlich harmless
unschätzbar invaluable
die Unschuld innocence
unschuldig innocent
unser our
die Unsicherheit uncertainty, insecurity
der Unsinn nonsense
die Unsitte bad habit, abuse
unsterblich immortal
die Unsterblichkeit immortality
unten below
unter under, among
unterdes′sen meanwhile
unterir′disch subterranean
unternahm′ (**nehmen**) undertook
die Unternehmung undertaking

unternommen undertaken
der Unterricht instruction
unterrich′ten instruct
unterschei′den ie ie differentiate, distinguish
der Unterschied –e difference
unterstütz′en support
untersu′chen investigate
die Untersu′chung investigation
unterwegs′ under way
unterzeich′nen sign
untreu unfaithful
unverän′dert unchanged
unverständ′lich incomprehensible
unvollen′det unfinished
unvollkommen imperfect
die Unwissenheit ignorance
unzählig countless
die Urgestalt original form
der Ursprung ¨–e origin
ursprünglich original
das Urteil –e judgment

— V —

der Vater ¨– father
der Vegeta′rier vegetarian
verachten despise
verächtlich contemptuous
die Verachtung contempt
verändern alter, change
die Veränderung change
veranstalten arrange
die Veranstaltung performance, "event"
verantwortlich responsible
die Verbesserung improvement
verbinden a u combine
die Verbindung combination
die Verbitterung embitterment
verbot (bieten) forbade, prohibited
verbrachte (bringen) spent
verbreiten spread
verbrennen verbrannte verbrannt burn
verbringen verbrachte verbracht spend
verbunden (binden) combined, tied
verdammt damned
verdecken cover
verderben a o perish
verdienen earn, deserve
verehren revere
vereinigen unite
die Vereinigung union
die Vereinigten Staaten United States
verfassen compose
verfehlen miss
der Verfluchte –n cursed man
verführen mislead, seduce
vergangen (gehen) passed
das Vergangene –n past
die Vergangenheit past
vergaß (vergessen) forgot
vergeben a e forgive
vergehen verging vergangen pass away
vergessen a e forget
vergiftet poisoned
vergleichend comparing
verglichen (vergleichen) comparing
das Vergnügen pleasure
vergolden guild
vergrößert enlarged
das Verhältnis –se relationship
verheiratet married

verhelfen a o aid
verhungert starved
sich verirren go astray, be lost
verjagen drive away
verkaufen sell
der Verkäufer seller
verkündigen announce
verlangen demand, desire, yearn
verlängern extend
verlassen ie a leave, abandon
die Verlegenheit embarrassment
verliebt in love
verlieren o o lose
verließ (verlassen) left
verlor (verlieren) lost
verloren (verlieren) lost
der Verlust –e loss
vermag (mögen) can
vermieden (meiden) avoided
vermissen miss
der Vermißte –n missing man
das Vermögen wealth, estate
sich verneigen bow
die Vernunft reason
der Verrat treason
verraten ie a betray
verreisen go on a journey
verrückt crazy
verschaffen procure
verschenken give away, bestow
verschieden different, various
verschlingen a u swallow
verschneit snowed in
verschönern beautify, enhance
verschwand (schwinden) vanished
verschweigen ie ie keep silent about
verschwinden a u vanish
die Verschwörung conjuration, conspiracy
versichern assure
versprechen a o promise
der Verstand intellect, intelligence
verständig understanding
verstecken hide
verstehen verstand verstanden understand
verstorben deceased
verstreuen scatter
der Versuch –e attempt
versuchen attempt
die Versuchung temptation
versunken (sinken) sunk
verteidigen defend
die Verteidigung defense
verteilen distribute
die Verteilung division
vertiefen deepen; **sich —** immerse onseself
vertraut familiar
der Vertreter representative
verüben practice
verwandeln transform
verwandt related
die Verwandtschaft relationship
verwirklichen realize
verwirrend confusing
verwundbar vulnerable
verwundet wounded
die Verwundung wounding
das Verzeichnis –se list, catalogue
verzeihen ie ie pardon
die Verzeihung pardon
verzichten auf (+ *acc.*) give up
die Verzweiflung despair
der Vetter –s –n cousin
das Vieh cattle
viel much
vieles much

vielleicht′ perhaps
vierjährig four year old
das Viertel quarter
der Vogel ⸚ bird
das Vögelein little bird
die Vogelschrift writing of birds
der Vogelzug ⸚e migration of birds
der Vogt ⸚e governor
das Volk ⸚er people
die Volkskunde folklore
das Volkslied –er folksong
voll full, rich
vollen′den complete
die Vollen′dung completion, perfection
völlig fully, wholly
vollkommen perfect
die Vollkommenheit perfection
vollständig complete
von (+ *dat.*) of, from
vor (+*dat.* or *acc.*) before, in front of, ago, from; — **allem** above all
im voraus in advance
voraus′sagen predict
vorbei′ past, over
vor-bereiten prepare
der Vorgang ⸚e process
vorher′ previously
vor-herrschen predominate
vor-kommen occur
vormals formerly
vorn in front
von vorne from the beginning
die Vorrede preface
der Vorschlag ⸚e proposal, motion
vor-schlagen u a propose
die Vorsicht caution
vorsichtig cautious
die Vorsilbe prefix
vor-spielen play [to]
der Vorsprung ⸚e advantage, head start
der Vortag –e day before
der Vortrag ⸚e lecture
vorü′ber by, past
vorü′ber-gehen ging gegangen go by, pass by
das Vorurteil –e prejudice

— W —

wachen watch, be awake
wachsam watchful, alert
wachsen u a grow
wachsend growing
der Wächter guard
die Waffe weapon, arm
der Wagen wagon, carriage, car
wagen dare
die Wahl election
wahlberechtigt entitled to vote
wählen elect
während during, while
die Wahrheit truth
die Wahrheitsliebe love of truth
wahrlich truly
wahrschein′lich probably
der Wald ⸚er forest
die Waldlilie forest lily
der Waldsee –s –n forest lake
wandern wander, hike
die Wanderung hike, tour
wandte sich turned
ward = **wurde**
die Ware goods
wäre (*imp. subj.* of **sein**) would be, were
waren (**sein**) were
warf (**werfen**) threw
warm warm

die Wärme warmth
wärmen warm
warmherzig warm-hearted
warnen warn
warten (auf + *acc.***)** wait
warum′ why
was what
das Wasser water
die Wasserquelle water spring
wechseln change
wecken wake
weg away
der Weg –e way, road
wegen (+ *gen.*) because of
der Weggang departure
wegnimmt (nehmen) takes away
das Weh pain
weh (e) woe
wehrlos defenseless
das Weib –er woman, wife
weiblich feminine
weich soft
weiden graze, pasture
die Weihnachten Christmas
weil because
die Weile while
der Weinberg –e vineyard
weinen weep
die Weise manner; **auf diese —** in this way
weise wise
weiß white
weiß (wissen) know, knows
weit far, extensive, spacious, big, broad; **— verbreitet** widespread
weiter further
von weither′ from afar
der Weizen wheat
welch ein what a
welcher which, what
die Welle wave
das Wellenschlagen beating of the waves
die Welt world
die Weltanschauung philosophy of life
der Welterfolg –e world success
der Weltkrieg –e world war
der Weltlauf course of the world
der Weltruhm world fame
der Weltteil –e part of the world, region
wem to whom
wenden wandte gewandt turn
die Wendung turning
wenig little
wenige few
wenigstens at least
wer who, whoever
werfen a o throw
das Werk –e work
die Werkstatt (pl. **Werkstätten**) workshop
der Wert –e worth, value
wert worth
werten value, judge
wertlos worthless
wertvoll valuable
das Wesen being, nature, matters
der Westen west
westlich western
wichtig important
wider (+ *acc.*) against
der Widerstand resistance
widerstehen (+ *dat.*) resist
wie how, as, like, as if

wieder again
wiederho'len repeat
die Wiederho'lung repetition
wieder-kommen kam gekommen come again
das Wiedersehen reunion
die Wiege cradle
[das] Wien Vienna
die Wiese meadow
wieso how so
wild wild
die Wildnis –se desert
der Wille –ns –n will
willkom'men welcome
windbewegt moved by the wind
wirf (werfen) throw
wirken work, produce, function, act, be effective
die Wirklichkeit reality
der Wirt –e landlord, innkeeper
wispern whisper
wissen wußte gewußt know
das Wissen knowledge
die Wissenschaft knowledge, science
wissenschaftlich scientific
der Witz –e wit, joke
wo where
die Woge billow, wave
woher' whence
wohin' whither
das Wohl welfare
wohl well, probably
wohlbekannt well known
am wohlsten best
der Wohltäter benefactor
wohltätig beneficent, benevolent
wohl-tun benefit
wohnen live, dwell
das Wohnheim –e residence
die Wohnung home
die Wohnungsnot shortage of living space
der Wohnungsstil –e residential style
der Wolf ¨–e wolf
die Wolke cloud
der Wolkenhügel cloud hill
wollen want to
die Wonne bliss
das Wort –e *or* **¨–er** word
die Wortbildung word formation
das Wörterbuch ¨–er dictionary
wörtlich literally
der Wortschatz vocabulary
wozu' wherefor
wuchs (wachsen) grew
wuchs auf (wachsen) grew up
die Wunde wound
das Wunder wonder, miracle
wunderbar wonderful
das Wunderkind –er child prodigy
sich wundern (über + *acc.***)** wonder
wunderschön wonderfully beautiful
der Wunsch ¨–e wish
wünschenwert desirable
wünschenswürdig desirable
wurde (werden) became
würde (*imp. subj.* of **werden**) would
würdig worthy, dignified
der Wurf ¨–e throw
die Wurst ¨–e sausage
die Wurzel root
wußte (wissen) knew

wüßte (*imp. subj.* of **wissen**) knew
die Wut rage

— Z —

die Zahl number
zahlen pay
zählen count, comprise
zahlreich numerous
zähmen tame
der Zahn ¨–e tooth
der Zahnarzt ¨–e dentist
sich zanken quarrel
zart delicate
die Zartheit tenderness
der Zauber magic
z.B. = zum Beispiel for example
das Zeichen sign, symbol
zeichnen draw, sign
zeigen show
die Zeile line
die Zeit time
das Zeitalter age, era
der Zeitgenosse –n contemporary
zeitraubend time-consuming
die Zeitschrift periodical, journal
die Zeitung newspaper
die Zeitwende turning point in time
die Zensur′ censorship, grade (in school)
das Zentrum –en center
zerbrechen a o break to pieces, smash
zeremoniell′ ceremonious
zerreißen i i tear
zerstören destroy
ziehen zog gezogen move, go; **sich —** extend
das Ziel –e goal
zielen aim
ziemlich fairly
die Ziffer cipher
die Zigar′re cigar
zittern tremble
zog (ziehen) went
zog an (ziehen) put on
zog auf (ziehen) appeared
zog aus (ziehen) took off
der Zorn anger
zornig angry
zu to, toward, too
zuerst′ first
zufrie′den contented, satisfied
zu-gehen ging gegangen go on
zugleich′ at the same time
die Zukunft future
zuletzt′ finally
zünden light, kindle
die Zunge tongue
zunichts′ werden come to nothing
zurück′ back, behind
zurück′-kehren return
zurück′-legen traverse, cover
zusam′men together
zusammengebrochen (brechen) collapsed
zusam′men-hängen be connected
das Zusam′menleben living together
zusam′men-stellen put together, compile
der Zustand ¨–e state, condition
zuverlässig trustworthy
zuviel too much

zuvor′ before
zuvor-kommen get ahead
der Zwang compulsion
zwang (zwingen) compelled
zwar to be sure, true
der Zweck –e purpose, end
der Zweifel doubt
der Zweig –e twig, branch
zweimal two times
zweitens secondly
der Zwilling –e twin
zwingen a u force, compel
die Zwischenprüfung intermediate examination
der Zwölfjährige –n twelve year old

Index of Authors and Titles

Titles beginning with an article are given in both German and English styles, that is, under the article and under the first word following the article.

Subject Index